◇導入対話◇
による

ジェンダー法学
〔第2版〕

監修 浅倉むつ子

浅倉むつ子　戒能民江
阿部浩己　　宮園久栄
林　瑞枝　　堀口悦子
相澤美智子　武田万里子
山崎久民

不磨書房

〔執筆分担〕

浅倉　むつ子	（早稲田大学教授）	プロローグ Ⅰ　第4章
阿部　浩己	（神奈川大学教授）	Ⅰ　第1章
林　瑞枝	（元駿河台大学教授）	Ⅰ　第2章
相澤　美智子	（一橋大学専任講師）	Ⅰ　第3章
山崎　久民	（税理士）	Ⅰ　第5章
戒能　民江	（お茶の水女子大学教授）	Ⅱ　第6章
宮園　久栄	（東洋学園大学専任講師）	Ⅱ　第7章
堀口　悦子	（明治大学助教授）	Ⅱ　第8章
武田　万里子	（金城学院大学教授）	Ⅱ　第9章

〔執筆順〕

第2版 はしがき

　本書を刊行してから2年が経過したが，この間に，ジェンダーと法をめぐっては，いくつかの重要な展開があった。2003年12月には「ジェンダー法学会」が発足した。新しい学問領域であるジェンダー法研究を深め，活性化するための貴重な場が提供されることになった。また，2004年4月から全国で法科大学院がスタートしたことも重要である。ジェンダー法を正規の講義科目として提供する法科大学院も少なからず登場した。改めて，学部レベルでも，ジェンダー法教育の重要性が認識されるようになった。この間，読者の方がたや，本書を教科書として使用してくださった方々からは，いくつかの貴重なご指摘もいただいた。今回の改訂にはこれらのご意見もできるだけ反映させたつもりである。

　ジェンダーの領域の法改正も，いくつか行われた。2003年には，性同一性障害者特例法，次世代育成支援対策推進法，少子化社会対策基本法が制定された。2004年には，DV法改正，育児・介護休業法改正が行われ，配偶者特別控除が廃止された。改訂作業では，これら立法の動向を反映するとともに，できるだけ最新の判例や統計資料などに言及し，参考文献も見直した（各章末の参考文献は50音順に配列した）。巻末の年表についても，法政大学非常勤講師の大西祥世さんのご協力を得て，増補することができた。

　年度末の忙しい時期に，面倒な改訂作業に快く応じてくださったそれぞれの執筆者の方々と，適切な目配りをしつつ編集作業を進めてくださった不磨書房の稲葉文子さんに，心から感謝申し上げたい。

　　2005年3月

　　　　　　　　　　　　　　　　　　　　　　　　　　　　浅倉むつ子

はしがき

　私は，1991年夏からの1年間を，アメリカ東部にあるヴァージニア大学ロースクールの客員研究員（visiting scholar）として過ごす機会を与えられた。教員でも学生でもない気楽な身分で，学生に混じり講義やゼミに出席させてもらったり，世界各国から来ている同じ身分の研究者たちと気ままな小旅行に出たりして，じつに得難い豊かな時間を過ごすことができた。そのときの二つの経験を語ってみることにしたい。

　一つは，ロースクールの「フェミニズム法学」の講義に参加した経験である。アメリカのロースクールには，必ずといってよいほどこの手の講義科目がおかれており，ヴァージニア大学でも，フェミニズム法学は，多くの学生の興味を集めていた。講義のやり方は徹底した双方向方式で，教師は最初の20分近くの導入部分を語るだけで，あとは学生たちの自由討論に委ねられていた。大教室であるにもかかわらず，マイクをもった学生たちの熱い発言がとぎれずに続くのをみて，私自身も，こんな風に，学生たちの知的好奇心を喚起できるような講義を，いつかはやってみたいと，あこがれに似た感情をもつようになった。

　その講義によって，私は，キャサリン・マッキノンの名前を知ることになった。当時，講義に出席していた学生たちが，先を争って読んでいた本が，マッキノンの『国家論—フェミニストの試み』（Catharine A. MacKinnon, Toward a Feminist Theory of the State, Harvard University Press, 1991）だった。私がこの本をきちんと読むことができたのは，アメリカから帰国して後のことだったが，読んだ後には，世界が一変したような感動をおぼえた。女性労働問題を研究していながら，フェミニズムのなんたるかをほとんど理解していなかった私には，マッキノンによる既存の法律学に対する徹底した批判と，女性の権利のための一貫した主張は，大きな衝撃だった。

　フェミニズム法学は，既存の「知の体系」に対する，迫力をもった批判的学問である。このことを，実感をもって受け止めることができたのは，アメリカでの経験によるところが大きい。

二つ目の経験は，1991年10月に行われた，最高裁判事予定者のセクシュアル・ハラスメントをめぐる公聴会のテレビ中継だった。43歳の黒人で保守派という評判のクラレンス・トーマス氏が，最高裁判事候補としてブッシュ大統領に指名されて以来3か月，彼はさまざまな反対を乗り越えて，10月8日には上院で承認投票を受けることが予定されていた。ところがその直前に，オクラホマ大学の35歳の黒人女性，アニタ・ヒル教授から，EEOC（雇用機会均等委員会）に勤務していた時代に，上司トーマス氏からセクシュアル・ハラスメントを受けたという告発がなされた。この疑惑をめぐる上院司法委員会の公聴会がテレビ中継されることになり，数日間，全米の目はテレビに釘付けになった。ロースクールでも1日中，中継が放映されていたし，学内はこの話題でもちきりだった。フェミニズム法学の講義で，これをめぐって熱い討論が交わされたことはいうまでもない。

　この中継を通して，ヒル教授は，全国民に向けて，詳細な証言をするように求められた。その証言は，立ち入った性的表現を含むものにならざるを得なかった。このことは，今でも無責任なテレビ番組で面白おかしく揶揄されるほど，強烈な印象を残すことになった。しかし，中継の中で，彼女は，きりりとしたまなざしで正面を見据えながら，はっきりとした声で具体的な証言をした。それに比べて，トーマス氏は，落ち着きのない視線をあちこちに投げかけつつ，怒りをむき出しにした。両者の対照からみて，証言の信憑性の黒白はあきらかだと，私には思われた。にもかかわらず，すべて男性によって占められていた司法委員会は，52対48で，トーマス氏を最高裁判事に任命することを支持したのだった。

　ヒル教授は，女性であるがゆえに，職場において，拒むことができない性的欲望にさらされ，性的に貶められ，虐待を受けてきた経験をした。しかも，その事実を告発するために，公衆の前でそれを語るという困難な立場をさらに選択したのである。彼女のあのまっすぐな澄み切った目を，私は今でも思い描くことができるし，今でもなぜ彼女がそうしたのかを深い感動をもって理解することができる。フェミニストとしての勇気としか言いようがないものを彼女は私たちに見せてくれたのだった。

　以上の二つの経験は，私がジェンダー法学にアプローチする際の原体験である。

日本では，現在でもなお，大学や実務界におけるジェンダー問題への関心は，けっして高くはない。法律家は，自分たちこそ「正義」や「公正」を身につけた教育を受けてきたという自信をもっている。それだけに，ジェンダーの観点から法律学の「常識」に挑戦することには，困難がつきまといがちである。しかし，実際に裁判を受ける立場の女性たちやその法廷代理人である弁護士からは，裁判官自身のジェンダー・バイアスによって判決が偏向していると批判する声があがっている。たしかに判例を分析すれば，離婚事件における性別役割分業観の強さ，ドメスティック・バイオレンスに対する無理解，強姦罪成立に関する「抗拒不能」という構成要件該当性の解釈や，セクシュアル・ハラスメントの被害女性は悲鳴をあげたり抵抗するはずというステレオタイプ的把握がもつ問題性など，多くのことが指摘されるだろう。

司法界におけるジェンダー・バイアスは，実務の世界に限られるものではない。より本質的な問題は，司法試験受験者や弁護士，裁判官が依拠せざるをえない日本の法学界における「通説」「多数説」が，ジェンダー・バイアスの要因になっていることだろう。私たちは，法学界の「常識」の危うさについて，法律学に対する無垢な目をもつ非法律家たちから，かえって教えられることが多いのである。

この本の執筆者は，すべてが法律学の専門家ではないが，いずれも，ジェンダー問題に深く関心をもち，その観点から既存の学問に批判的な立場をとっている。また，女性の権利を確立するために貢献したいという考えも共通している。しかし，私たちもまた，既存の専門教育を受けてきたのであって，自らのジェンダー・バイアスから完全に自由であるという保障はない。率直にいって，私たちもまたジェンダー法学の講義については常に試行錯誤を繰り返しているのであり，本書は，現時点での到達点にすぎない。今後とも，同じような問題意識をもつ人々とともに，本書を手がかりにして，いっそう法律学におけるジェンダー的観点に関心を深め，議論を提起し，ジェンダー法学の内容を充実・発展させていくことを，切に願っている。

2003年2月

浅倉むつ子

本シリーズの特色

(1) 【導入対話】

学習の《入口》である導入部分に工夫をこらしました。学習に入りやすい"導入対話"です。通常その項目で最初にいだくかもしれない「疑問」を先取りして，学ぶ者と教師との対話により，学習目標を明らかにしようとしています。いわば，《学習のポイント・予備知識》です。学習の入口となるものですから，必ずここから読み始めてください。

(2) 【基本講義】

基礎的・標準的な"基本講義"です。通常の講義で語られる《基礎的なツールを，スタンダード》に，条文の解釈を中心にしながら解説し，筆者の自説を「押し売り」することをできるだけ避けているはずです。この部分は必ず，『六法』の条文を参照しながら読んでください。授業では，講義を聞きながら，いわば《講義ノート》の役割をはたします。

(3) 【展開講義】

基本講義を抽象的に理解するだけでなく，実践的に・具体的にしかも現代的に《重要問題について展開》しています。基本講義を一通り理解し，より深い学習をしたい方は，これだけを抜き読みすることも一つの方法です。また，ゼミナールなどでの学習にも，使いやすく効果的です。

本シリーズでの学習方法

本シリーズの効果的な学習方法を提案してみましょう。

法律の勉強に限らず，どんな勉強でも，1回で分かることはないでしょう。最低2回以上は同じ本を読んで理解を深める必要があります。そこで，

① 1回目は，【導入対話】とそれに続く【基本講義】のみを読んでみる。
② 2回目は，【導入対話】→【基本講義】→【展開講義】と，全体を一通り読んでみてください。
《その際，できれば目次をコピーして，今自分がどのあたりを読んでいるかを確かめながら進むことも大切です。地図をたよりに，どこか知らない観光地に旅しているような気分になるでしょう。》
③ 3回目は，目次を見ながら，書かれてあった事柄が思い出せないところ，不確かなところをもう一度読んでみるといいでしょう。

このような順序をふまえながら，学習進度に応じて読み進むことにより，確かな実力を得ることができるように工夫されています。

目　次

第2版 はしがき
はしがき

プロローグ …………………………………………………………… 3
1　ジェンダー法学とフェミニズム ……………………………… 3
2　既存の法律学批判 ……………………………………………… 5
3　法律学の脱構築へ――労働法を例にして …………………… 7
4　本書の構成 ……………………………………………………… 11
5　今後のジェンダー法教育 ……………………………………… 12

I　ジェンダーと差別

第1章　国際法におけるジェンダー …………………………… 16
1　国際法におけるフェミニスト・アプローチ ………………… 16
◆導入対話◆　国際法のつくり手たち
1.1　二つのゴール ……………………………………………… 17
1.2　ジェンダー構造を問う手法 ……………………………… 18
【展開講義1】男性化された国家，安全保障 ………………… 20
2　国際人権保障 …………………………………………………… 21
◆導入対話◆　女／平等／人権
2.1　国際人権に潜むジェンダー ……………………………… 23
2.2　女性差別撤廃条約の強化 ………………………………… 25
【展開講義2】経済のグローバル化と女性の人権 …………… 28
3　武力紛争下の女性 ……………………………………………… 30
◆導入対話◆　戦争の情景
3.1　国際人道法における女性の位置 ………………………… 31
3.2　不処罰の連鎖を断つために ……………………………… 33

【展開講義 3】　国際人道法の再ジェンダー化に向けて …………………36

第 2 章　家族・セクシュアリティ………………………………………39
　1　法律婚主義——婚姻制度と離婚制度 ………………………………39
　　◆導入対話◆　家庭と仕事と
　　1.1　「家」と「家族」………………………………………………………40
　　1.2　制度としての婚姻 ……………………………………………………41
　　1.3　家族と親族 ……………………………………………………………43
　　1.4　離婚制度 ………………………………………………………………45
　　【展開講義 4】　婚姻制度の形式的男女平等 …………………………48
　　　　　　1　「白紙条項」 48　　2　夫婦の氏　48
　2　変わる婚姻と法制 ……………………………………………………50
　　◆導入対話◆　変わる婚姻
　　2.1　婚姻の脱制度化 ………………………………………………………51
　　2.2　内縁 ……………………………………………………………………51
　　2.3　非婚 ……………………………………………………………………52
　　2.4　婚外子 …………………………………………………………………53
　　【展開講義 5】　法律婚主義と婚外子 …………………………………54
　　　　　　1　婚外子の法的地位の格差　54
　　　　　　2　民法改正の動向　55
　3　セクシュアリティと家族 ……………………………………………56
　　◆導入対話◆　開かれる家族
　　3.1　国際結婚 ………………………………………………………………57
　　3.2　家族形態の多元化 ……………………………………………………59
　　【展開講義 6】　セクシュアリティの平等化 …………………………60
　　　　　　1　パートナー関係法　60
　　　　　　2　フランスの連帯民事契約法　61

第 3 章　雇用差別 ………………………………………………………64
　1　差別とはなにか ………………………………………………………64

◆導入対話◆　ある募集広告
　　　1.1　直接差別と間接差別 …………………………………………… 64
　　【展開講義 7】　三陽物産事件 ………………………………………… 66
　　　1.2　イギリスと日本 ………………………………………………… 66
　　　1.3　均等法と差別 …………………………………………………… 67
　　　1.4　賃金差別と労基法 ……………………………………………… 69
　　【展開講義 8】　男女賃金差別判例の展開 …………………………… 70
　　　1.5　雇用差別をなくすために ……………………………………… 71
　2　女性の労働条件 ……………………………………………………… 72
　　◆導入対話◆　「保護」と「平等」
　　　2.1　母性保護と一般女性保護 ……………………………………… 73
　　　2.2　女性保護から男女共通保護へ ………………………………… 74
　　　2.3　妊娠・出産保護を手厚く ……………………………………… 75
　　　2.4　時間外・休日労働 ……………………………………………… 76
　　　2.5　深夜業 …………………………………………………………… 77
　　【展開講義 9】　時間外・休日労働義務の発生 ……………………… 78
　3　家庭と仕事の両立 …………………………………………………… 79
　　◆導入対話◆　育児・介護は誰の責任か
　　　3.1　労働基準法 ……………………………………………………… 80
　　　3.2　育児・介護休業法 ……………………………………………… 80
　　　3.3　育児休業・介護休業 …………………………………………… 81
　　　3.4　両立のための時間外・深夜労働の制限 ……………………… 84
　　　3.5　両立のための看護休暇 ………………………………………… 85

第 4 章　貧困と社会保障 ……………………………………………… 87
　1　貧困の女性化と社会保障法 ………………………………………… 87
　　◆導入対話◆　アンペイド・ワーク
　　　1.1　世界的な規模で進む「貧困の女性化」 ……………………… 88
　　　1.2　社会保障法とジェンダー ……………………………………… 90
　　【展開講義 10】　社会保障法の守備範囲と法体系 ………………… 92

　　　　　1　社会保障法とは　*92*　　2　要保障事故・状態　*92*
　　　　　3　保障方法　*93*
　　2　公的扶助とジェンダー ……………………………………………*93*
　　　◆導入対話◆　**補足性の原理**
　　　　2.1　生活保護法と補足性の原理 ………………………………*94*
　　　　2.2　適正化通達とその影響 ……………………………………*96*
　　　【展開講義 11】　ホームレスと生活保護 …………………………*97*
　　3　社会福祉とジェンダー ……………………………………………*99*
　　　◆導入対話◆　**介護はさせるが財産はやらない？**
　　　　3.1　介護者は女性 ………………………………………………*100*
　　　　3.2　介護保険制度とジェンダー ………………………………*100*
　　　　3.3　家族介護への保険給付のあり方 …………………………*101*
　　　【展開講義 12】　社会福祉の給付方法——措置制度から支援費支給
　　　　　　　　　　　制度へ ……………………………………………*102*
　　　　　1　社会福祉基礎構造改革　*102*　　2　社会福祉の給付方式　*102*
　　4　社会手当とジェンダー ……………………………………………*103*
　　　◆導入対話◆　**パート所得と児童扶養手当**
　　　　4.1　児童手当制度とジェンダー ………………………………*104*
　　　　4.2　児童扶養手当制度とジェンダー …………………………*106*
　　　【展開講義 13】　児童扶養手当制度と婚外子差別 ………………*107*

第5章　税金と年金 …………………………………………………*109*

　　1　税金の基礎 …………………………………………………………*109*
　　　◆導入対話◆　**納税者の権利**
　　　　1.1　税金の役割 …………………………………………………*109*
　　　　1.2　公平な税制度とは …………………………………………*110*
　　　　1.3　税金の種類 …………………………………………………*111*
　　　　1.4　税負担者の減少 ……………………………………………*112*
　　2　所得税 ………………………………………………………………*113*
　　　◆導入対話◆　**「内助の功」で「得」するのは誰？**

2.1　所得税のしくみ……………………………………………113
　　2.2　配偶者控除……………………………………………………114
　　2.3　働き方で異なる税金申告…………………………………117
　3　年金の基礎………………………………………………………………117
　　◆導入対話◆　「白馬の騎士」はサラリーマン!?
　　3.1　公的年金制度のしくみ……………………………………118
　　3.2　現行年金制度の問題点……………………………………119
　【展開講義 14】　年金制度をどう改正するか………………………120
　4　「103(130)万円の壁」…………………………………………………122
　　◆導入対話◆　夫の本音は!?
　　4.1　「103(130) 万円の壁」とは………………………………123
　　4.2　女性労働の賃金水準………………………………………124
　【展開講義 15】　これからの税制………………………………………125
　　　1　社会福祉を支える税制と公平性　125
　　　2　税制度をどう改正するか　126

II　ジェンダーからの解放

第6章　女性に対する暴力 …………………………………………130
　1　性暴力………………………………………………………………………130
　　◆導入対話◆　信じられてきた「強姦神話」
　　1.1　女性たちに沈黙を強いる社会……………………………131
　　1.2　刑法の「性犯罪」の構造…………………………………133
　　1.3　強姦裁判と「合意」の壁…………………………………136
　　1.4　強姦罪は何を守るのか……………………………………137
　　1.5　強姦裁判と被害者の権利…………………………………138
　【展開講義 16】　夫の強姦は強姦ではない?………………………139
　2　セクシュアル・ハラスメント………………………………………139
　　◆導入対話◆　セクシュアル・ハラスメントはなぜわかりにくいか
　　2.1　セクシュアル・ハラスメントとは何か…………………141

2.2　セクシュアル・ハラスメント防止の法制度 ……………………………… 142
　　2.3　職場のセクシュアル・ハラスメント裁判 …………………………………… 143
　　2.4　キャンパスにおけるセクシュアル・ハラスメント ………………………… 146
　3　ストーカー被害 ……………………………………………………………………… 148
　　◆導入対話◆　「元彼」が多いストーカー被害
　　3.1　ストーカー被害とは ……………………………………………………………… 149
　　3.2　ストーカー規制法の概要と特徴 ……………………………………………… 150
　　3.3　ストーカー規制法の問題点 …………………………………………………… 152
　4　ドメスティック・バイオレンス ………………………………………………… 155
　　◆導入対話◆　「法は家庭に入らず」で見て見ぬふり
　　4.1　ドメスティック・バイオレンスとは何か ………………………………… 156
　　4.2　ドメスティック・バイオレンスの被害 …………………………………… 158
　　4.3　ドメスティック・バイオレンスの歴史 …………………………………… 159
　　4.4　DV 防止法 ………………………………………………………………………… 160
　【展開講義 17】　DV 防止法改正 …………………………………………………… 167

第7章　刑事司法とジェンダー ………………………………………………… 170
　1　わが国の犯罪 ………………………………………………………………………… 170
　　◆導入対話◆　刑務所に入るのは難しい？
　　1.1　犯罪の動向 ……………………………………………………………………… 171
　　1.2　刑事司法手続 …………………………………………………………………… 172
　【展開講義 18】　わが国の刑事手続の特色 ……………………………………… 173
　2　女性と犯罪 …………………………………………………………………………… 175
　　◆導入対話◆　女子と少年
　　2.1　統計から見た女性犯罪 ………………………………………………………… 175
　　2.2　女性犯罪の特徴 ………………………………………………………………… 183
　3　ジェンダー・バイアスって？ …………………………………………………… 184
　　◆導入対話◆　無罪になった強姦
　　3.1　刑事司法におけるジェンダー・バイアスの発見 ………………………… 185
　　3.2　刑事司法にみられるジェンダー・バイアス ……………………………… 185

4　ポルノと女性差別 ………………………………………………… 189
　　　4.1　女性に対する人権概念の高まり ……………………………… 189
　　　4.2　ポルノと犯罪 …………………………………………………… 190
　　【展開講義 19】ポルノと犯罪 ………………………………………… 192
　　5　ジェンダー・バイアスをなくすために ………………………… 193
　　　5.1　司法における男女共同参画の促進 …………………………… 193
　　　5.2　リーガル・リテラシーの獲得 ………………………………… 193
　　　5.3　ジェンダー・バイアスをいかに可視化するか ……………… 193
　　【展開講義 20】司法におけるジェンダー・バイアス ……………… 194

第8章　か ら だ ……………………………………………………… 197
　　1　リプロダクティブ・ヘルス／ライツ …………………………… 197
　　　◆導入対話◆　リプロダクティブ・ヘルス／ライツとは
　　　1.1　リプロダクティブ・ヘルス／ライツの概念 ………………… 197
　　　1.2　人工妊娠中絶 …………………………………………………… 200
　　　1.3　優生保護法と母体保護法──女性障害者の人権 …………… 201
　　　1.4　性をめぐる問題 ………………………………………………… 202
　　【展開講義 21】性同一性障害者特例法 ……………………………… 206
　　　　1　性別変更条件の問題点　206
　　　　2　法改正への元受刑者等の影響　206
　　【展開講義 22】中絶とセクシュアリティ …………………………… 207
　　　　1　プロ・チョイスとプロ・ライフ　207　　2　堕胎罪　207
　　　　3　ブルーボーイ事件　208
　　2　生殖技術 …………………………………………………………… 209
　　　◆導入対話◆　「不妊」は病気？
　　　2.1　生殖医療 ………………………………………………………… 210
　　　2.2　代理母 …………………………………………………………… 212
　　【展開講義 23】男女産み分け ………………………………………… 214
　　3　買売春 ……………………………………………………………… 215
　　　◆導入対話◆　援助交際

    3.1　売春と買春 ……………………………………………………… *215*
    3.2　セックス・ワーク論 …………………………………………… *217*
    3.3　子どもと買売春 ………………………………………………… *219*

第9章　参　　画 ……………………………………………………………… *221*
  1　男女共同参画社会基本法 ……………………………………………… *221*
    ◆導入対話◆　**男女共同参画**
    1.1　ジェンダー主流化 ……………………………………………… *221*
    1.2　基本法ができるまで …………………………………………… *223*
    1.3　積極的改善措置 ………………………………………………… *224*
    【展開講義 24】　クォータ制 ……………………………………… *225*
    1.4　苦情処理機関 …………………………………………………… *226*
    1.5　ナショナル・マシナリー ……………………………………… *227*
  2　自治体の参画条例 ……………………………………………………… *228*
    ◆導入対話◆　**審議会の公募委員**
    2.1　男女共同参画条例 ……………………………………………… *228*
    【展開講義 25】　行政と契約する事業主に対する施策 ………… *231*
    2.2　男女共同参画計画 ……………………………………………… *232*
    2.3　男女共同参画センター ………………………………………… *233*
  3　参画の領域 ……………………………………………………………… *234*
    ◆導入対話◆　**女性議員50%**
    3.1　政治の世界に生きる …………………………………………… *234*
    3.2　公務員として働く ……………………………………………… *237*
    3.3　審議会委員になる ……………………………………………… *239*
    3.4　司法関係で働く ………………………………………………… *240*
    3.5　企業・各種団体・NPO・NGO で活躍する ………………… *241*
    【展開講義 26】　大学の男女共同参画 …………………………… *241*

資料：ジェンダー関連法・政策年表 ……………………………………… *245*
索　引 ……………………………………………………………………… *251*

導入対話による

ジェンダー法学〔第2版〕

プロローグ

1 ジェンダー法学とフェミニズム

(1) フェミニズムの潮流

　本書のタイトルである「ジェンダー法学」とは，ジェンダーの視座から法的な現象を分析する法律学のことを総称しているものと考えてよい。このジェンダー法学とはいったいどのようなものなのだろうか。

　まず，最初に断っておかなければならないことは，アメリカのロースクールなどでしばしば提供されている「フェミニズム法学」と「ジェンダー法学」の関係についてである。学問の世界にジェンダーの視座を導入したのはフェミニズムであり，フェミニズムが取り組んできた女性学（women studies）とジェンダー学（gender studies）は決して対立するものではない。もっとも，ジェンダー学という表現を使えば，男性社会を反省的に捉え直す「男性学」がジェンダー研究の一つとして位置づけられやすいということにはなるだろう。

　法律学の世界でも，「フェミニズム法学」は，最近では，より男性も参加しやすい「ジェンダー法学」と呼称されることが多くなっている。しかし，両者の内容が基本線で変化したわけではない。人によっては，フェミニズムが女性の権利を声高に主張したから，男女に中立的なジェンダー学（もしくはジェンダー論）が登場するようになったという評価もあるようだが，それは一面的な捉え方であろう。後に述べるように，ジェンダーは決して男女に「中立」ではない。

　とはいえ，ジェンダー法学の源流であるフェミニズム理論には，それ自体がかかえている困難も多い。フェミニズム理論の中にも，女性の地位がどのように特徴づけられるかについては，かなりの論争があるからだ。「女性が何を意味するのか」を合意できないのでは，ジェンダー法学もありえないではないかという批判は十分に予測される。ジェンダー法学がフェミニズムにより導入さ

れた手法だというと、即座に「ではジェンダー法学は、フェミニズムのいかなる潮流を支持するのか」という問いかけがなされるのは、ある意味で、当然なのかもしれない。

　たしかに法律学にかぎらず、学者はフェミニズムの方法論の潮流の分析に熱心であり、いずれの潮流に与するのかを明確にしなければ議論に参入できないかのように考えがちである。しかし、阿部浩己は、「国際法におけるフェミニスト学派は、フェミニズムが培ってきたあらゆる理論的成果を状況に応じて活用する」と言い切っている（本書第1章18頁）。私もこのような発想に魅力を感じている。すなわち、リベラル、社会主義、文化派、エッセンシャリズム、ラディカル、ポストモダンなどというさまざまなフェミニズム理論を、我々が適宜活用することによって、法律学のジェンダー構造を断続的に解き明かすという手法が使えるならば、あえて「私はこのフェミニズムの方法論でいく」という宣言は、当面必要ないに違いない。

(2) ジェンダーという用語

　「ジェンダー」は、もともと女性詞・男性詞をさす文法用語にすぎなかった。しかし、フェミニズムは、ジェンダーという言葉を再定義して使い始めた。つまり、生物学的性差を示すセックスという用語に対して、ジェンダーを、「社会的・文化的性差」を示すものとして再定義したのである。

　その意図は、階層としての女性を、性差によって規定づけられた劣等な地位から解き放とうというところにあった。セックスによって区分される「生得的に決定された性差」は「自然」であって変えることができないとしても、ジェンダーによって区分される「学習によって獲得される性差」を変えることは不可能ではないからである。性差が文化的・社会的に作られるものであるなら、それは「宿命」や「自然」とは違って変えることができるはずだ。ジェンダーは、性差が「宿命」だという考え方を否定するための道具概念として用いられるようになった。

　この「ジェンダー」の視座を学問の世界に導入することは、既存の学問の世界に大きな転換をもたらすことになった。既存の学問は、あくまでも中立的で普遍的な「人間」を対象とするものだと考えられてきた。ジェンダーの視座は、それに対して、「普遍的」な「知」の世界も、実際には男性中心の世界ではな

いのかと，問いかける。「科学」，「文化」，「伝統」，「歴史」などの「知の世界」は，「すべての」人間を対象としているようにみえながらも，そこから女性という性を排除してきたのではないのか。そのような批判的問いかけとして，ジェンダー概念は用いられるのである。

「社会的・文化的性差」の刻印を受けた男女双方の関係は決して対等ではない。社会はジェンダーによって二分されているが，それは単なる水平的な分割ではなく，権力関係が組み込まれたものである。つまり，常に男性が支配し，女性が支配されるという関係にある。男性は，「人間」という普遍的な存在を代表してきており，男性こそが「標準」だった。これに対して，女性は，男性との差異化によって定義されてきたために，常に「周縁」という存在だった。ジェンダーの視座からすれば，「男性＝標準」「女性＝周縁」という関係性自体が批判の対象になるのである。

2　既存の法律学批判

　法律学の分野でも，このことは明らかである。ジェンダー法学の真価は，既存の法律学をこれまでにない視座から批判することにある。ここではジェンダー法学が提示するいくつかの批判的視座について，考えてみたい。

(1) 法の「普遍性」「中立性」を問う

　少なくとも20世紀初頭に，「形式的平等」が，各国の法制度上，確保されるようになって以来，法律学は，ジェンダーをあたかも見えないものとして扱うようになった。法律学は，通常は，人間を，性別を区別せず中立的に取り扱っているのであって，露骨な性差別主義は排除されたといわれている。

　ところが，ジェンダー法学は，この自明の理に異議申立てをする。法律学における「普遍的人間」とは，結局は社会における中心的存在である「男性」にすぎないことを，ジェンダー法学は，暴き出そうとする。そして，近代法は，果たして「中立的」で「普遍的」なのだろうかと問いかける。法は，常に「中立性」「普遍性」という権威を装いながらも，男女という差異を，かえって「現実」のものとして構築しているのではないだろうか。そういう根源的な問いかけをするのである。

たとえば，「選択の自由」という法的に尊重されるべき価値の内実に注目してみたい。誰もが否定できない「選択の自由」という名のもとに，法は，本当には選択できない状況にある人々を「法外」に追いやり，見えない存在にしている。法外に追いやられる者たちの大半は，マイノリティー集団であり，女性である。このように，法が，保護する人々とそうでない者を区別し，法の内と外に「境界」をひくことは，結局は，法自身が差別を正当化し，強化することに他ならないのではないか。ジェンダー法学は，法の内と外を区別すること，それによって境界をひき，差別を強化すること，これらは，法の力，法の暴力にほかならないとして，既存の学問や既存の法秩序を，鋭く批判するのである。

(2) 「二分法」への関心

　ジェンダーという分析道具を用いて既存の法律学を見直すと，世界はまったく違うようにみえてくる。すべてのことがこれまでとは異なったアングルから分析されるからである。ジェンダー法学は，「近代法」による「公私二分論」を批判する。法が「境界」を引いて，女性を公共圏から外に追いやる際の，もっとも正当な理由づけが「公私二分論」だという批判である。

　近代法は，市民社会の領域を，常に「公共圏」と「家族圏」に二分するのだが，それを通じて，公共圏における「自由・平等」の享受者は事実上，男性に限定され，家族圏における「不自由・不平等」の享受者が，事実上，女性に限定されている。近代法は，「自由・平等」を原理としながらも，それが貫徹すべき領域をもっぱら「公共圏」に限定した。その分野の行為主体である男性を近代的人格のモデルとしたからである。

　他方，家族圏では，性別役割分業によって，女性は男性に従属する存在である。加えて，暴力や不平等は，公共圏では犯罪であり公序良俗違反の行為になっても，家族圏では不問にされてきた。「公私二分論」は，自由・平等を法原理として掲げる「近代法」の介入の方向性が，公共圏と家族圏とでは異なっているという現実を告発したのである。

　ジェンダー法学は，公と私のみならず，法と政治，合理性と非合理性，能動と受動，客観と主観，理性と感情という，すべての二分法に関心を寄せる。これら二項の組み合わせのうち，常に，前者は後者よりも優位性を与えられてきた。前者は重要な価値づけを与えられ，それに対して，後者は価値の低いもの

であった。しかし，これまで価値の低さゆえに無視されてきた後者に光をあてることによって，ジェンダー法学は，既存の価値の組み替えをめざすのである。

3 法律学の脱構築へ——労働法を例にして

　ジェンダー法学は，既存の法律学を批判するだけではない。新たな意味のある法律学を再構築しようと試みるものでもある。その手法はいまだ未完成であって，部分的かもしれないが，法律学の再構築にむけたいくつかの試みを示すことは可能かもしれない。私が専門とする労働法の分野を例にして述べてみよう。

(1)「女性中心アプローチ」の提案

　私は，労働法に関わって，「女性中心アプローチ」を提案したことがある（浅倉むつ子「労働法とジェンダー～『女性中心アプローチ』の試み～」『講座21世紀の労働法第6巻』有斐閣，2000年，後に浅倉『労働法とジェンダー』勁草書房，2004年，21頁以下に所収)。それは以下のようなことである。

　労働法という分野を具体的にみると「男性中心主義」が明白だといわざるをえない。なぜなら，労働法が対象とする「労働」とは，あくまでも市場労働としての「ペイド・ワーク（報酬労働)」であり，その中心に位置するのは常に男性だったからである。従属労働を含む労働契約関係における中心的な労働者像は，伝統的には，熟練・フルタイムの男性労働者だった。彼らは，期間の定めのない労働契約を締結し，扶養すべき家族をもち，家族を養うに値する賃金（家族賃金）を集団的に要求してきた。他方，家族圏の労働は，労働法が対象とする労働には含まれていない。対価を伴わない「アンペイド・ワーク（無報酬労働)」としての「家事労働」「育児」「介護」等の「労働」は，労働法の対象外に追いやられてきた。そして，家族圏の労働を主として担う者が女性であるために，女性は，労働法においては周縁的で補助的な位置づけでしかなかった。労働法においては，「女性」は，保護の対象や雇用平等法理の対象ではあっても，労働法の中心的な担い手として登場することはなかったのである。

　労働法が想定する「人間像」が，抽象的には中性的な人間であっても，「規範」としてはあくまでも「男性」労働者であったことから，労働法のさまざま

な概念や制度は,「男性」労働者を前提に構成されてきた。労働法においても,公私分離論が確実に貫徹されており,労働法全体の理論がその影響を被っている。

　既存の労働法が,男性労働者を中心に据えているものであるとすれば,ジェンダーを分析手法として労働法の脱構築をはかるためには,労働者「モデル」そのものを修正する必要があるだろう。これまでの労働法が「男性の経験」に依拠した学問であったことを組み替えて,むしろそれとは異なる「女性ならではの経験」を中心におく理論を展開する必要があるのではないか。これを私は,「女性中心アプローチ」(Women centered approach)と呼ぶことにした(これは英米の労働法学者の論文からヒントを得た)。

　ジェンダー法学の観点からすれば,法律学は,既存の法制度や学問の反省にたって,女性も普遍性を有するし,男性も特殊性を有するという事実に目を向けるべきである。女性には,男性とは異なる女性ならではの,多種多様な形をとった「経験」が存在する。これらは,女性ならではの構造的不利益という経験である。この経験に目を向けることが,ジェンダー法学の認識の基盤である。ジェンダー法学は,この「女性ならではの経験」という現実に根ざすものであって,性別を根拠にした社会的不平等を告発し,それを変えていく試みでなければならない。まずは,「女性ならではの経験」とはなにかを考えるところから出発すべきだろう。

(2)　**女性ならではの経験**

　女性の経験とは,既存の法制度においては長く無視され続けてきた,「女性に関する事実」であり,歴史的に形成されてきた構造的不利益の経験である。フェミニズム法学の論客,キャサリン・マッキノンの表現を借りながら,この「女性ならではの経験」について述べてみよう(キャサリン・マッキノン「フェミニズムが法学教育を変える」世界2002年10月号,262頁)。

　これまで多くの場合,女性は,低賃金で社会的評価の低い労働に従事してきた。女性の労働には,正当な経済的評価が与えられず,十分な物質的対価が付与されてこなかった。また,男性が自分では引き受けたくない役割に,女性は振り分けられてきた。家庭内では使用人同然の扱いを受け,暴力の犠牲になってきたし,妊娠と出産の自己決定権を奪われた状態で母親にならざるをえな

かった。自らの意思に反して，不妊手術を受けざるをえなかった。産むか産まないかの決定権も奪われてきた。さまざまな場面で，拒むことができない性的欲望にさらされてもきたし，性的な虐待を受けてきた。人格を脅かすような快楽のために売り買いされてきた。長期的には，婚姻制度を通じて，いつでも手にいれられる性交の相手として取り扱われ，短期的には動産のように売買されてきた。教育の機会は少なく，個人の安全や人間としての尊厳を奪われてきた。このようなことが，女性ならではの構造的不利益の経験である。

　このような「女性ならではの経験」は，労働法が対象とする「職場」という公的分野における経験に限られるものではない。女性は，人生の多くの問題を，性的なできごとを凝縮した全体像として体験する。女性の人生を，主婦・母・妻・労働者と別々に分けることなどはできないし，女性は，家庭と仕事と性を同時に生きている。お前の人生のここまでがこちらの分野の問題であり，これ以上はまた別問題だという「境界」を引くことは難しい。個人的で私的なこと，したがって，公的な分野では扱われなかったことの中にこそ，政治性が潜んでいるという事実を暴いたのはフェミニストである（「個人的なことは政治的である」）。フェミニズムの問題関心は，幅広く相互に関連しており，境界を引くことはできない。ジェンダー法学によって再構築される労働法が対応すべき問題領域が，従来の労働法の対象領域を超えたものになるのは当然といえよう。

　女性のこのような経験について，現実の構造的不利益という状況が自然であって，女性は肉体的にそのように運命づけられているのだという論法がまかりとおってきたと，マッキノンは強く批判している。女性は，このような「経験」によって，ジェンダー化され，利用され，権利を侵害され，価値を引き下げられ，搾取され，排除され，沈黙させられてきた。このような事実に目を向けずに法の普遍性のみを説く既存の法律学こそ，ジェンダー法学によって批判されなければならないのである。

(3) **女性の「不在」を問い直す**

　このような「女性ならではの経験」を認識の基礎におきつつ，女性中心アプローチは，労働法のみならず，法律学の各分野それぞれにおいてジェンダー法学を再構築する。それがめざすものは，法律学が性中立的であるという考え方のジェンダー化された本質を，目にみえる形で描き出しつつ，女性にとって望

ましい社会的変化の条件を作り出すこと，それだけでなく，法律学の各分野の中心に女性を位置づけることによって，伝統的な理解に挑戦しながら，学問の脱構築をはかることである。

女性中心アプローチは，労働法制度と労働法学のいずれにおいても，女性の不在という事象に目をむける。フェミニズム国際法学が，女性不在の意味を問い直すことから出発したのと同様である（阿部，本書第1章19頁）。労働法における女性問題は，これまで，主として，女性労働者の特有の保護や男女平等原則のありよう，セクシュアル・ハラスメントの法理など，女性が直接的な影響を被る分野の問題に限られてきた。もちろん，今後ともこれら女性問題の重要性は否定できないし，従来，周縁的であるとして軽視されてきたこれらの研究課題が，より労働法学の中心テーマとして位置づけられなければならない。

しかし同時に，これらの問題だけが女性の関心事であると捉えがちな傾向もまた見直される必要がある。ジェンダー法学は，法律学が対象とする世界のすべてに女性が存在するわけではないということ自体を問題として問いかけ，女性が疎外されてきた事実の意味合いを解明しようとする。労働法でいえば，集団的労働法はその代表的な分野である。ジェンダー労働法学は，すべての労働法学の対象分野に射程をのばしつつ，女性の不在そのものの意味を問い直すのである。

(4) 新しい価値の追求

女性不在を批判するといっても，では，たとえば労働組合に女性代表を送り込めばそれで済むのかというと，ことはそう簡単ではない。あらゆる分野において「男女共同参画」を追及することは，男女共同参画社会基本法を制定した時代の「国策」になっているといってもよいが，その意味を理解し，解明することこそが重要である。単に男女が居合わせる「参加」が実現されたとしても，それは，そこで決定された政策の「正当化」に利用されるだけで，ほとんど無意味であるばかりか，かえってジェンダー法学がめざす学問の「脱構築」にとっては，逆効果でしかない。

男女共同参画社会基本法は，男女共同参画社会の実現が21世紀の「最重要課題」だという（前文）。また，同法は，広い意味でのあらゆる政策からジェンダーの維持・強化に向かう含意を洗い出し，政策効果が少なくともジェンダー

中立になるように修正することを要請する（同法4条・15条）。あらゆる施策がジェンダーの観点から見直されねばならないのであり（ジェンダーの主流化），家庭生活とその他の生活との両立も重要だと述べる（同法6条）。本法が有するこれらの革新的な意義については，改めて指摘するまでもない。

しかし，この法律のもっとも重要な意味は，なんのための男女共同参画なのかを問うところにあるということができるだろう。「参画」とは，単にその場に居合わせる参加とは違って，意思決定にたずさわり，自らの意見を社会に反映させることである。「男女」の共同参画が必要なのは，従来の各種の意思決定がもっぱら男性中心に行われ，それゆえに男性の経験を反映させた決定が社会を作ってきたからである。その現実を反省して，男性とは異なる経験をしてきた女性の意思が加わることによって，社会に新しい価値が生み出されることを期待するところにこそ，この法の最も重要な意味があるのだといってよい。

したがって，大事なのは，男女の経験の差である。先に述べたように，構造的不利益を経験してきた女性たちが政策決定に参画することによって，めざすべき社会とは，性別を根拠にした社会的不平等を追放し，誰もが公正に処遇され，職業も家庭も大切にするという新しい価値に支えられた社会でなければならない。女性ならではの経験を政策決定に反映させることは，そのような新しい価値の実現を追求することにほかならない。

4　本書の構成

さて，本書は以下のように構成されている。

第1章（「国際法におけるジェンダー」）は，既存の国際法学へのフェミニスト学派による果敢な挑戦を包括的に紹介し，他のすべての分野に共通する「ジェンダー法学」の意義を説得的に展開している章である。このプロローグとともに，まず読んで欲しい。この章では，国際人権法といえども男性中心性を基礎においていることを批判し，国際的な女性の人権の「主流化」の流れを紹介する。

第2章から第5章は，家族・雇用・社会保障・税と年金という各分野ごとの男女差別をとりあげている。第2章（家族・セクシュアリティ）は，日本の家族

法における男女平等の「形式性」を批判しつつ，欧米の変化する家族と家族法の動向を紹介している。第3章（雇用差別）は，性差別の類型には，性中立的な条件を適用することによって結果的に差別をもたらすような間接的性差別も存在すると指摘しつつ，その法制化からはほど遠い日本の法制度の実情を分析する。第4章（貧困と社会保障）は，旧来の社会保障法が，夫婦を一対のものとしてとらえ，無収入の妻をもつ男性に対する給付をモデルとしてきたことを示しつつ，その残滓をなお部分的に継承している現在の法制のジェンダー・バイアスを批判している。第5章（税金と年金）は，性別役割分業をいっそう押し進めるような現行の税制と年金制度の問題点を指摘し，改正の方向性を検討している。

第6章から第8章は，暴力，女性への犯罪，身体という観点から，女性支配の根幹としてのジェンダー問題をとりあげている。これらの章は相互に密接な関連性をもっている。第6章（女性に対する暴力）は，強姦に代表される性暴力，セクシュアル・ハラスメント，ストーカー被害，DVをめぐる女性の被害の実態を分析しつつ，法制度上の問題点を指摘する。第7章（刑事司法とジェンダー）は，公正で中立と思われていた刑事司法にもジェンダー・バイアスがひそんでいることを多面的に検討し，ジェンダー教育の必要性を説いている。第8章（からだ）は，女性の自己決定の権利とされるリプロダクティブ・ヘルス／ライツ，生殖技術，売買春をめぐる法律問題について，現代的な情報を収集して整理している。

最後に，第9章（参画）は，男女共同参画社会基本法および自治体の条例制定の現状を分析しつつ，政治，公務，審議会，司法，団体等における男女共同参画の推進状況を明らかにして，社会のあらゆる領域の男女共同参画が不可欠だと指摘する。

5　今後のジェンダー法教育

以上のような本書の内容が，きわめて多彩なものであることはいうまでもない。女性の権利として語られる現象は，多様で包括的であり，それぞれの間に境界を引くこと自体が難しい。たとえば，2000年の6月に開催された国連特別

総会（「女性2000：21世紀のためのジェンダー平等，開発，平和」）のテーマは，さながら国境を越えた「人権のカタログ」というにふさわしいほど，あらゆる分野にわたっている。女性と貧困，教育，健康，暴力，武力紛争，経済，意思決定・権力，制度的しくみ，人権，メディア，環境，女児…。これらの問題それぞれを区分けすることなく，包括性と相互関連性を丸ごと体験しながら，世界の女性たちは，日々の問題の解決に努力しているのである。このような現実を生きている女性たちから学ぶことほど，ジェンダー問題の研究者にとって大事なことはない。

　それにくらべて，法律学は明白に専門化された学問であり，各分野は確立した権威に裏付けられ，明確な境界が引かれている。一分野の専門家が他の分野に口出しすることは，原則として控えることが好ましいとされてきた。また，法律学の約束ごとは多く，初学者は徹底してその「原則」をたたきこまれる。その約束ごとを破るのは法律の素人であり，専門性に欠けるとされて，学界では無視され，排除されかねない。そのような中で，ジェンダー法学を講義する者は，問題の包括性と法律学の専門性との間で苦しむことになるのである。

　しかし，法律学におけるジェンダー・バイアスをなくし，女性が法律を自由に学び，キャンパスで活発に発言し，知的好奇心を満たすことができるように，私たち教員は，条件整備をしなければならない。そのためにも法学教育において，ジェンダーへの理解を浸透させることは必須である。どの科目のテキストにおいても，いかなる講義においても，どの教室においても，女性の視点と経験が生かされ，尊重されなければならない。そのことは，法律学そのものの脱構築につながるだろう。法学アカデミズムの中で，女性がフェミニストであることに勇気を必要としなくなるまで，ジェンダー法学の意義は失われることはないだろう。

　2003年には「ジェンダー法学会」が発足した。第1回（2003年12月，早稲田大学）と第2回（2004年12月，専修大学）の学術大会には，法学諸分野の研究者，実務家，院生らが数多く参加し，熱のこもった議論が交わされた。2005年1月現在，会員数は300名を超えており，ジェンダー法学会のホームページで大会の様子が紹介されている。ジェンダー法学会は，毎年，12月の最初の土曜日と日曜日に大会をもつことにしており，学会誌『ジェンダーと法』が発行されて

いる（日本加除出版）。

　また，2004年4月から全国でスタートした法科大学院は，ジェンダー法教育に大きなチャンスをもたらしたといえよう。「実務と理論の架橋」を目的とする法科大学院では，実際に社会の中で生起しているジェンダーにもとづく差別に対して目をつぶることは許されず，研究者教員と実務家教員が法学理論に裏打ちされた実務を発展・創造することが要請されるからである。ジェンダー法学を正規の講義科目として提供する法科大学院も少なからず存在する。ジェンダーの視点から批判的に法学を読み解くことの重要性は，今後の法科大学院の教育においても強調されなければならない。高い理論的水準を修得しながら，より豊かで多様性のある法を創造していくジェンダー法学の担い手が，法科大学院から生み出されていくことが期待される。

［参考文献］
『岩波講座現代の法第11巻　ジェンダーと法』岩波書店，1997年
浅倉むつ子『労働法とジェンダー』勁草書房，2004年
浅倉むつ子・戒能民江・若尾典子『フェミニズム法学―生活と法の新しい関係』
　　明石書店，2004年
金城清子『ジェンダーの法律学』有斐閣，2002年
ジェンダー法学会編『ジェンダーと法』No.1，日本加除出版，2004年
角田由紀子『性差別と暴力』有斐閣，2001年
山下泰子＝戒能民江＝神尾真知子＝植野妙実子『法女性学への招待（新版）』有斐
　　閣，2002年

I　ジェンダーと差別

第1章　国際法におけるジェンダー

1　国際法におけるフェミニスト・アプローチ

◆　導入対話　◆

国際法のつくり手たち

学生A：これだけグローバル化が進んで世界が縮んできたからには，国際法はきちんと勉強しとかなくちゃだめね。

学生B：やっぱりそう思う？　ところで先生，国際法って，誰がつくってるんですか。

教師：誰って，きみ，国家とか国際機構に決まってるじゃないか。

学生A：そうよ。そのくらい先生の教科書読んで知っときなさいよ。「国際法の能動的主体」のところ，もう1回読んどいたら？

学生B：いや，ぼくはもっと具体的に知りたいんです。先生，国家って誰ですか。

教師：これはまたずいぶん奇妙な質問だな。しいていえば，国際法をつくっている国家は政府によって代表されているが……。

学生A：そう，そして政府とは外交官たちによって代表され……。

学生B：そうそう，そういうことを聞きたかったんです。それと，国際法をつくるときに，学者の人たちもなにか役割を果たしているということはないんですか。

教師：たとえば，国連総会のもとに国際法委員会というのがあってね，これまでに，そこで20以上の条約（条文）草案がつくられてきている。これなんかは，そうだろうね。

学生B：となると，結局のところ，外交官とか国際法委員会に参画している学者たちが国際法をつくってきてるということになりませんか。そのうち女性の比率はどのくらいなんでしょう？

学生A：さすがフェミニストね。私はフェミニストじゃないけど，あなたのいわんとしていることはわかってるつもり。でも，つくり手が男だろうと女だろう

と，つくられる国際法のルールに変わりがあるわけないじゃないの。国際法は人類全体の福祉のためのものなのよ。人類のなかに女が含まれるのは当然でしょ。
学生B：でも，外交官とかが圧倒的に男だとしたら，なんだかんだいったって，男の経験や価値がルールの在り方に反映されちゃうんじゃないの？　この点は，国内法でも国際法でも同じだと思うんだけど。それと，国際司法裁判所のような国際法を解釈・適用したりするところも男ばっかりのようで気になるんですけど。
教師：そんなに気になるのであれば，自分で調べてみたらどうですか。ただ私としては，そんな些事にこだわるよりも，あなたには，もっと大切な国際法の問題に取り組んでもらいたいと思っています。男とか女とかいう前に，やるべきことはいっぱいあるのではないですか。そこのところを忘れないように。
学生B：……

1.1　二つのゴール

　国際法においてフェミニスト学派が本格的に台頭しはじめたのは，1990年代に入ってからであった。オーストラリア出身のヒラリー・チャールズワースとクリスティーン・チンキンという二人の国際法学者がその有力な理論的先導者である。この二人が，もう一人の同僚とともに1991年の米国国際法雑誌に発表した論文（「国際法へのフェミニスト・アプローチ」）にはじめて触れたときの知的興奮は，それまでに味わったことのない格別のものであったことを今でも覚えている。国際法の風景がまったく違ってみえるようになった感がする。

　他の分野においてそうであるように，国際法においてもフェミニストの目指すゴールは二つある。一つは，国際法制度に奥深く埋め込まれ，国際法学を通じて再生産されてきたジェンダー秩序（男性中心性）を解明すること，もう一つは，国際法制度を変革することによりフェミニストの政治的闘いに貢献することである。つまりそれは，学問的営みであると同時に明確に政治的営みでもある。この二面性，とりわけフェミニズムという特定の価値へのコミットメントを明らかにしている点において，没価値＝中立を装う主流国際法学（＝実証主義／自由主義国際法学）とのスタンスの違いがはっきりしている。

　フェミニスト学派は抽象性・客観性・体系性に代えて，具体性・主観性・個

人性(女性の具体的な声,経験,直感)を大切にしながら国際法への接近をはかる。このため,その営みは非学問的であるとか,場合によっては破壊的,狂人的と評されることも少なくない。しかし,そもそも中立や客観などというものが,経験科学たる国際法学においては眉唾物である。国際法学は,国際法が機能する国際社会の外部に立つことはできない。国際法学者は,観察対象の一部を自ら構成しているのであり,そうである以上,その観察眼が中立的・客観的たりうるはずがない。にもかかわらず法制度や学問に中立性や客観性を求めるのはなぜなのか。フェミニズムはこの問いを正面から引き受け,中立性＝没価値性,抽象性・客観性・体系性といった美しき言葉の数々が,実は,国際法における男性中心性を覆い隠すきわめて政治的な表現にすぎないことを示してみせる。

　フェミニズムは女性の全的解放をめざすものである。しかし,そこでいう女性とはいったい誰を指しているのだろう。ポスト構造主義の段階を迎え,女性もフェミニズムも一枚岩でないことがますます鮮明になってきている。人種,階級,国籍などによりまったく異なる環境におかれている女性たちを女性という一語でくくることはきわめて困難だ。特に国際法は国際社会全体を射程に入れた法分野であるだけに,国内法以上にこの問題が深刻である。女性間の「内なる差異」をつきつめていけば,もはや女性同士に共通の言語は存在しないことを認めなくてはならないのかもしれない。だが,それではフェミニズム本来の目的が失われてしまう。ここでは,女性というカテゴリーを暫定的に構築することはなお可能であることを確認しておきたい。それは,均質化された(あるいは普遍的な)女性が幻想にすぎないことを認めつつも,特定の目的を実現するために女性という「想像の共同体」を戦略的に立ち上げることがなお可能なことを意味する。このことは,国際法上の問題について語る場合にももちろん同様である。

1.2　ジェンダー構造を問う手法

　国際法におけるフェミニスト学派は,フェミニズムが培ってきたあらゆる理論的成果を状況に応じて活用する。リベラル,文化派,ラディカル,ポストモダン,ポストコロニアルといったさまざまな冠のつけられたフェミニズム理論を適宜活用することによって,国際法のジェンダー構造を断続的に解き明かし

ていく。その手法は，考古学的な発掘作業にもひとしい。

　発掘作業はまず，国際法制度における圧倒的な女性の不在という事象に向けられる。むろん，国連の女性の地位委員会や女性差別撤廃条約の履行監視機関・女性差別撤廃委員会など，女性が数多く集う国際機関もないわけではない。ただ，国際法学に携わる女性たちはこれまで，そうした機関だけを研究の対象にしてきたきらいがある。女性のいない所の研究はできないということなのかもしれないが，これでは女性の機関が国際法制度全体のなかで疎外されてきた事実，そしてその意味合いを解明することができない。フェミニスト学派は，ジェンダーという分析道具を用いることにより，すべての国際法機関・制度に研究射程を伸ばし，女性不在の意味そのものを問い直す作業を開始した。

　いうまでもなく，女性不在の機関に女性を入れ込んだり，あるいは女性と男性を入れ替えればそれで事が済むというわけではない。フェミニスト学派は，女性不在の背後に潜む"中立"で"客観的"な国際法諸原則・規則のジェンダー性を掘り起こし，さらに，国際法を支える抽象的な諸概念——国家，安全保障，紛争など——そのものがジェンダー化された構築物であることを告発する。女性の不在あるいは周縁化は，単なる一時的な過誤ではなく，男女間の不均衡な力関係を正当化する国際法構造そのものの不可欠の一部であることが説かれる。変革すべきはまさにそこであり，構造に手をつけないまま，単に女を男に変えて国際機関に送りこむことが希求されているわけではけっしてない。

　フェミニスト学派は，法／政治，客観／主観，論理／感情，秩序／アナーキー，公／私といった二分法に関心を寄せる。そして，これら二項の組み合わせのうち前者が国際法において常に優位性を与えられてきたところにジェンダーの罠が潜んでいることに着目する。前者は男性，後者は女性ということである。フェミニストは，些事として軽視されてきた後者の事項に法の光をあてることにより，二項を分かつ境界を解体し，女性を抑圧する価値の組み変えを国際法に求めていく。したがってその営みは，ラディカルで戦闘的なものにならざるをえない。

　フェミニスト学派には，現行の法制度をジェンダーの視点から批判するだけで，体系化された代替案を示していないという批判が向けられるかもしれない。学問や法制度に体系性，普遍性，一貫性を要求するがゆえのこの批判は，代替

構想なく現行秩序を動揺させるフェミニズムへの嫌悪と怯懦の現われともいえるが，私自身は，代替案は示すことができないし，なにより示す必要はないと考えている。

　第1に，私たちはジェンダー化された国際社会で生まれ育ってきており，その歴史的被拘束性を免れることはできない。ジェンダーフリーな国際社会の全体像を描きだすことは，そうした社会を全く経験したことのない者の想像力の範囲を超えている。第2に，仮に代替案が構想できたとして，それは，別の形態の抑圧秩序に陥る危険性がある。そうした新たな抑圧秩序の構築は，解放言説たるべきフェミニズムの本旨ではあるまい。第3に，仮にあらゆる抑圧から自由な国際社会がありうるにしても，そうした社会への移行は代替案という大きな構想を通じてではなく，小さな営みの堆積の結果によってしか達成しえないと考えられる。言い換えれば，ジェンダー構造を白日のもとにさらす考古学的発掘の積み重ねそれ自体がすでに国際社会を再構築する歩みになっているのではないか。

　一つの大きな真実あるいは他の理論を凌駕する普遍的理論の構築を目指すのではなく，国際法において些事とされてきた微視的事象に目を向け，問いを発すること，そして対話を続けること，その営みにこそフェミニスト学派の真髄がある。その営みのなかから，新たな国際社会の姿が徐々に形づくられていくのである。

【展開講義　1】　男性化された国家，安全保障

　「国際法とは国際社会の法である。国際社会とは，主に国家から成る社会である。したがって国際法とは，主に国家間の関係を規律する法である」——。単純化していうなら，これが最も広く流通してきた国際法の定式である。「主に」という言葉が出てくるのは，国家以外の存在も無視できなくなっているからであって，具体的には，国際連合に代表される国際機構（国際組織）や個人の存在がそこで念頭におかれている。もっとも，個人はもとより国際機構にしても，その存在を派生的・二義的なものととらえる論者が多く，国際法の中心軸が国家から離れることはなかった。

　国際法における国家の要件は，1933年にモンテビデオで署名された「国の権利及び義務に関する条約」1条に明文で定められている。そこでは，永久的住民，

確定した領域，政府，外交能力という四つの要件が規定されているが，これらの要件も国際社会の不均衡なジェンダー構造を再生産し正当化するものにほかならなかった。たとえば，露骨なまでに性差別的な「永久的住民」の構成（バチカンなど）を国際法は一貫して容認してきたし，「確定した領域」にしても，国境の不可侵性を前提視するなど，明らかに「侵入を許さぬ男性の身体性」をそこに投射するものとなってきた。また国家は政府を通じ一つの声を国際社会に届けるものとされているが，その声はどの国をみても男性支配エリートの声であるといっても過言ではない。

　フェミニスト学派は，家父長的構造を強化する国家の要件を批判するとともに，国際法の立法と実施に，男性支配エリートの声だけでなく，多様な人間の声を反映させるよう求めている。それは国際法過程をNGOや市民あるいは自治体など非国家行為体に開放することであり，また，国際法の法源の多様化を求めることにもつながる。

　国際法は，暴力（武力行使）を全面的に否認することは一度もなかったが，これも軍事力を信奉する「男性的」な安全保障観の帰結といえる。フェミニスト学派のなかには，非暴力を求める「女性的」価値を戦略的に構築することにより転換への契機を創りだそうとする人たちがいる。戦争と平和の問題は，これまでの国際法学では，常に武力行使の規制という観点から語られてきた。それは武力行使をどのような場合に認めるかを見定めるものであり，結局のところは暴力を肯定するものにほかならない。そうではなく，たとえば平和への権利という観点を前景に押し出し，武力によらない安全保障言説を国際法学のなかに創り出そうとしているのである。こうした営みは，平和主義を掲げる日本国憲法9条と強い親和性をもつものでもある。

2　国際人権保障

◆　導入対話　◆

女／平等／人権

学生A：国際法のレポートのテーマ，もう決めた？
学生B：うん，女性の人権についてやろうかなと思ってるんだ。
学生A：というと，女性差別撤廃条約のこと？

学生B：女性の人権っていうと，みんなすぐにその条約のこというんだよな。
教師：当然ではないですか。女性にとって最も大切な条約ですから。
学生A：そうですよね，先生。それに，最近，その条約には国際的な人権救済手続きもできたっていうじゃないの。
学生B：選択議定書のこといってるの？　そりゃそうだけど，でもね，女性の人権って，女性差別撤廃条約だけの問題じゃないんですよ，ほんとうは。
教師：たしかに，ほかの人権条約にも性差別を禁止する規定がありますからね。
学生B：うーん，それともちょっと違うような……。
教師：男女が平等になることを国際人権法は求めてきたんではないですか。
学生B：たしかにそれはそうなんですが，もっと重要なことは，平等な適用を求められている国際人権規範それじたいが男の経験にもとづいて組み立てられてきたということを明らかにすることなんじゃないですか。それって，単なる平等の問題じゃないと思うんですけど。
学生A：なにわからないこといってるの。そんなこと国際人権法のテキストのどこにも書いてないわよ。
教師：男とか女とかにこだわるのは，どうも最近の悪い風潮だな。だいたい，人権規範のモデルが男だとか女だとかをどうやって証明するんですか。仮に，モデルになっている人間が男だとしてもですよ，そういう人権規範を女も一緒に享受できるようにすることのどこに問題があるのですか。
学生B：国際社会の構造がいまのままなら，男をモデルとする人権規範を，女は絶対に現実のものにできませんよ。
学生A：じゃあなに，あなたは，女性の人権っていうテーマで，国際社会の構造の問題にまで触れるつもりなの？
学生B：そう，とくに市場原理を推進する国際経済秩序ね。
教師：それは人権の範囲を超えてますね。人権の問題は，やはり国際人権法の範囲内に収めるのがいいと思いますよ。
学生B：でも，もう，人権法だとか経済法だとかいってる時代じゃなくなってると思うんですけど。多国籍企業の問題なんか，女性の人権問題そのものじゃないですか。
学生A：？　あなた，最近ますます過激になってるわね。どうしちゃったの。
学生B：そうかな？　現実の生活感覚からすると，ごくごく普通のことしかいってないつもりなんだけどな。
教師：現実の生活感覚はいいから，とにかく国際法のレポートは私にもわかる

しっかりしたものを書いてくださいよ。
学生B：はあ。

2.1 国際人権に潜むジェンダー
(1) 国際人権法の発展

　国際人権法は，国家間関係を規律する法として構成されてきた国際法の変容を促すきっかけを提供するものとして，近年，幅広い関心を集めている。

　第二次世界大戦後の一般的な平和機構である国際連合は，平和と人権との密接な関係を認め，人権の促進を機構の主要目的の一つに掲げた。これにより，はじめて人権という言葉が国際法の前面に躍り出ることになった。そして，1948年の国連総会で採択された世界人権宣言を手始めに，多くの人権文書が生み出されていく。なかでも，同宣言を条約化した社会権規約（「経済的，社会的及び文化的権利に関する国際規約」）と自由権規約（「市民的及び政治的権利に関する国際規約」），さらに人種差別撤廃条約，女性差別撤廃条約，拷問等禁止条約，子どもの権利条約，移住労働者・家族権利保護条約は主要7条約と分類され，国際人権法のなかにあって最も重要な位置づけを与えられている。

　これらの条約には特別の条約機関が設置され，条約の履行を監視する体制が整えられている。このほか，国連のなかにも，人権委員会や人権小委員会，さらに女性の地位委員会などが設置され，国際人権法の実現を促す活動が行われてきている。1993年には国連人権高等弁務官ポストが設けられ，国連の人権活動を政治的に高いレベルで調整することも可能になった。国際労働機関をはじめとする専門機関にも人権問題を扱うところが少なくない。国際人権保障は，欧州や米州，アフリカなど地域レベルでも発展をとげ，国連システムとの連携が漸進的に強化されてきている。

　国家と市民あるいは市民と市民の関係に規制を及ぼす国際人権法の出現は，国家間関係を念頭におく国際法にとって革命的な出来事であった。しかし，ジェンダーの視点に立ってみれば，国際人権法といえども，男性中心性を基礎においている点において，旧来の国際法となんら違いがなかった。フェミニスト学派は，人権分野において精力的にジェンダー秩序の発掘作業を行うことに

より，そのことを明るみに出している。その成果を四点にわけてみてみることにしよう。

(2) 国際人権規範の再ジェンダー化

まず第1に，自由権規範が男性の経験にもとづいて構築されてきたことが明らかにされている。たとえば，自由権規約6条の規定する生命に対する権利は，公的機関による生命の恣意的剥奪からの保護を念頭において認識されてきたといってよいが，圧倒的多数の女性の生命は，私的領域で脅かされている。中絶，名誉殺人，ダウリ殺人，栄養失調，保健サービスへのアクセス拒否，夫からの暴力……。こういった女性の生命を危険にさらす社会的現実が，生命権の射程外におかれてきた。同じことは，拷問の定義にもあてはまる。これまで拷問は，公的機関の関与があってはじめて認められてきたといってよく，規範内容の確定にあたり不均衡な権力関係を背景に私的領域で暴力を受け続けている女性たちの経験はまったく反映されないままであった。

第2に，社会権規範の男性規範性も明瞭にされている。たとえば，社会権規約7条の規定する公正かつ良好な労働条件への権利は，もっぱら，フォーマルセクターでの有償労働を念頭において構成されており，多数の女性が従事する無償労働あるいはインフォーマルセクターでの労働はカバーされていない。同一価値労働同一賃金にしても，経済生産性の観点から家事労働が低位におかれている現実に照らしてみれば，どれほどの広がりをもちうるのか疑念が残ろう。

第3に，集団の権利が女性の声を排除して構築されてきたことにも注意が喚起されている。自決権や発展の権利などいわゆる第三世代の人権は，集団の利益が一致することを前提にして組み立てられている。だが現実には，集団の利益は集団内で強い力をもつ者によって決せられるのが常である。このため，劣位におかれている女性の声は，集団の権利の名のもとにきまって沈黙させられてきた。また発展の権利の場合には，発展のモデルを実質的に工業化と市場経済の拡充においてきたことから，私的領域での女性労働をますます不可視化するとともに，「貧困の女性化」を促進することにもなってしまった。

第4に，性差別禁止規範にもジェンダーの罠が潜んでいる。性差別禁止があらゆる人権文書を貫く，国際人権法の要であることはいうまでもないが，問題は，平等が，人権規範の享受にあたって「男女の同一」を達成することと観念

されていることである。「同一」の達成は一見して素晴らしいことのようにみえるものの，その実，享受される人権規範それじたいが上でみたようにジェンダー化されている，つまり，男性の経験にもとづいて規範化されているのであれば，そこで実現される「同一」とは，女が男になることによる平等にもひとしい。それを差別の撤廃として歓迎するわけにはいかない。なにより，男性並み基準による平等は，差別が歪んだ社会構造そのものの帰結であることから耳目をそらす誘因にもなりかねない。

1990年代に入ると，フェミニズム運動の昂揚を受け，女性の経験を組み入れて国際人権規範を再ジェンダー化する動きが急速に広まっていった。生命権や拷問などにかかわる「暴力」概念の組み替えをきっかけに，「女性の権利は人権である」というスローガンが1993年の世界人権会議，1995年の北京女性会議を文字どおり席巻する。国連でも女性に対する暴力撤廃宣言が採択され，私的領域内の暴力が国際人権法上の問題として認知されるとともに，女性に対する暴力の問題を調査・研究する特別報告者が人権委員会で任命され，女性の人権の「主流化」が本格化することになった。その一方で人権条約機関も，ジェンダーの視点に立った規範内容の見直しに着手し，2000年には，最も保守的だった人種差別撤廃委員会が人種差別とジェンダーの連関を正式に認める「一般的勧告25」を採択するにいたった。これによりすべての人権条約にジェンダーの視座が導入され，男性規範として顕現してきた人権規範の再定式化への道が開かれることになった。

こうして自由権，社会権，集団の権利，平等観念，そのいずれにおいても，男女を分かつ境界（公／私）の政治性が浮き彫りにされ，人権規範の書き替えが進められることになった。女性運動の政治戦略と圧倒的な勢いがなせるわざであった。

2.2　女性差別撤廃条約の強化

(1)　女性差別撤廃条約の誕生と疎外

女性の人権保障にとって最も重要な役割を果たしてきたのが女性差別撤廃条約であることはいうまでもない。1979年に国連総会で採択されたこの条約は，政治参加，国籍の取得，教育・雇用・社会的参加，法的能力，婚姻・家族関係等における男女の法律上の平等を求めるだけでなく，既存の「種々の文書にも

かかわらず，女子に対する差別が依然として広範に存在していること」を認めることにより，差別を生み出す構造あるいは内面化された意識の内にまで条約が分け入っていくべき必要性を確認した。そして，「出産における女子の役割が差別の根拠となるべきでなく，子の養育には男女及び社会全体が共に責任を負うことが必要であることを認識し，社会及び家庭における男子の伝統的役割を女子の役割とともに変更することが男女の完全な平等の達成に必要であることを認識し，……女子に対するあらゆる形態の差別を撤廃するための必要な措置をとることを決意して」，この条約は作成された。

しかし，その崇高な理念にもかかわらず，この条約の誕生により，かえって女性の人権は女性差別撤廃条約にまかせておけばよい（つまり，他の人権条約では女性の人権を扱う必要がない）という了解が広がり，女性の人権の周縁化がもたらされることになってしまったことも見落としてはならない。それが，国際人権法におけるジェンダー構造の固定化を促すはたらきをもってしまった。

加えて，既存のジェンダー秩序の維持に利益を見出す各国の支配エリートは，他の人権条約に比べ際立って脆弱な履行監視の仕組みしかこの条約には付置しなかった。こうして，履行監視を担う女性差別撤廃委員会は会期日数を年2週間にとどめられ，個人通報（国際的人権救済申立）を受理・検討する権限を否定された。また，同委員会の事務局はウィーン（現在はニューヨーク）におかれ，国際人権保障システムの総本山ともいうべきジュネーブから切り離されてしまった。さらにこの条約には「宗教」あるいは「文化」を理由に条約を骨抜きにする包括的な留保が付せられることにもなった。そこには，条約を無化するジェンダー力学が露骨なまでに映し出されていた。

(2) **履行監視メカニズムの拡充―選択議定書の採択**

90年代に入って昂揚したフェミニズム運動は，すべての人権機関において女性の人権の主流化をはかるとともに，女性差別撤廃条約そのものの強化も求めていった。こうしたはたらきかけが奏効し，女性差別撤廃委員会の会期日数拡大や政府報告審査方法の精緻化がほどなくして実現する。また，個人通報手続の設置可能性も精力的に追求され，これが，1999年に女性差別撤廃条約選択議定書としてついに具体化されることになった。

選択議定書は，個人通報手続と調査手続という二本の柱からなっている。前

者の手続により，女性差別撤廃条約上のいずれかの権利を侵害されたと主張する個人（の集団）は，利用可能な国内的救済手続を尽くした後に，救済を求め女性差別撤廃委員会に通報を行うことができるようになった。委員会はこの通報を受けて，関係締約国からの情報も入手し，非公開で事実認定と法的評価を行う。そしてその見解を，場合によっては勧告とともに当事者に送付する。締約国は，委員会の見解に「妥当な考慮」を払う義務を負い，その実施状況を委員会によって追跡審査されることになった。

他方，調査手続は「締約国が条約に定める権利の重大なまたは組織的な侵害を行っていることを示す信頼できる情報」が寄せられた場合に発動される。委員会は，当該締約国の協力を得ながら，現地訪問などを行い，調査結果を意見・勧告とともに関係締約国に送付する。個人通報手続が個々の人権救済に向けられているのに対し，この調査手続は，大規模なあるいは制度的な人権侵害に対処する際に威力を発揮しうるものである。

選択議定書は，必要な批准国数を得て，2000年12月22日に発効した。今後どのような通報がなされ，どのように処理されるかに関心が集まっている。もっとも日本はまだこの議定書を批准していない。さらにいえば，この議定書に限らず，日本は，人権条約に備わっているいずれの個人通報手続も受諾していない。「司法権の独立」を損ねるおそれがあるから，というのがその主な理由なのだが，根底には，日本の行政・司法府と異なる判断基準をもった人権条約機関への抜き難い不信感があるように思えてならない。

ちなみに「北」の先進国で人権条約の個人通報手続を一つも受け入れていないのは日本だけである（米国の場合には，米州人権委員会への救済申立が可能になっている）。行政・司法官僚の内向きのナショナリスティックな思考が，個人通報手続受諾への道を閉ざしている。女性差別撤廃委員会は23名の独立した委員からなっており，そのなかには日本出身の委員も含まれているのだが……。

ともあれ，選択議定書の成立により，総じて，女性差別撤廃委員会の履行監視機能が高められたことはたしかである。だが，委員会の活動がスムーズに進むには，それを可能にする人的・物的資源が適切に確保されなくてはならない。ジュネーブ／ニューヨークと分断された事務局体制をどうするかということも含め，女性の人権保障を効果的に実現するために検討すべき課題は依然として

多く残されている。

　選択議定書は，女性の人権の主流化とならんで，国境を超えて連帯するフェミニズム運動が生み出した記念碑的成果であり，なんとしても大切に育んでいきたいものだが，そのためにもまず私たちに求められるのは，個人通報手続に背を向け続ける日本政府の姿勢を転換させることである。それこそが，私たちの示しうる最良の国際的連帯の証にほかならない。

【展開講義 2】 経済のグローバル化と女性の人権

　冷戦の終結によって加速された経済のグローバル化は，地球全体を一つの市場にすることを企図するものだが，その流れは，多くの人々が繰り返し述べていることとは違って，自然の流れでも不可避のものでもない。経済のグローバル化は特定の政治目的を実現するため意図的に進められているものであり，したがってその流れは，変えようと思えば変えることができるものである。

　経済のグローバル化を推進する主要な起点となってきているのは，国際通貨基金（IMF），世界銀行に代表される国際金融機関であり，世界貿易機関（WTO）である。これらの機関の活動を通じ，市場原理の世界的浸透がはかられているといってよい。国際法の一般的テキストのほとんどは，国際金融／貿易機関の活動が人間の現実の生活に及ぼす影響についてまったく記述しておらず，それどころか，没価値＝中立を装うことで結果的に市場原理そのものへの無条件の支持を打ち出すものとなっている。これに対しフェミニスト学派は，貿易やサービス等の自由化が社会的被傷性の強い女性に不均衡に負の影響を与えているとして，批判的な姿勢を隠さない。

　IMFによる「南」の国向け融資は，構造調整の実施を条件として行われてきた。構造調整とは，財政支出を削減するために「小さな政府」への転換を促すものであり，公共サービスの民営化が強力に推進されている。また外資を誘致するため企業に有利な条件を整備することも求められ，それはほぼ例外なく労働者の権利保障や環境保全措置の劣化となって具体化されているといってよい。端的にいって，構造調整は，教育や社会保障，労働規制といった分野からの撤退を国家に要求することであり，これにより財政赤字の解消が予定されているのだが，それによって生じる社会的矛盾は，きまって弱い立場にある者を直撃する。とくに，教育機会の減少，社会保障水準の低下，労働条件の劣化の影響をまっさきに受けるのは，どの国でも社会的資源を欠く女性たちである。人権の言葉を用いていう

なら，教育への権利，相当な生活水準への権利，労働への権利などの享受が，女性にとっていちじるしく難しくなっているのだ。

　1995年に設立されたWTOは，女性の人権にとってさらに大きな脅威となって立ち現われている。貿易とサービスの自由化を目指すこの国際機構には，強力な牙をもった紛争解決機関が控えており，そこで増幅される自由化の波は，「南」，「北」の別を問わず世界各地を覆いつくす勢いである。問題は，自由化とは誰にとっての自由を生み出すのか，ということである。貿易やサービスが国境を越えて行われるようになると競争が促進され，消費者がより安いものを容易に手に入れられるようにも思えるが，自由化の現実は，多くの人間，とりわけ女性にいっそう多くの「不自由」を強いるものとなっている。市場の論理が，人権や環境，公共性といった市場外要素を駆逐するような制度設計になっているからである。WTOでは，人権・環境の考慮はアプリオリに「保護主義的」とみなされ，排除の対象になってしまうことが少なくなかった。こうして，労働者や自然を過度なまでに搾取しながら，より安い産品の生産を求める競争が国境を越えて行われることになる。それは，かつてのように牧歌的な「比較優位」のもとでの競争ではなく，明らかに「底なしの競争」への道である。最底辺にいる女性はますます不自由を強いられる一方で，これまでにない自由を獲得している者は企業，とりわけ強大な多国籍企業である。

　現在，世界貿易全体の3分の1は一つの多国籍企業グループのなかで行われ，もう3分の1は異なる多国籍企業間で行われているとされる。つまり，世界貿易の3分の2は，多国籍企業が支配しているわけである。貿易の自由化が誰を益するものなのかは歴然としていよう。WTOが多国籍企業による多国籍企業ための法制度を整備する場になっているといわれるのはけっして偶然ではない。市場原理にさらされる国では「南」も「北」もなく社会的不自由（市場の競争に敗れた無数の屍＝失業，貧困）の風景が広がっているが，その一方で驚くほどの長者が出現していることも見落とせない。富が一握りの人々（多国籍企業）に集中しているのだ。それが貿易・サービスの自由化，あるいは経済のグローバル化の実態なのだが，富は無尽蔵に生産されているわけではなく，市場での競争を通じて，貧困層から吸い上げられているのが実態だ。そこに，「貧困の女性化」がおどろくほどのスケールで世界に広がっている真因がある。

　フェミニスト学派は，こうした事態の進行をきわめて深刻に受け止め，無機質・技術的に描かれがちな国際経済法のもつ高度の政治性を明らかにしようとしている。国際金融／貿易機関の在り方に大きな影響力を行使しうる経済大国・日

本において，そうした知的・実践的試みを引き受ける意味を，私たちはあらためて考えてみる必要がある。日本には，世界に冠たる多国籍企業が数多く所在してもいるのである。

3　武力紛争下の女性

― ◆　導入対話　◆ ―

戦争の情景

学生A：「21世紀は人権と平和の世紀」なんていわれてるけど，日本や世界の情勢をみると，あやしいものだね。

学生B：しかたないところもあるんじゃないの？　テロリストや犯罪者を抑え込むには，やっぱり武力しかないでしょ。

教師：そうですね。別の方法がありませんからね，最終的には。

学生A：でも先生，武力が行使されるときにはものすごい被害が人間の生活に生じているようですよ。特に女性や子どもたちの受ける被害は……。

教師：また女性ですか。ちょっと待ってください。武力紛争が起きたときに被害が生じるのはある程度やむを得ないと国際法も認めてきているんですよ。それに，武力は男性とか女性を選んで行使されるのではなく，いってみれば，「国民に等しく」影響を与えているにすぎないのです。

学生A：そうでしょうか。では先生，武力紛争下におけるレイプはどうですか。これは「国民を等しく」ターゲットにしているんでしょうか。

学生B：そういう質問はおかしいわよ。強姦は，なんていうか，戦争にはつきものなのよ。歴史的にずっとそうだったじゃないの。あなた，また議論をおかしな方向にもっていこうとしてるんじゃないの。

学生A：そうじゃないよ。ぼくがいおうとしてるのはね，戦争は人を選んで被害を与えているってことなんだ。たくさんの女の子が武装集団の男たちの"妻"にさせられてること知ってるかい？　武力紛争が起きると難民がいっぱい出るけど，難民キャンプで衣食住のまかないをしてるのは女性たちなんだよ。そこにつけこんで，国連の援助機関や NGO の職員が性暴力を強要していることが，この間，新聞に出てたじゃないか。

教師：十分でないといわれればそうかもしれませんが，国際法は，それなりにき

ちんとしたルールを整えてきました。強姦だって禁止しています。問題は、それがちゃんと守られていないことであって、要は、実施の問題ということになりますかね。

学生A：なぜ実施されていないのか、そこをきちんとみる必要がありませんか。それに、ルールそのものも偏ってるように思うんですが。

学生B：あなたの目にはなんでもかんでも偏ってみえるんじゃないの。あなたのいってること聞いてると、女のことを無理矢理取り上げ、そればっかり批判してる感じ。国際法の本筋からずれてるわよ。

教師：そうですね。大切なのはバランスです。全体を見渡せるようにならないと、法律を勉強したことにはなりませんよ。

学生B：バランスですか。どうしてもそうは思えないんですけど……。

3.1 国際人道法における女性の位置
(1) 国際的紛争／国内的紛争，戦闘員／文民

　国際法のなかで、武力紛争時における様々なルールを定めている分野を称して国際人道法という。日本ではあまり注目されてこなかった分野といってよいが、冷戦終結後に噴出したいわゆる民族紛争などを契機として、あらためてその重要性が確認されている。

　1949年に署名された四つのジュネーブ条約（戦地にある軍隊傷病者の状態改善に関する条約、海上にある軍隊傷病者・難船者の状態改善に関する条約、捕虜の待遇に関する条約、文民の保護に関する条約）と1977年に署名された二つの追加議定書（国際的武力紛争の犠牲者の保護に関する第一追加議定書、非国際的武力紛争の犠牲者の保護に関する第二追加議定書）を中心として構成されている国際人道法には、さまざまな二分法が採用されている。たとえば、国際的紛争と国内的紛争、あるいは、戦闘員と文民といったように。フェミニスト学派は、そこにひそんでいるジェンダーの要素を掘り起こす。

　国際人道法は、国際的紛争と比較すると国内的紛争についてそれほど詳細な規定をおいてこなかった。各国の支配エリートが、政府（つまり支配エリート自身）の権威に挑戦する武装集団に国際法上の地位を与えることを嫌ってきたためであり、そうした集団は犯罪者として国内法により厳罰に処せられるべき

とされてきたからである。現に，上記諸条約のうち，国内的紛争に適用されることを予定されている条約は，第二追加議定書のみである（このほか，1949年のジュネーブ諸条約共通3条に，国内的紛争時において敵対行為に直接参加しない者を人道的に処遇するよう求める条項がある）。のみならず国内的紛争は，「暴動，単発及び散発の暴力行為その他の類似の性質を有する行為のような，国内的な騒擾及び緊張の事態」を含まず（第二追加議定書1条2），非常に限定されたものとされている。他方で，国際的武力紛争時において詳細な保護規定がおかれているのは戦闘員についてであって，文民（一般住民）の保護は控えめにいっても後回しにされてきたといわざるをえない。つまり，国際人道法は，国際的武力紛争時における戦闘員の保護を優先的に規定するものとして顕現してきたといってよい。

　この状況をジェンダーの視点に立って改めて解析すると，興味深い風景がみえてくる。国連開発計画95年版年次報告によれば，世界全体の戦闘員のうち98％を男性が占めているとされる。その一方で女性のほぼすべては文民を構成している。となれば，国際人道法は，現実には，武力紛争時における男性の保護を念頭においた，明白にジェンダー化された法ということになるのではないか。もとより，武力紛争の被害を戦闘員が一身に背負ってきたわけではない。それどころか，実際には文民のほうが戦闘員以上に大きな被害を受けてきたことは改めて想い起すまでもないだろう。それにもかかわらず文民の保護は後回しにされ続けてきた。しかも，文民（＝女性）の側に立ってみれば，紛争が国際的性格のものであろうと国内的性格のものであろうと，被る脅威に本質的な違いはない。むしろ，国内的紛争のほうが醜悪化する場合も少なくない。この点だけからも，国際人道法が誰の経験を踏まえて定立されてきたのかがわかるというものではないか。

(2) レイプの取扱い

　国際人道法の中心をなす上記諸条約において，女性に特別に言及している条文は合計で43ほどある。そのすべてにおいて，女性は個人としてではなく，妊婦や母親といったように，他者との関係性のなかでの保護を約束されているにすぎない。妊婦あるいは母親としての保護を受ける場合には，事実上，子どもが保護の対象であるといってもよい。女性は母体・母性を有するかぎりにおい

てのみ保護を受けるというわけだ。こうした男性的視座がいっそうあからさまになるのがレイプに関する規定においてである。

すでに，1907年の陸戦の法規慣例に関するハーグ条約46条において戦場におけるレイプは「家の名誉」を毀損するものとされていたのだが，1949年の文民の保護に関する条約27条も，「女子は，その名誉に対する侵害，特に，強かん，強制売いんその他あらゆる種類のわいせつ行為から特別に保護しなければならない」と定めることにより，レイプは女性個人への暴力というより，名誉を侵害するから許容できない，という論理を踏襲している。見過ごしてならないことに，レイプに関する規定の侵害は，条約上，普遍的管轄権の適用対象になる「重大な違反行為」とはされていない。もっとも，1977年の第一追加議定書では規定態様が若干変更され，「女子は，特別の尊重の対象とし，かつ，特に強かん，強制売いん……から保護しなければならない」とされたことは注目される。しかしここでも，女性は子育ての役割を負うがゆえに特別の尊重を受けることが示唆されている。

「レイプは国際人道法により禁止されている。ルールは十分であり，必要なことはそれをどう実施するかである」――。こういったことがよくいわれる。たしかに実施が大切なことはいうまでもないが，しかしより本質的な問題は，上でみたように実施されるべき規定それじたいがジェンダー化されていることである。それをいくら実施したところで，その差別性が是正されるわけではない。国際人道法において，女性は母親あるいは母体として捉えられてきた。そこに投影されているのは疑いなく男性の視線であり，それこそが本質的に是正されるべきものであろう。

3.2　不処罰の連鎖を断つために

(1)　国際刑事裁判所への道

戦時においてレイプを含む性暴力が絶えなかった最大の原因は，性暴力が放置されてきたからである。レイプは，散発的に生じる逸脱行為というよりも，敵対する男性の守るべき財産・対象（女性）を犯すことによりその戦闘意欲を削ぎ落とすというきわめて戦略的な意味合いをもって行われてきた面も小さくない。それだけに，男性支配構造が続く限り，その責任者の処罰は難しく，それが新たな性暴力を生み出すという悪循環につながってきた。

90年代に入って台頭したグローバルなフェミニズム運動は，女性に対する暴力の撤廃を求め，武力紛争下でのレイプにも女性の視点に立って敢然と立ち向かっていった。彼女たちが求めたのは，規範の再ジェンダー化と同時に，加害者の処罰であった。それによって不処罰の連鎖を断つことが期待されたのである。その直接のきっかけとなったのは，1991年から92年にかけて広範に報道された旧ユーゴスラビアの大規模な性暴力であった。この事態に対する国際社会の対応は，特別の国際刑事裁判所の設置であったが，特記されるのは，同裁判所の営みのなか（裁判所の構成，性暴力を扱った判例を含む）に女性の経験がこれまでになく反映されたことである。この流れは，ルワンダ国際刑事法廷を経て，1998年7月に設立文書が採択された常設の国際刑事裁判所にも拡充された形で引き継がれた。今や，レイプを含む性暴力は，国際犯罪としての位置づけを与えられ，国際刑事裁判所というグローバルな法廷で裁かれることになった。

国際刑事裁判所規程起草過程には，女性NGOの連合体であるWomen's Caucus for Gender Justiceが深く浸透し，その精力的なロビー活動により大きな成果が生み落とされた。たとえば，処罰の対象となる人道に対する罪のなかに，「強かん，性奴隷……その他の形態の性暴力」が含まれ，ジェンダーによる迫害もこの罪を構成するものとされた。同じく処罰の対象となる戦争犯罪のなかにもレイプをはじめとする性暴力が明記され，さらに被害者および証人の保護について規定する裁判所規程68条には，性暴力を伴う犯罪の場合における特別の考慮が求められた。なお，ルワンダ国際刑事法廷が1998年に下したアカイェス事件判決では，レイプがジェノサイドの罪も構成しうることが認定されているが，この解釈は当然に国際刑事裁判所にも継承されていくはずである。

このように，国際的な裁きにより性暴力の連鎖を断とうとするフェミニストからのはたらきかけは女性の人権保障にとって画期的な事態をもたらすまでになっている。もっともその一方で，国際刑事法廷での裁きは，依然として，女性個人に対する性暴力をそのまま裁きの対象にしているわけではないというところも押さえておく必要がある。処罰の対象となるレイプは，人道に対する罪との関連でいえば「広範又は組織的な攻撃の一部」として，また，ジェノサイドとの関連でいえば「国民的……集団の全部又は一部を破壊する意図をもって行われる」行為の一部として行われることが要求されている。つまり，レイ

プは，女性への暴力だから許されないのではなく，また男性支配構造の発現だから許されないのでもない。それは，女性の所属する集団（共同体）を破壊する一環として行われるから許されないとされているにすぎない。そこに重大な限界が横たわっていることは知っておくべきである。

また，国際刑事法廷での裁きは，逸脱行為を裁くことにより元の秩序への回帰がもくろまれているが，回帰する元の秩序そのものが性差別的な構造を温存しているのなら，裁きの意義は大幅に減じられてしまうかもしれない。国際刑事法廷での裁きは個人の刑事責任を追及するにとどまり，犯罪を生み出す構造そのものまでが裁きの対象になるわけではないことも忘れてはならない。

(2) **性奴隷制との対峙**

武力紛争下における性暴力への関心を高めるもう一つのきっかけになったのが，日本軍性奴隷制問題であった。

第二次世界大戦期に日本軍の「慰安婦」として性的隷従を強いられた女性たちが，日本国の法的責任を追及する訴訟を提起しはじめたのが1990年代初頭。沈黙を破った被害者（サバイバー）の声を通じ，アジア各地での性暴力の実態が一気に可視化され，司法の場を起点に，戦争責任を問い，真相究明と個人賠償を求める機運が高まっていった。だが，日本の男性／政策決定エリートたちに，そうした声はまったくといって届かなかった。

看過できないのは，被害者の声を圧殺する論拠として頻繁に国際法が援用されたことである。曰く，日本はなんら国際法違反を犯していない。曰く，個人は国際法に直接に依拠して国家責任を追及することはできない。曰く，日韓請求権協定やサンフランシスコ平和条約などにより戦争中の行為にかかる日本の責任問題はすべて解決済みである。繰り返されるこうした言説により，被害者の声は「再びの沈黙」を強要されていった。

奇妙なことに，日本軍性奴隷制問題を検討した国際的人権NGO・国際法律家委員会や，国連人権委員会の女性に対する暴力に関する特別報告者，さらに武力紛争下における性奴隷制問題等を研究する人権小委員会の特別報告者たちは，皆声をそろえて日本国の法的責任を認め，被害者への賠償を求めていた。その見解は，日本の行政府，司法府のそれと全く異なるものであった。

問われるべきは，どちらがより説得的な論理を提供しているのか，というこ

となのではあるまい。おそらくどちらの解釈も成り立ちうるのだ。より本質的に問うべきは，なぜそのような解釈がなされるのか，ということでなくてはならない。解釈を規定する政治的価値の問題である。日本の行政府，司法府の判断は，男性／支配エリート中心思考によって貫かれている。それに対して，国際的な人権擁護機関から表明される見解は，女性（被害者）／市民の声を救い上げることに眼目がおかれている。そのどちらの価値にコミットするのか，それが法解釈という形を通じて問われているのである。

　事態の打開を求め，アジアの女性たちは，2000年12月に東京に大がかりな民衆法廷（女性国際戦犯法廷）を招集した。日本軍性奴隷制に関与した10名の個人と日本国の法的責任を追及するためである。旧ユーゴスラビア国際刑事法廷前所長をはじめとする国際的に著名な法律家4名からなる同法廷の判事団は，検事（団）の陳述，被害者女性・加害者男性からの証言，専門家証言，膨大な書証などを詳細に検討し，1年後の2001年12月，ハーグで300頁にも迫る長大な最終判決を公にするにいたった。その判決では，性奴隷制について昭和天皇らの刑事責任（人道に対する罪）が認められるとともに，性奴隷制にかかわる関係諸条約，慣習法に違反したとして日本国の国家責任が認定された。責任を解除するための措置も具体的に勧告されている。

　この法廷は，ジェンダーの視点に立った国際法解釈がいかに世界の風景を変えうる可能性をもっているかを示すものとなった。また判決は，国際法が支配エリートの独占物ではなく，最終的には市民のものであることを宣言しているが，それは，国際法の立法・実施過程を多様な非国家行為体に開放しようとするフェミニズム思想の現われでもあった。今後，こうした民衆法廷はますますふえていくかもしれない。それは，国際秩序を動揺させる危険な営みではなく，国際法をより豊かな市民の法に転換させるチャンスを提供するものである。フェミニスト学派はそうした「国際法の市民化」に向けた試みをこれからも力強く支援していくことになろう。

【展開講義 3】 国際人道法の再ジェンダー化に向けて

　国際人道法が国際的武力紛争と国内的武力紛争とを区分けしていることはすでに述べたとおりである。しかしいずれにせよ，武力紛争の存在を前提にしている

ことには変わりない。男性は紛争の終わりとともに復興計画の立案・実施に向かっていくのだろうが，女性にとって武力紛争の終わりは，新たな生存への闘いの始まりにすぎず，必ずしも状況に大きな変化があるわけではない。沖縄にみられるように，周囲に軍事基地があるようならなおいっそう，武力紛争が終わろうと状況に本質的変化はみられまい。軍人による性暴力の脅威はそっくりそのまま残るからである。生活を持続して担わねばならぬ女性の経験は，武力紛争の終了とともに適用が終止される国際人道法の意味を改めて問い直す契機を与えている。

武力紛争下において女性が直面する問題は性暴力に限られるわけではない。2001年9月11日の事件を機に，米国政府はアフガニスタンやイラクに対して大規模な武力攻撃を行った。そうした武力攻撃の開始自体が国際法によって正当化できるかどうかとは別に，個々の攻撃や占領下での行為が引き起こす人的・物的被害もまた国際人道法のチェックを受けなければならない。とりわけ問題になるのは，無差別攻撃の禁止である。無差別攻撃については，第一追加議定書51条5(b)に条約上の定式がみられる。この規定の内容は，慣習法として議定書の非締約国たる米国をも拘束していると考えられる。同条項は，「無差別攻撃は禁止する」という4項に続けてつぎのように規定する。「特に，次の形態の攻撃は，無差別とみなされる。……(b)予期される具体的かつ直接的な軍事利益との比較において，過度に，巻き添えによる文民の死亡，文民の傷害，民用物の損傷，又はこれらの複合とした事態を引き起こすことが予測される攻撃」。

軍事的利益と文民の死傷とをはかりにかけて攻撃の無差別性を判断するというのだが，ここでは，攻撃の結果として文民に生じる長期的な被害，たとえば飢餓や疾病，栄養失調などは考慮の対象外とされてきている。また，攻撃によって大量の難民や国内避難民が生じることが少なくないが，そうした事態もまた無差別性の判断には影響を与えてこなかった。だが，とりわけ女性の生活経験に照らしていうなら，被害が本格的に顕在化するのは攻撃が終了した後なのであり，しかもそれは長期にわたって持続する。そうした観点から無差別性の有無が再検討されてしかるべきであろう。

武力紛争により食料や医薬品が不足する場合，その影響を真っ先に受けるのは女性である。世界的にみると，食料が不足する場合に栄養失調に陥るのは明らかに男性よりも女性のほうが多い。その背景には，夫や息子の食事を優先的に供給することを求める「文化」があるためとされる。イラクにみられるように，国連による経済制裁の影響も，社会的資源をもたぬ貧困女性にいっそう顕著に現われている。国際機関やNGOによって公表された多くの統計が示すように，武力紛

争下において生存，生活を不均衡に脅かされているのは女性たちである。それなのに，国際人道法は男性の経験に依拠して定立され，適用されてきた。これを真に公正な法に変革するには，女性の現実の経験・声を組み入れ，規範と制度の両面において再ジェンダー化を押し進めていくことが欠かせない。

[参考文献]

阿部浩己『国際人権の地平』現代人文社，2003年

申ヘボン「国際法とジェンダー――国際法におけるフェミニズム・アプローチの問題提起とその射程」世界法年報22号，2003年

土佐弘之『グローバル／ジェンダー・ポリティクス』世界思想社，2000年

山下泰子「国際人権保障における『女性の人権』――フェミニズム国際法学の視座」国際法学会編『日本と国際法の100年　第4巻　人権』三省堂，2001年

山下泰子＝植野妙実子編『フェミニズム国際法学の構築』中央大学出版部，2004年

ヒラリー・チャールズワース＝クリスチーン・チンキン［阿部浩己監訳］『フェミニズム国際法――国際法の境界を問い直す』尚学社，2004年

VAWW-NETジャパン編『裁かれた戦時性暴力』白澤社，2001年

第2章　家族・セクシュアリティ

1　法律婚主義——婚姻制度と離婚制度

◆　導入対話　◆

家庭と仕事と

教師：この頃の若い人たちはなかなか結婚に踏みきらないようだが，きみたちの意見を聞きたいですね。

学生A（女）：まだ先の話で，自分のこととしてはあまり考えたことありません。

学生B（男）：就職が先です。その点差別されているなんていっても女性は特権階級です。

教師：ほうこれは厳しい……。どうしてそう考えるのですか？

学生B（男）：女性は「結婚」か「仕事」かを選べるでしょう。男は選んでなんかいられない。自由じゃないです。

教師：女性は働くかわりに結婚すればいいということですか？

学生C（女）：いまはそんなことないですよ。わたしたち女性だって，仕事はしたい。働くのは当たり前です。選ぶんじゃなくて，仕事も，家庭もです！

学生D（男）：だけど実際には両立は難しいと思う。子どもができたら大変だ。

学生C（女）：どんどん働いて，子育てもしている人はたくさんいるじゃない。

学生D（男）：それはかぎられた人たちでしょう。

学生A（女）：たしかに両方やるのは難しい。どっちかといわれたら，私はちゃんと正式に結婚して家庭を大事にするほうが人間的だと思う。家庭に夢があるんです。

教師：家庭だけで充足感が得られるだろうか？

学生C（女）：とにかく特権階級なんかになっちゃいけない！

1.1 「家」と「家族」

　家族とはなんだろうか。常識的には，両親と子どもがともに暮している状態が家族と考えられる。だが，それほど簡単に言い切ってしまえない，とも思われるだろう。歴史によって，また地域によって家族のありようがさまざまに異なることを，民俗学や人類学の研究は明らかにしてきた。学問的な議論には踏みこまないとしても，身近に両親と子の核家族以外の例は多い。

　日本の民法は「家族」をどのように規定してきたのだろう。この1世紀余りの間に，日本の歴史には大きくみて二つの画期があった。明治維新と第二次大戦の敗戦である。家族法に関しては，維新という歴史的社会的変革にともなって制定された民法典（明治29年）の「明治民法」と呼ばれる部分と，それを戦後に全面改正して制定された現行の民法の「家族法」＝親族編・相続編（1947年）とである。何が変わったのか。変革の核心は「家」制度の存廃にある。

　明治民法の「家」制度は戸主権と家督相続に支えられていた。戸主は家族を統率しその扶養に責任を負う。戸主は家族の居所を指定する権限をもち，婚姻には戸主の同意が必要であるなど，家族一人一人の自由は制限されていた。さらに，これらの権利は，家督相続として「家」の財産，祭祀とともに長男のみに継承されていく男尊女卑であり，兄弟姉妹間の不平等が認められていただけでなく，妻は法律行為上「無能力者」であった。子が娘一人だけのときには，娘は家を継ぐ推定家督相続人のため法的に他家に嫁ぐことはできなかった。

　現行家族法は「家」制度を廃止した。けれど「家族」についての定義は規定していない。憲法は24条1項で婚姻が両性の合意によってのみ成立すること，夫婦が同等の権利を有すること，また第2項後段で，家族関係について「法律は，個人の尊厳と両性の本質的平等に立脚して，制定されなければならない」ことを定めている。これにもとづいて戦後に制定された民法の家族法は，当時としては，日本が明治時代に近代市民法を学んだ西欧先進諸国の家族法よりも遥かに進んだ平等原則にたつものとなった。

　といっても，これについてはさしあたり二点留意しておきたいことがある。
　第1に，この変革が敗戦の時点で突然実現したわけではない，という歴史的背景である。明治民法制定をめぐって交された法典論争はじめ，大正時代の改正案等，それ以前からの動きがあって，判例・学説の大勢は「家」制度の緩和

を考えていた。第二次大戦の「敗戦に至るまでの家族法の歴史は，一言でいうならば，「家」制度崩壊に向かう歴史であったといってもいい」(大村『家族法』17頁)と指摘されている。1947年，「家」制度はついに廃止された。時代の推移の当然の帰結であったともいえよう。

　第2に，では「家」は現行家族法によって完全に姿を消したのだろうか。それについては，論者にもよるが，いまなお疑問視する意見は少なくない。制度そのものは廃止されたとしても，「家」は日本人の意識から払拭されていないという実態があるからである。たとえば，親族は家族だととらえる考え方，老親の世話は長男の家族(実際はその妻)がして当たり前，墓など祖先の祭祀は当然長男が継ぐという慣習など，個人の自由よりも家という集団を優先する意識がみられることである。結婚式場ではよく「何々家」という表示を見かける。それをごく自然なことと思う人も多いだろう。後述する「氏」のように，民法の規定自体にも改められるべき点が残されている。この章では，それらの課題のいくつかを検討することにしたい。

1.2　制度としての婚姻

(1)　婚姻の自由

　婚姻は自由である。憲法が「婚姻は両性の合意のみに基づいて成立する」というとおり，当事者である男女2人は「婚姻の意思」があれば夫婦となることができる。しかし，2人が「結婚しよう！」と意気投合して知人友人を招いて結婚式をあげてお披露目をしても，その結婚は法的には効力をもたない。法律上の夫婦になるためには，2人の意思が合致するだけでは不十分で，戸籍法の定めにしたがって市(区)町村長に「婚姻の届出」をしなければならないからである(届出婚主義，民法739条，戸籍法74条)。

　届出は書面でも口頭でもよいが，婚姻届には，夫になる人と妻になる人の氏名，住所，父母の氏名を記入し，結婚する2人が署名押印し，最後に成人の証人2名の署名が添えられる。届出の必要事項には，これ以外に結婚する2人があらかじめ決定しておかなければならない事項がある。2人の新しい本籍をどこにおくか，夫婦の氏として2人のうちのどちらの氏を選ぶか，である。

　結婚する2人の署名押印によって婚姻意思があることは認められるが，届出の受理にあたっては，2人の婚姻が民法731～737条に定められた「婚姻障害」

の要件に違反していないかが審査される。結婚が法的に許されないのはどのような場合だろうか。簡単に列挙すると，「近親婚の制限」（直系血族間，三親等内の傍系血族間，直系姻族間では婚姻はできない），「重婚の禁止」，未成年者の婚姻にたいする父母の同意，「婚姻適齢」の要件である。婚姻適齢は男性18歳，女性16歳であり，未成年者でも少なくとも一方の親の同意があれば婚姻は可能で，結婚すれば成年者とみなされる。もうひとつ障害要件が女性にだけ課される「再婚禁止期間」である。それによると女性は離婚や婚姻取消後6カ月は再婚できない。「父性推定の重複を回避し，父子関係をめぐる紛争の発生を未然に防ぐ」（最判平成7年12月5日判時1563号81頁）ためと判断されている。

これらの要件について問題なしと審査され，届出が受理されると，婚姻は成立する。それによって，「婚姻の効力」が生じる。夫婦が選んだ氏のもとに新戸籍が編製され（戸籍法18条1項），2人の婚姻は戸籍によって「公示」されるのである。

夫婦は同居し，たがいに協力し，扶助しなければならない（民法752条）。明文規定はないが夫婦間の義務には婚姻の本質的効果として貞操義務も入ると考えられている。違反は離婚の原因として認められる。また，夫婦は各自の資産や収入に応じて生活の費用を分担する（760条）。夫婦は人格的な関係とともに財産上も義務と権利の関係で結ばれているのである。婚姻の届出以前に相互の財産の扱いをどうするかについて協議の上決めて登記しておくこともできるが（夫婦財産契約），そうする人は少数派で，一般には法律によって定められた「法定財産制」に従っている。日本の場合，基本的には自分の資産・所得は自分の所有とする「夫婦別産制」である。

以上が婚姻制度の要点である。だが，これらのなかにはジェンダーの視点からみるとき問題を含む規定が少なくない。

(2) 戸　　籍

まず，戸籍制度をとりあげてみよう。戸籍が法的な結婚に重要な役割をもつことがわかった。戸籍は婚姻以外に子どもとの関係，親族との関係等を把握する機能をもつ家族単位の身分登録簿であり，手続法である戸籍法が家族法を支える形でいわば表裏一体になっている。

明治民法の「家」制度のもとでは，1898年の戸籍法によって，同一の戸籍に

記載される者が「家」を構成し同一の「氏」を称した。個々人の身分変動には、1914年までは身分登録簿があてられていた。「家」制度廃止後の1947年新戸籍法で、戸籍は同じ「氏」をもつ者（個人）を家族関係のなかに身分事項も含め登録するものとなった。

ひとつの戸籍に記載されるのは、親と未成年の子で（夫婦・親子同一戸籍の原則）、三世代にはわたらない（三代戸籍禁止の原則）。民法には家族についての規定はないとはじめに書いたが、この戸籍の原則によって、二世代からなる核家族の範囲が示され、未婚の母はしたがって親の戸籍から除かれて母と子の新戸籍をつくる。戸籍に記載される親子はみな同じ氏を名乗らなければならない（同一戸籍同氏の原則）。戸籍の氏を通して家族は組織され統率される。戸籍簿には「筆頭者」がおかれ（実際にはほとんどが夫）、家族関係は筆頭者との続柄でとらえられる。長幼の序列も明記され、婚姻家族であれば、出生順に長男、二男……、長女、二女……と記される。親が婚姻届けをしていない事実婚の場合には、親子の関係は単に男、女と記されてきたが、2004年11月の戸籍法施行規則改正の結果、申出をすればこれ以降に出生する子については嫡出子と同じ表記にすることができる。

届出によって効果が生じる創設的届出（婚姻、離婚、任意認知等）には、「不受理申出」の制度があって、不安を感じたときには不受理を申し出て自分の意思に反して戸籍に記載されてしまう危険を避けることができるようになっている。

戸籍は公示の機能をもつので、請求があれば（第三者の場合は理由が必要だが）謄本や抄本が開示されうることも注意しておこう（戸籍法10条）。

1.3　家族と親族

(1)　親族と私的扶養

「家族」は戸籍を同じくする核家族であるとだけ考えていていいのか。常識的には家族はもっと広く意識されているのではないだろうか。親類に、生活に困っている人や身体が不自由で生活のできない人がいるとき、その人への「扶養」に関連して私たちは同一戸籍の家族をこえたより広い「親族」と出会う。

家族法は、扶養の義務を負わなければならない「親族」をこう規定している（民法877〜881条）。①直系血族と兄弟姉妹はたがいに扶養の義務がある、②特別の事情があるときには、家庭裁判所が三親等内の親族のあいだでの扶養を負

わせることができる。「特別の事情」とは，判例では経済的な援助や道義的恩恵を受けたことがある，同居者であるなどの場合だが，「三親等内の親族」には血族と姻族の両方が含まれる。具体的には，舅・姑と嫁・婿の関係，伯父・伯母や叔父・叔母と甥・姪の関係にまでおよぶ。率直にいって私たちはどの関係までを自分が経済的責任を負うべき（私的扶養）家族として感じられるだろうか。

複数の人が扶養を必要とするような場合もあるだろう。そのときは相談して扶養の順位，方法，程度を決めるが，協議がまとまらなければ，家庭裁判所の判断にしたがうことになる。

だが，扶養の責任を負わなければならない親族の範囲は，扶養義務者の範囲が直系血族にかぎられることの多い欧米諸国に比べて，かなり広い。この共同体的親族には廃止された「家」制度下の戸主の義務の跡がみえないだろうか。もちろん，現在この私的な扶養義務は，たとえ親族中に生活の自立ができない人（幼老，障害，失業等による）がいても，経済的に援助する余力のある人にたいしてでなければ，発生しない。扶養請求の権利性は弱いといわれる。私的扶養優先の原則があり，それが無理であれば社会保障制度による公的扶養の対象になる。

(2) 介護と寄与分

日本は高齢社会である。高齢者，とくに親の扶養は，日本の現状では，扶養料の支払いのほかに，自宅への「引取り扶養」による場合が多い。だがそれも，それぞれの家族の経済状況，住宅事情，遠隔地居住などの理由から，子どもたちが平等に老親の日常の世話をすることは実際にはむずかしい。

親に介護が必要になれば，いきおい同居の家族が親の面倒をみることになる。寝たきり高齢者の介護が，その配偶者，息子（多くは長男）の妻すなわち嫁，あるいは娘と，圧倒的に女性それも中高年の女性の肩にかかっている実態はよく知られている。愛情だけで担いきるのは至難である。法的強制の働く民法の扶養義務には介護義務を含まないと考えるべきである，と主張されている（戒能『法女性学への招待』116頁）。もっともである。現実的には，さしあたり贈与等も踏まえて扶養の内容を親子間であらかじめ取り決めておくことが望ましい（利谷『家族の法』202～207頁）。

1980年には，老親看護の子ども間の不公平を是正するために，民法に寄与分制度が導入された（民法904条の2）。相続の際，被相続人の事業への資産，労務提供などをとおして被相続人の財産の維持，増加に「特別の寄与」をした相続人がいる場合，その貢献を寄与分として評価してその人の相続分に加算する制度である。被相続人の療養看護も「特別の寄与」とみなされる。しかし，嫁が夫の親を長年看護しても夫の妻は夫の親の財産相続権をもたないので，寄与分評価の対象にはならない。実務上は「夫の履行補助」という理由によって，夫の寄与分が認められうる（戒能・前掲120頁）。これは，嫁の寄与は，評価されても夫の寄与にすりかえられる構図である。

高齢者介護は，介護者にとって心身を削るようなきつい労働である。家族が破綻に追いやられる危険もある。高齢社会として，介護労働を無償で主として家族の女性に依存し続けることは許されない。介護者は女性という意識，慣行は改められなければならない。

1997年12月には介護保険法が制定され，2000年4月から介護保険制度が実施されるようになった。要介護認定の適切性，介護サービスやヘルパーの供給と質，保険料に関する市(区)町村間の格差，低所得者の負担度等，改善されなければならない問題は多々あるが，家族の介護負担の社会化が始まりつつある。

1.4 離婚制度
(1) 離婚の種類

生涯ともに暮そうと結婚しても，愛の絆はしばしば切れてしまう。離婚は身近なことになっている。欧米では，婚姻は神による「秘蹟」というキリスト教の影響から離婚にはかつて厳しい規制があり，離婚の自由を得るには長い歴史的時間が必要だったが，60年代後半以降の改革の結果，「有責主義」から客観的な状況による「積極的破綻主義」へと移行した。ただし，離婚に際しては裁判官が関与して配偶者や子どもについて事後の処理を決めなければならない。それでも，ほとんどの国の離婚率は，増加傾向にある日本より高い。

日本では欧米のような離婚法の改正の必要はなかった。現行家族法は破綻主義にたち，離婚には協議，調停，審判，裁判の4種類の方法が定められている。その特徴は，世界でももっとも簡単といわれる協議離婚（民法763条・765条）である。夫婦の意見が「離婚しよう」と一致すれば，あとは離婚届を市町村長

に提出し，受理されるだけで離婚が成立する。未成年の子がいれば夫婦のどちらが親権者になるかを決めなければならないが，離婚の自由度は高い。離婚の90％はこの協議離婚である。けれど問題はある。

第1に，簡単な手続だけに離婚意思を確認する方法がない。本当は別れたくないにもかかわらず強引に離婚届が出され受理されてしまうおそれがある。「不受理申出制度」（6カ月有効，更新可）は1. 2(2)で述べたように創設的届出である離婚届にも広げられている。届出制度の欠陥を補完するために1952年から実務上「離婚届不受理申出」の制度ができ，76年には離婚意思がない「予防的不受理申出」と，離婚届署名後に意思が変わる「翻意による不受理申出」の2種類ができた。妻からの予防的申出が大半を占める（利谷・前掲79，82頁）。

第2に，夫婦の合意と届出だけのため，財産分与（婚姻中に蓄積した夫婦財産の清算と，離婚後の扶養が目的で，慰謝料ではない）や子どもの養育費などで，離婚後に夫婦の経済力の不平等が表面化する危険がある。家庭裁判所が関与する離婚でも財産分与の取り決めがあるのは約半数，分与額も平均約400万円にすぎない（司法統計・1998，棚村『結婚の法律学』75頁）。養育費が支払われているのは離婚母子家庭の30％程度である。性別役割分業のため専業主婦を余儀なくされた妻の離婚後の生活は楽ではない。協議離婚は当事者たちの経済的自立がなければ真に「自由」とはならないだろう。制度的には弱者保護の問題に対処しなければならない。

離婚の協議が成功しないときには，家庭裁判所の調停（調停前置主義）が，そして調停が成立しないときには審判によって双方の合意が図られる（家事審判法23条・24条）。裁判所が介入するので離婚後についての取り決めはあるが，履行確保制度の実効性が不十分である点や調停委員の選出方法や離婚に消極的な価値観の古さなど，もっともな批判がある。

調停が成立しなければ裁判による離婚となる。裁判離婚では，既定の離婚原因がなければ離婚の訴えはできない（民法770条）。それは①不貞な行為，②悪意の遺棄，③3年以上の生死不明，④回復の見込みがない強度の精神病，そして抽象的離婚原因といわれる⑤婚姻を継続し難い重大な事由，である。ただ，裁判離婚は離婚件数全体の1％に満たないほどまれである。

(2) 有責配偶者の離婚請求

　家族法は離婚原因の⑤で破綻主義をとっているが，最高裁判所は婚姻の破綻に責任がある配偶者の方からの，責任のない相手方配偶者に対する離婚請求を長いこと棄却してきた。「踏んだり蹴ったり」で不徳義だという理由だった。裁判所の解釈にもとづく，弱者（実際には妻）保護の「消極的破綻主義」である。

　しかし，西欧の離婚法改革の影響もあって70年代末から少し変化があらわれ，1987年には最高裁が，一定の条件の下であれば有責配偶者からの離婚請求も認められないわけではない，と画期的な判断を示した（「積極的破綻主義」）。すなわち，有責配偶者の離婚請求であっても「夫婦の別居が両当事者の年齢及び同居期間との対比において相当の長期間に及び，その間に未成熟の子が存在しない場合には，相手方配偶者が離婚により精神的・社会的・経済的に極めて苛酷な状態におかれる等離婚請求を認容することが著しく社会正義に反するといえるような特段の事情の認められない限り，当該請求は，有責配偶者からの請求であるとの一事をもって許されないとすることはできない」（最大判昭和62年9月2日民集41巻6号1423頁）。家を出て別の女性と同居した夫が，妻に離婚を求めたが拒絶され，調停も成立せず，裁判に持ち込んだ事件である。同居の女性とのあいだに認知した2人の子どもがいるが，妻とのあいだには子はなかった。別居は36年続き，夫婦といっても戸籍の上のことだけで，共同生活の実態はなく婚姻は破綻していた。この判決後，有責配偶者からの離婚請求を認める判決が続いて出されるようになった。その場合，別居期間は8年ないし10年と短くなっている。

　長らく有責配偶者からの離婚請求が認められなかったのには，法律上の妻であるかぎり，夫には婚姻費用分担義務があり（民法760条），妻は夫から生活費をうることができるという妻の生活保障の意味もあった。裁判所は経済的弱者に配慮し，他方，無職で資産もない妻にとっては「妻の座」は手放しがたい面があった。しかし，形骸化した婚姻を継続するのは婚姻の自由に反することにもなる。87年の最高裁判決は，女性たちに日頃からの経済的自立が不可欠であることを，あらためて自覚させた点でも画期的であった。

　離婚は新しい生活へのステップになる。離婚成立後は再婚の自由がある。だ

が，妻であった女性にたいして「再婚禁止期間」6カ月が強いられる（民法733条）ことは1.2(1)に記したとおりである。

【展開講義　4】　婚姻制度の形式的男女平等
1　「白紙条項」

現行家族法では，夫婦関係について，多くのことが夫婦間の協議に委ねられている。婚姻において（夫婦の氏，同居の住居，婚姻費用の分担），扶養において（順位，程度，方法），離婚において（協議離婚，離婚後の財産分与，子の親権・監護の取り決め），さらには相続の際の寄与分・遺産分割の決定など，これらの事項に関しては夫婦の話し合いで内容を決める規定になっている。当事者の決定に選択の幅があり，当事者に権限を委譲することから「白紙条項」と呼ばれている。協議が調わないときには，家庭裁判所の調停・審判に委ねられる。

だが，決定の自由があるということは，協議者間に力関係が働く余地があるということでもある。規定の上ではたしかに男女平等である。しかし，実際には，実質上不平等な結果を招くおそれがある。強い立場にある者が弱い者を押し切って有利な内容を決めたり，社会通念や旧来の慣習に押し流されて男性優位のままの結果になりうるからである。原則平等な白紙条項は現にある不平等の実態を覆い隠す効果を生むおそれがある。「婚姻費用の分担」といっても職業活動をしていない専業主婦に文字どおり分担ができるだろうか，夫婦の氏は本当に主体的に選択されているのか。「白紙条項のマジック」（戒能・前掲71頁）とさえいわれる由縁である。

2　夫婦の氏

統計をみてみよう（厚生省「人口動態調査」）。夫の氏を夫婦の氏にしているケースは，1965年—98.9％，75年—98.8％，86年—98.7％，87年—97.8％，95年—97.4％である。30年間に変わった，とはいいがたい。夫婦同氏が婚姻成立の要件である以上，どちらかの氏に決めなければ婚姻そのものがなりたたない。選択にあたって夫婦の平等原則は生かされたのだろうか。この歴年の一方的な数値をみると否である。女性は結婚すると自分の生来の氏を失うと言ってもいいすぎではない。

氏は古くは「血統」を表したが，明治政府は1870年，国民の把握のためそれまで武士階級にかぎられていた氏の公称を一般化し，72年には氏の単一化を，75年には徴兵令のために氏を名乗ることを強制し，「国籍・戸籍同一の原則とでも呼

ぶべきもの」が成立した。当初，女性が夫の氏を名乗るのは例外的に夫の家を継いだ場合であったが，「家」制度によって氏が「家」の名称となって以来，結婚して夫の「家」に入る女性は夫の氏を名乗ることになった。「家」制度の廃止で，氏は「個人の呼称」となる。だが，同時に家族の同一呼称という国民感情が考慮され，結局，「同氏同戸籍，一戸籍一夫婦，三代戸籍の禁止の原則」が採られることになったのである（利谷・前掲158～161頁）。

現在，氏名はアイデンティティの象徴として人格権と解される（最判昭和63年2月16日民集422号27頁）。したがって，強制的に奪われてはならない。だが，卒業生名簿をみても旧姓が付記されていないかぎり，昔の女性のクラスメートの顔は見えない。女性のアイデンティティは婚姻のゆえに隠されてしまうのである。一方では旧姓のままで名簿に残ると「結婚できない人」とみられると世間の目を気にする女性もいる。事実上また精神的に，夫婦同氏の法的強制の不利益をこうむるのは女性である。

1976年の民法改正によって，離婚後には復氏か婚氏続称かを選ぶことが可能となった。研究，職業活動の場で旧姓を通称として使用する女性も増えているが，官公庁では旧姓使用は認められず，人格権侵害を理由に起こされた損害賠償請求は退けられた（東京地判平成5年11月19日判時1486号21頁，その後和解）経緯がある。

1985年に批准された女性差別撤廃条約は，夫と妻の同一の個人的権利は「姓及び職業を選択する権利」を含む，としている（16条1項g）。夫婦別姓や選択的別姓を主張する運動は80年代より盛んになり，90年代には，法制審議会も家族法の見直しに入って，1994年7月に「婚姻制度等に関する民法改正要綱試案」で原則同氏A案，選択的別氏B案，通称の戸籍記載C案を示し，1996年2月には「民法の一部を改正する法律案要綱」（民法改正要綱）で選択的別氏を答申した。

96年要綱は，夫婦の氏について婚姻時に「同氏または別氏」の対等な選択を定めることとし，「一　夫婦は，婚姻の際に定めるところに従い，夫若しくは妻の氏を称し，又は各自の婚姻前の氏を称するものとする。二　夫婦が各自の婚姻前の氏を称する旨を定めるときは，夫婦は，婚姻の際に，夫又は妻の氏を子が称する氏として定めなければならない」という。子どもの氏の決定は難しい。試案B案は「子の出生時に協議により決める」としていた。戸籍はどう編製するのか。別氏同戸籍（民事行政審議会案），別氏別戸籍，個人登録等，意見は分かれている。

改正法案の提出は進展しない。同氏同一戸籍は夫婦・家族の一体感に不可欠（この意見は別姓裁判の判決にも現れる・福島『裁判の女性学』3頁），通称使用

で足りるなど家族主義，婚姻秩序への執着が強い。だが，世論調査（内閣府）によると，「別姓のための改正はかまわない」が90年30％から96年32.5％，2001年42.1％（20—30歳代は男女とも50％以上）に，改正不要が50％から，39.8％，29.9％と減り，「姓が違っても一体感に影響なし」は96年の48.7％から01年は52％に増えて，「一体感が弱まる」は46.5％から41.6％に後退した。人々ことに若い人たちの意識は明らかに変化している。それでも与野党とも議員立法が用意されているにもかかわらず，議会提出は先送りがつづいているのである。

別姓は「氏」と「家族」「個人」の関係を考える重要な契機である。同一戸籍同一氏という戸籍の原則は，現在，日本人がこうありたいと願う家族像に合わなくなっているのではないか。次の2節では，その実態を検討しよう。

2　変わる婚姻と法制

◆　導入対話　◆

変わる婚姻

学生B（男）：結婚は婚姻届1枚出すだけのことですよね。離婚するのも届出1枚ですむ。

教師：結婚は軽い，といいたいのかもしれないが，そんなに簡単な問題ではありません。

学生A（女）：実際に離婚するのはエネルギーがいる。すごく苦しんで傷ついている知り合いがいます。

教師：婚姻制度は夫婦と子どもの権利を守っているということになるのですが……。

学生C（女）：自分たちの愛情に自信があれば，法律の制度にたよる必要なんかない。それには女性も自活できなければだめだけど。そうでないと，相手と対等な関係にはならない。平等だとも言えない。

学生D（男）：ぼくも届出方式にはこだわらない，こだわりたくない。そのほうが2人の関係が純粋だしおたがい自由でいられると思う。

学生A（女）：そうすれば別れるのも自由になる，少し不安だけど。

学生B（男）：自由には責任がともなうぞ。

> 教師：当然のことです，結婚する，しないは，自分の責任。選択は自由です。これも自己決定権。ただし，自分以外の人たちの立場や選択についても配慮し尊重することを忘れないように。

2.1 婚姻の脱制度化

60年代末から70年代にかけて世界的に波及した第二波フェミニズムは，女性の意識を根本から変えてしまった。女性たちは，近代の輝かしい「人権理念」から置きざりにされてきた自分たちの歴史に気づくのである。「ジェンダー」の視点は，私的領域での家父長制の抑圧，資本制下の家事労働の無償性と労働力の再生産，それを支える性別役割分業，性暴力など社会や法制度を貫くさまざまな男女の権力関係の問題を見出して異議申立てをした。それらは明らかに人の自由，平等，そして自律・自立を侵害するものである，と。

欧米では，時代の変化は，とりわけ性表現と家族の在り方に現れた。性関係と婚姻が切り離され，婚姻と妊娠・出産も切り離され，婚姻という法的絆よりも愛情という絆を大事にする「自由結合」が多くの国で選択されるようになった。その関係は継続的であり婚姻の「脱制度化」といわれる。

時代と人々の意識に即して西欧諸国では家族法の改正が進行し，それに比べて先進性を誇ることのできた日本の家族法の方が問題を先送りする結果になった。

「なぜ結婚届を出すのかは聞かれないのに，なぜ出していないのかは，いやというほどきかれる」（福島・前掲161頁）。このことばに日本の守旧的な状況がよく表現されている。結婚届を出さないケースは，いまの日本社会では例外なのである。

2.2 内　　縁

婚姻届を出さずに，実質上，夫婦として暮している男女を内縁関係にあるという。届出がないので夫婦としての戸籍はなく，2人の関係には法的効果も法的保護もない。そのような男女の共同生活は，届出婚主義が一般に定着するまで日本では珍しい例ではなかった。そこで，内縁を婚姻に準ずる関係として保護する準婚主義の判例法が形成されてきた。最高裁は1953年，内縁の妻が不当

に内縁関係を破棄されたという理由で慰謝料と医療費の支払いをもとめた件で「いわゆる内縁は，婚姻の届出を欠くがゆえに，法律上の婚姻ということはできないが，男女が協力して夫婦としての生活を営む結合であるという点においては，婚姻関係と異なるものではなく，これを婚姻に準ずる関係というを妨げない」（最判昭和33年4月11日民集12巻5号789頁）とした。「内縁」という用語がこのとき初めて判例で用いられた（泉・前掲52～58頁）。

準婚理論によると，内縁関係にも法律婚と同様に同居・協力・扶助と貞操の義務があり，たがいに共同生活の費用を分担し，第三者には日常生活の連帯責任を負う。しかし，2人の氏は変わらない。なお，正当な理由なしに内縁関係にある者の一方が相手を棄てるような場合には，損害賠償の請求が認められる。内縁は民法の領域とは別に，社会立法によっても法的に保護された。1923年の改正工場法が「本人の死亡当時その収入により生計を維持したる者」という表現で内縁の妻を遺族扶助料の受給権者に含めたのをはじめとして，第2次大戦後も多くの社会立法が「事実上婚姻と同様の関係にある者」に受給資格を認めている（労働基準法施行規則42条，労働者災害補償保険法16条等）。内縁の権利・義務は，法的に婚姻に近いものとなったのである。

ただ，準婚で保護の対象になるのは実際にはほとんど常に女性である。「内縁の妻」は「戸籍上の妻」より低い劣った不道徳な存在として扱われることが多かった（福島・前掲103頁），といわれる。

2.3 非　　婚

近年，婚姻届を出さない事実婚の人のなかには「あえて出さないのだ」と答える「非婚」の人たちがいる。その人たちは男女ともに，自覚の上で確信的に事実婚を積極的に選択しているのである。理由は，社会調査によると「夫婦別姓を通すため」「戸籍制度に反対」「プライベートな関係を国家に届け出る必要なし」「性別役割分業からの解放」等の答えが返ってくる。法律婚によって拘束されたくない，夫婦同氏の強制は断固拒否する，婚姻制度の必要性や制度そのものを認めない，という主張である。

このように日本の積極的な事実婚には法制度，とくに戸籍制度への強い批判がこめられている。だが，全体からみれば日本の「非婚」は少数派である。わが国でも晩婚化は顕著だが，非婚化はすすんでいない。他方，西欧諸国の今日

の「非婚」は，70年代の異議申立ての意味合いをもつというよりは，すでに社会的に認知されたひとつの家族形態となっている。たとえば，90年代，フランスでは90％のカップルが自由結合から共同生活に入っている。彼ら，彼女らの非婚は「自由婚」と表現してもいいかもしれない。終生自由結合のままでもよいし，非婚→婚姻→離婚→再婚も可，あるいは離婚後の再婚はなく離婚→非婚という図式が選択されるかもしれない。

　積極的非婚は，法的には，たがいに扶養義務は負わず，生活費や医療費等の出費は申し合わせや契約（多くは暗黙の）によることになる。共同生活のための家財は各自に帰属し，当然には共有の推定をうけない。貞操も義務とはならず関係の解消は自由である。解消された方が一方的な解消と思っても慰謝料を期待することはできない。日本の場合「非婚にたいする保護の必要性は，内縁保護法理が確立していることもあって，諸外国（の契約法理による保護）に比べて一層薄いと思われる」（泉・前掲59頁）といわれるが，当事者は保護がないことは充分承知の上である。

2.4 婚 外 子

　だが，日本の非婚のカップルには心配がある。自分たちの子どもの法的身分である。出生は母が届出なければならない。婚姻関係にある場合には，妻の子は父の嫡出子と推定されるが，非婚の両親から生まれた子どもは婚外の子として法的に非嫡出子となる。非法律婚では母子関係が父子関係に先行するので，親権は母がもち，子は母の氏を称する（民法790条2項）。戸籍の記載は**1.2(2)**で説明したように「長男，二男……」「長女，二女……」に統一化されたが，身分事項や父親欄をみれば，嫡出子か，非嫡出子かは一目瞭然である。戸籍がすでにふれたように公示の機能をもつことを考えると，非婚が例外的なわが国の現状では表記の統一化もプライバシーの侵害のみならず就学・就職等の社会的差別につながりうる状況に変りはない。さらに，嫡出でない子も，親の遺産を相続する権利があるが，その相続分は嫡出子の2分の1と定められており（民法900条4号但書前段），婚外子差別は歴然である。

　日本の非嫡出子の出生率は低い。90年代になって，はじめて婚外子がその年に生まれた子の1％をこえ，97，98年度には1.4％，99年に1.6％，18,280人（厚生省，人口動態統計）へと増加傾向にある。これに比べてスウェーデンの婚

外子出生率は50％をこえ，フランスでは40％に近い。日本社会では嫡出性の規範がかなり強く意識されるために婚外出産を避けて，妊娠したら結婚するか，中絶してしまう結果であると専門家は分析している。婚外子は少数だから大した差別ではない，ということは許されない。

　婚外子と父の親子関係はどうなるのだろう。父がその子の「嫡出性の推定」を否定したければ「嫡出否認の訴え」をし，父が子として認知をすれば父との法的親子関係が発生し（民法774〜780条・784条），扶養義務と子の相続の権利が生ずる。認知は取り消すことはできない（民法785条）。親権に関しては共同親権は行使できず，父母の協議によって父を親権者と定めたときにかぎり，父が親権を行使する（民法819条4項）。だが，嫡出子の身分になる（準正）には，認知だけでなく父母が婚姻をしなければならない。準正嫡出子が父母の氏を名乗るには入籍が必要である。未婚の母が子どもを産み，未婚の父が認知をすると婚姻へとすすむ場合が多く，婚外子だった子も準正として嫡出子になるが（民法789条1項），積極的非婚のカップルは未婚をとおすので子の身分は非嫡出子のままである。

【展開講義　5】　法律婚主義と婚外子
1　婚外子の法的地位の格差

　婚外子の相続差別には合理性があるのだろうか。親にとっては非婚が自分の選択であっても，子にとっては事実婚ないし非婚から生まれるか，法律婚から生まれるかは，選択できることではない。認知された婚外子，認知されない婚外子の選択ができるわけでもない。憲法14条1項の「法の下の平等」，憲法24条2項が立法上の原則とする「個人の尊厳」に違反するのではないか，と憲法適合性が争われている。

　これについて，最高裁は1995年，むしろ2分の1の法定相続分を認めることによって，非嫡出子を保護しようとしたもので，法律婚の尊重と非嫡出子の保護の調整を図ったものであるとして，「現行民法が法律婚主義を採用している以上，その（民法900条4号但書）立法理由には合理的な根拠」があり，立法府に与えられた合理的裁量判断の限界を超えたものとはいえない，と判示している（最大決平成7年7月5日民集49巻7号1789頁）。法律婚主義を正統として婚外子差別を可とするものであるが，判決に対する少数意見は，法定相続分の区別は憲法24

条2項の原則と相容れず,「出生について何の責任も負わない非嫡出子をそのことを理由に法律上差別することは,婚姻の尊重・保護という立法目的の枠を超えるもの」であり,制定の時代には合理性があった規定であったとしても社会意識は変化するものである,と述べている。

社会意識の変化として,さらに,諸外国の立法の趨勢,国内の法改正の動向,批准された条約が指摘されている。具体的には,1993年11月の国連規約人権委員会による相続分差別条項削除の勧告（規約2条・24条・26条に違反),94年4月の子どもの権利条約の批准,94年12月の住民票の世帯主との続柄欄の記載を改めて嫡出・非嫡出子,養子,実子の区別なく「子」に統一するとの自治省通達などが考えられる。自治省通達の「子」という一言までには88年5月から異議申立ての裁判がたゆみなく続けられてきた背景がある。95年には,住民票の続柄記載の区別は親の婚姻,非婚姻という「個人の属性に関する情報」ということができ,プライバシー権の侵害であるという判断も示されている（東京高判平成7年3月22日判時1529号29頁)。戸籍の続柄記載の別については国連規約人権委員会の勧告があり（規約17条・26条違反),2004年の表記統一化後も長幼の序列を残す記載撤廃を要求して裁判闘争は続いている。

ドイツは97年に親子法を改正,嫡出・非嫡出という概念を廃止した。フランスも進行中の家族法大改正のなかで2001年に,かつて姦生子と呼ばれた重婚的婚外子に関して72年の親子関係法改正でも法律婚保護のために残された相続分差別を廃止し,自然子＝婚外子間の完全平等を実現した。その契機には欧州人権裁判所の判決がある。

2　民法改正の動向

日本では,1979年に法制審議会がまとめた「相続に関する民法改正要綱試案」に相続分を平等化する条項が入っていた。しかし,当時の総理府世論調査が現行法支持48％,差別廃止16％で,国民感情からみて平等化は時期尚早と見送られた。主婦層に平等化反対意見が強かったという。主婦は法律婚で法的に,また経済的社会的に守られている。

1996年の民法改正法律案要綱になると,その「第十　相続の効力」の項は「嫡出でない子の相続分は,嫡出である子の相続分と同等とするものとする」と,簡潔かつ明快である。ただその後も改正はやはりすすまない。

1996年の法律案要綱は,1で指摘した,合理性が問われる不平等な現行家族法の諸規定についても,改正案を提示している。次にその主なものをあげておこう。

① 婚姻の成立では，婚姻適齢を男女とも「満18歳」と同一にする。
② 女性の再婚禁止期間は，前婚の解消または取消し後100日に短縮する。(再婚禁止期間の廃止にはなっていない)
③ 父母が協議離婚をするときは，子の監護をすべき者，子との面会，交流，監護に要する費用の分担その他監護について必要な事項は，子の利益を最優先に考慮して，父母が協議して決める。
④ 財産分与については，家庭裁判所は，離婚後の当事者間の財産上の衡平を図るため，財産形成への各自の寄与の程度が異なることが明らかでないときは，相等しいものとする。
⑤ 裁判上の離婚について，その理由に継続5年以上の別居を加える。さらに，離婚が配偶者および子に著しい生活の困窮または耐え難い苦痛をもたらすとき，また，別居または破綻を事由とする離婚請求者が配偶者への協力，扶助を怠り請求が信義に反すると認められるときは，裁判所は離婚請求を棄却することができる。
⑥ 民法の改正に伴い，戸籍法に所要の改正を加える。

これらは学説，判例をかなり反映している。嫡出否認の訴えについての案は示されておらず，嫡出否認の訴えができる出訴権者は夫だけで，妻や子には依然として認められない。女性差別撤廃条約は「子に関する事項についての親（婚姻のいかんを問わない）としての同一の権利・責任」を課している。経済，社会状況が変わり，男女平等原則がより明確になった現在，戦後の改正時に現行家族法がもっていた先進性は薄れ，人々の意識を反映せずむしろ時代の要請に遅れをとっている。要綱の改正案の実現を阻んでいるのは何か。日本のジェンダー法が対決しなければならない課題である。

3　セクシュアリティと家族

◆　導入対話　◆

開かれる家族

学生B（男）：オランダのアムステルダムには同性愛の人の碑があるんだって。建てられたのは87年ということなんだけど。
学生A（女）：そういえばオランダで男同士が結婚式をあげている写真を新聞で

見たことがあるわ。一人は議員だったと思う。
教師：そうオランダは2001年4月から正式に同性愛の結婚を認めた国ですから。
学生C（女）：パリの現市長はホモセクシュアルよ。市長選で自分が同性愛者だって公表して2001年の選挙で当選した人。その前は下院議員だったの。
教師：全体からみれば同性愛の人の数は少ないでしょう。少ないからといって一部の人たちの性的指向を認めないなら「排除」ということになります。留意すべき問題はそこです。
学生D（男）：大学のクラブで友人が仲間に，自分はホモセクシュアルだと打ち明けたことがあった。みんな素直に肯いていて不自然な雰囲気はありませんでした。
教師：時代が変わって多様な価値観が受け入れられるようになってきたのですね。君たちも自分らしく生きていくことができるということです。

　家族の変わりようは「脱制度」「脱婚姻」の現象だけではない。日本でも家族は日本人だけではなくなった。夫婦にしても，男性と女性の組合せでなければならないのだろうか。国際化のすすむなかで，また性に関する意識の開放化のなかで，それまで伝統的に家族像として示されてきた基準の常識的な境界は乗り越えられようとしている。

3.1　国際結婚

　国際結婚はもう珍しいケースではない。外国人と結婚しても夫婦のそれぞれの国籍は変わらない。1950年の国籍法は夫婦国籍同一主義を改め，外国人と結婚した女性が自動的に日本国籍を喪失して夫と同じ国籍となる制度を廃止した。妻の国籍は夫から独立した。それでも，日本人の女性は自分の国籍を自分の子に伝えることはできなかった。国籍法が血統にもとづく父系優先主義をとっていたためである。

　日本国籍の取得が，父系優先から「出生の時に父または母が日本国民であるとき」と，父母両系血統主義になるのは1984年の国籍法改正のときである。日本の社会にとってこの改正には次のような意義があった。

　第1に，女性差別撤廃条約の批准を前にしてやっと改正が実現したことである。政府は条約を批准するために「締約国は，子の国籍に関し，女子に対して

男子と平等の権利を与える」(条約9条2項) という条約の規定を考慮して国内法の整備しなければならなかった。それ以前から，沖縄で日本人女性と駐留アメリカ兵とのあいだに生まれた子が，生地主義の国の父からも，父系優先主義の日本の母からも国籍を受け継ぐことができずに，無国籍子になっている事態が人権上の問題として批判されていた。日本では70年代末から，父母両系と子の国籍の平等化を求める法律家の主張や運動が展開されながら，父母両系の法制化は難航していたのである。1985年の条約批准の後86年には，国籍法改正にともなって私法領域で国際関係の準拠を定める「法例」も改正され，家族関係の準拠法の「夫ノ」本国法は「夫婦の」本国法となり国際結婚においても男女平等が実現した。

第2に，父母両系主義は，戸籍制度の日本人の氏に国際化の影響を及ぼすことになった。外国人と結婚した人には夫婦同氏は適用されない。したがって，①戸籍は国籍であるという原則と②同一戸籍同一氏の原則をどう扱うかが問題となった。これにたいして戸籍編製にも変化があらわれた。外国人との婚姻でも，その日本人が戸籍筆頭者でなければ新戸籍が編製され (戸籍法16条3項)，外国人の姓を名乗りたい場合は，婚姻の日から6カ月以内であれば，家庭裁判所の許可なしに，市区町村長への届出によって，外国人配偶者の姓 (カナ文字も可) を称する「氏の変更」ができるようになった (同法107条2項)。ただ，戸籍は日本人にかぎるので，外国人配偶者が戸籍に入ることはなく，身分事項欄に外国人との婚姻の事項が記載されるだけである。在留する外国人には個人の外国人登録がある。

第3に，子は父または母の日本国籍を継承し，戸籍に登録され，戸籍の氏を名乗り，両親の氏名は戸籍の父母欄に記載される (事実婚の場合は準拠法による)。なお，父母両系主義では，父の国籍，母の国籍双方を継承する場合があり，二重国籍をどうするかという問題が起きる。重国籍を容認する国もあるが，日本の国籍法では22歳までにどちらかを選択しなければならないことになっている。

なお社会的にみれば，国際結婚は，開発格差とジェンダーの関連問題も私たちになげかけている。日本の農村の男性とアジアの女性，日本の外国人労働者と日本人，海外駐在日本人と現地の女性などのカップルや親子のケースがそれ

である（『法女性学への招待』19～25，95～98頁参照）。

3.2 家族形態の多元化

70年代，欧米のフェミニズムはセクシュアリティと生殖は切り離せること，そしてセクシュアリティは本来自由なものであることを確認し，実践した。これが，法律婚・嫡出子制度にはおさまらない自由結合と，そのカップルから生まれる非嫡出子・婚外子をごく普通の社会的現象にした。日本でも「非婚」を選択するカップルがあることについては 2.3 で考えてみた。

だが，婚姻，内縁，非婚だけが家族の実際の姿ではない。単親（母子，父子）家族も少なくない。単身もまた家族の一形態である。私的にはどのような家族構成をとろうと自由である。再構成家族はむろんのこと形態間の移動もある。婚姻，内縁，非婚，単親，単身も一個人にとっては人生の選択的ステップのひとつでしかないかもしれない。近代の婚姻家族は規範性を弱め，家族構成形態のひとつになろうとしている。「脱規範」ともいえる現実を前にして，欧米各国政府は公的にも家族の多様性を認め，家族法のみならずその他の法的な対処をする方向に向かっている。

わが国でも家族法の婚姻制度の範囲内で対処できないケースについては，社会法とくに社会保障の領域で適用方法を工夫してきた。

家族の多様化には，人工生殖技術による家族形成も考慮にいれなければならない（これについては，第8章参照）。とどまるところを知らない生殖補助医療によって生まれる子どもにいかなる親子関係を用意していくのか。目前の課題である。

また，多元化現象のなかで見逃してはならない事実を指摘しておきたい。第二波フェミニズムは，60年代のアメリカの公民権運動や，その後世界的に広まった学園闘争の異議申立ての運動の中から生まれたものであったが，女性だけがその洗礼を受けたわけではない。男性もまたこの意識変革に参加した。自由結合は，そうした両性の意識の変化のなかから誕生した共同生活である。女性だけではなく，男性もすすんで自由結合を選択したのである。日本の非婚にしてもそれは同様である。

なお，家族の多元化は個人化の側面を伴っている。戸籍ではなく欧米のように個人別の身分登録を推奨する声もあるが，電子情報処理化の戸籍法改正

(1994年)，住民基本台帳の国民背番号制（住民票コード）などは，国家機関による国民把握の個人化傾向を見せている。

最後に，セクシュアリティの自由と平等の動向に注目したい。セクシュアリティは異性間だけの指向だろうか，カップルは異性間にかぎられるものだろうか。時代や文化によって違いはあるものの，キリスト教社会では一般に同性同士の愛を規範からの逸脱，異常，引いては自然に反する犯罪とすらみて，否定する傾向が根強かった。けれど60〜70年代は，異性愛秩序に関しても人々の意識を変えた。隠されてきた同性の愛や同棲は目に見えるようになった。その結びつきに法的な権利を認めるべきではないか。これも今日的な課題である。上記の日本の1996年民法改正法律案要綱にそのような発想はうかがえないにしても，すでに同性愛パートナーの関係について一定の法的承認を実現した国々もある。

確認しておきたいのは，こうした婚姻をめぐる多様な変化はもはや後戻りすることはないであろうと，国家も社会も認識していることである。

【展開講義　6】　セクシュアリティの平等化

1　パートナー関係法

同性パートナーの身分についてパートナー関係法を最初に制定したのは北欧諸国である。

まず，各国とも公式登録を承認した。スウェーデンは同性の内縁を公認（1988年1月1日法）した後，身分吏へのパートナー登録と破綻の際の裁判官の義務的関与を定めた（1994年6月25日法）。デンマーク（1989年6月1日法）とノルウェー（1993年4月30日法）も同性2人の「登録結合」を法定し，アイスランドは「公認の同居」の届出と婚姻との法的効果の同一原則を定めている（1996年6月27日法）。ただ，いずれの国も子の共同養子縁組は認めず，共同親権にも消極的である。

ついで，同性婚の承認にすすむ国も現われた。97年，オランダは「事実婚登録」「共同生活契約」「登録パートナー」と種類を分け，そのうちの登録パートナーは身分吏へ届け出，届出2週間後に登録とし，権利と義務に関しては婚姻と多くの同一性を認めて，親族関係も発生することを定めた（97年7月5日法）。同じ97年には同性婚の検討委員会を設けており，2001年には同性カップルの結婚

を合法化した。ドイツでも，2001年2月16日に姓，扶養義務，相続，子に関する小監護権等を認める「人生パートナーシップ法」を制定した（齋藤純子・ジュリスト1200号200頁）。

　ヨーロッパでは，欧州人権条約の母体である欧州理事会加盟国で個人の養子縁組を認める国は，明示的にホモセクシュアルを禁止していない。同性カップルに，伝統的異性カップルの家族と平等な諸権利を保障するというのが98年の欧州議会決議である。また，2000年のEU基本権条約は性的指向による差別を禁じている。これらが今後の指針となるだろう。

　アメリカ合衆国でも，同性パートナーの権利をめぐる裁判例は多く（棚村・前掲169～173頁)，マサチューセッツ州等同性婚法を可決した州もある。2004年には上下両院が同性婚禁止の憲法修正案を否決している。

2　フランスの連帯民事契約法

　フランスは1999年，連帯民事契約法を制定した。略してパックス（PACS）法という。この法律は，事実上共同生活をしているが,「婚姻をしたくない人」または「婚姻ができない人」を法的に保護することを目的としている。それまでは，婚姻をしない自由結合カップルはもちろんのこと，内縁カップルも家族法の対象ではなかった。同性愛カップルは論外で，法的に存在しなかった。連帯民事契約法は，同性カップルの一方がエイズで死亡した場合に，残されたパートナーは相手が契約していた賃借権を引き継げず，同居の住居を立ち退かなければならない等の問題が浮上したのを契機にしている。これらの結合形態をより安定した連帯民事契約という形で，民法典の家族法部分に位置づけたのである。

　カップルには，「婚姻」，「連帯民事契約」，「内縁」という三つの地位が認められ，パックスは「異性または同性の成年者2人が，共同生活をするために結ぶ契約」と定義された。近親間，重婚，重パックスになる契約は禁止される。共同の届出が必要で，婚姻では市町村役場で挙式・婚姻登録がなされるが，パックスの届出は小審裁判所の書記局の登録簿に記載される。

　パックスを選んだ2人にはどのような権利・義務が生まれるのだろうか。日本の準婚関係では同居・協力・扶助の義務，貞操の義務を負うとされるが，パックスではそうした継続性のある義務は明記されていない。2人の関係は一方の婚姻，死亡，または双方の同意によって解消され，同意がない場合でも，別れる意思を通知してそのコピーを届出をした裁判所に送ればよい（一方的な場合には損害賠償請求ができる）。その意味では関係は自由なだけに不安定感があるが，協力の

内容等については約定で相互に決めておくことができる。

では，保護される法益は何か。経済的な側面が目立つ。生活費の相互援助（内容は協約する），第三者に対する負債の連帯責任，パックス締結後に購入した家財の共有，税制面での優遇（所得税，贈与税等），契約解消後の居住の継続，社会保険上の被扶養者の権利，有給休暇の同時期取得などである。

同性カップルの養子は認められない。ただ，パリ大審裁判所は2004年に，カップルの一方の人工授精による子3人を他方が養子とした同性カップルに，その3年後共同親権を認める判決を下し，この判決は確定している。

「内縁」についても，民法典で定義された。内縁とは，異性または同性の2人の，安定的，継続的な事実婚である。

パックス法の是非については，社会的にも，国会でも激しい議論があり，法学者からも厳しい批判がなされた。しかし，結局は同性カップルの長年の要望と自由結合の実態とを，一定の要件のもとで認めることになった。登録は，公布後すぐに始められ，1999年11月から2001年9月までに，43,970組，60％が異性カップルと推計されている。2004年9月には総計131,631組を数えるにいたった。

日本でもパックスの発想は注目された。非婚の女性たちも高い関心を示した。だが，日本にパックス法を応用することはいまのところ無理がある。まず，同性カップルは，社会的になかなか受け入れられないというのが実情である。異性の事実婚カップルはすでに準婚主義で保護されており，あえて非婚を選択しているカップルは現状ではフランスほど多くないからである。

フランスでパックス法が盛んに議論されたとき，あるジャーナリストはこう書いた「社会には歴史がある。家族にしても歴史を離れた定義をすることは不可能である。時代のなかで，空間のなかで，社会は制度を変革し，その制度が社会を創っていく。いま現在考えられないようなことは，われわれがこれまで考えてみたことのなかったことなのだ。社会はしばしば知識より早くすすむ。フランスの社会はこの30年間に変貌を遂げたが，崩壊しなかった。30年後，異性カップルの子，シングル親の子，同性カップルの養子たちは，セクシュアリティの指向の不平等をあと何年間か引き延ばすために20世紀末に人々が大激論をしたということを想像すらできないだろう。……すべての者が自由でないかぎり，だれも自由ではない。すべての者が平等でないかぎり，だれも平等ではない」と（Le Monde, 16 février 1999）。

日本の現行家族法は制定当時，国際的に先進性を誇れるものだった。それから

半世紀を経て今日では,経済的社会的変化とジェンダー分析に即した,改正の遅れが問題になっている。その一方,市民運動が平等化をすすめる大きな推進力になっていることも忘れてはならない。いずれにしても,精神的に自律していなければ本当に自由を求めることはできないし,実質的平等も経済的自立がなければ,達成はできないだろう。

[参考文献]
泉久雄『新版　家族法』放送大学教育振興会,1998年
大村敦志『家族法』有斐閣法律学叢書,1999年
金城清子『法女性学――その構築と課題』日本評論社,1991年
棚村政行『結婚の法律学』(補訂版)有斐閣選書,2002年
利谷信義『家族の法』有斐閣,1996年,2000年補訂
鳥居淳子＝島野穹子＝梶村太市『国際結婚の法律Ｑ＆Ａ』有斐閣選書,1998年
二宮周平「家族法と性別役割分業」『岩波講座　現代の法11巻ジェンダーと法』岩波書店,1997年
福島瑞穂『裁判の女性学――女性の裁かれかた』有斐閣選書,1997年
山下泰子＝戒能民江＝神尾真知子＝植野妙実子『法女性学への招待(新版)』有斐閣選書,2002年

第3章 雇用差別

1 差別とはなにか

◆ 導入対話 ◆

ある募集広告

学生A：先日，新聞の募集広告を見たら，「身長170センチ以上，体重60キロ以上の者」と書いてあったのですが，これは「男性のみ」を募集しているというふうにとれますよね。こういうのはあからさまに書いていないけれど，性差別にあたるんじゃないですか。

教師：とは言ってもこの募集広告の条件では一言も「男性のみ」ということを言っていませんから，これだけでは性差別だと言うのは難しそうですよね。

学生A：……でも，その条件って，いかにも若い体格の良さそうな男性ばかりを募集しているみたいに思えます。女性で，それだけの身長と体重のある人って，まずあまりいないと思いませんか。「男性のみ」って書かなかったら，何でも性差別と非難されずにすむんですか。

学生B：でも，普通の世の中では，そういうのは性差別って言わないんじゃないですか。それに，もしかしたら，その広告を出した使用者は仕事の内容も考えて，ほんとうに体格の大きい人を雇いたかったのかもしれないし……。

教師：そうですね。仕事の内容に照らして，募集条件が合理的なものかどうか，考えてみる必要があるでしょう。

1.1 直接差別と間接差別

間接差別という言葉が，最近，日本の社会の中にも定着しつつある。間接差別と呼びうる種類の差別が存在するというからには，当然のことながら，それと対応関係にある直接差別というものが存在すると考えられよう。

では，女性に対する直接差別とはどのようなものだろうか。それは女性の性を「直接」の理由とする差別のことである。日本でも，雇用という文脈の中で，女性に対する直接差別が争われるようになって久しい。古いものでは，結婚退職制度や若年定年制度に関する事例が存在する。女性のみが結婚退職を迫られたり，男性よりも若くして定年退職に追い込まれたりすることが問題となった事例である。このように性が直接の理由となって，女性が雇用の場で男性とは区別されたり，排除されたり，雇用を制限されたりすることを，直接差別という。

　では，間接差別とはどのような差別のことをいうのだろうか。間接差別を一般的に定義するならば，正当性のない性中立的な条件を課すことによって，一方の性別の者を結果的に著しく不利益に取り扱うこと，ということができよう。

　例えば，ある使用者が募集の際に「男性のみ」という募集の仕方をしたとしよう。これは，一見して明らかに女性を募集の対象から排除しているため，女性差別だということができる。言い換えれば，女性の性を「直接」の理由として差別をしている，直接差別の例だといえる。しかし，雇用の場において使用者が課す条件の中には，導入対話で紹介した身長・体重条件のように，表面的には性に中立的でありながら，「男性のみ」と言っているとしか考えられないような条件がある。それは，その条件を充たすことのできる女性の数が，同じ条件を充たすことのできる男性の数よりも圧倒的に少ないからである。しかし，たとえこうした条件を充たすことができる女性の数が男性の数よりも圧倒的に少なくても，条件そのものは表面的に性中立的であるため，女性を「直接」的に差別したというのは難しい。

　ところが，間接差別という考え方によれば，たとえ使用者が表面的に性中立的な条件を適用したとしても，その条件によって結果的に圧倒的多数の女性が排除されてしまう場合は，その条件を適用したこと自体が女性を「間接」的に差別していたのではないかということができる。このような場合，次に問題になるのは，使用者が性中立的な条件を適用するにあたって，正当な理由を有していたか否かである。例えば，導入対話でみた身長・体重条件につき，使用者が業務上の必要性から，どうしても体格のいい人を雇いたかったというような場合は，使用者に正当な理由があったということになり，このような場合には

間接差別は存在しなかったということになる。逆に，使用者に正当な理由がなかった場合には，間接差別が存在したと判断される。このように，間接差別という考え方は，女性という集団に注目し，ある条件が女性という集団に結果的に著しい不利益をもたらしていることを問題とする考え方である。

【展開講義 7】 三陽物産事件

　三陽物産事件（東京地判平成6年6月16日労判651号15頁）では，住民票上の世帯主でない者，勤務地限定の者について，基本給を一定年齢で据え置くとした使用者の基準の差別性が争われた。裁判所は，使用者はこれらの基準が女性に一方的に不利益になることを容認しつつ導入したと認定し，労働基準法（以下，労基法）4条違反の女性差別であるとした。三陽物産事件で問題とされた二つの基準は，確かに性中立的である。それゆえ，裁判所がこれを女性差別としたことについては，「ある種の」間接差別が違法評価を受けたといえなくもない。しかし，間接差別という考え方を日本にもたらした諸外国の間接差別禁止法理は，使用者が中立的な条件ないし基準を設けた際に，それがもたらす差別的結果を容認していたか否かを一切問題にしないことに注目する必要がある。問題となるのは，ある条件ないし基準が現に差別的効果をもたらしたか否かということのみであり，差別的効果をもたらしていた場合には，当該条件ないし基準を適用することに正当性がない限り，それが違法と評価されるのである。1.2で言及するイギリスも，このような間接差別禁止法理を有する諸外国の一つである。

1.2　イギリスと日本

(1) イギリスの性差別禁止法

　イギリスは1975年，世界に先駆けてもっとも包括的な性差別禁止法を制定した国である。同法は，雇用の分野における性差別のみならず，教育，物品・施設・サービスの供給等の分野における性差別をも禁止する。また，同法の中には，間接差別についての明文の禁止規定も存在する。間接性差別を禁止するイギリスの性差別禁止法1条1項b号の規定によれば，間接差別とは，ある者が男女にある要件または条件を同様に適用したとき，①それを充足しうる女性の割合が，それを充足しうる男性の割合よりも相当程度小さく，②それを適用し

た者が，適用された女性の性別に関係なく正当であることを立証しえず，③女性がそれを充足しえないがゆえに不利益を被る場合をいう。当然のことながら，性差別禁止法の下では直接差別も別途禁止されている。

性差別禁止法は，機会均等委員会（EOC）という機関を創設して，性差別禁止法に実効性をもたせるようにしている。差別を受けた者は，EOCに援助を求めることができる。EOCは，その事件が根本的な問題を提起するものであるかを判断し，そうであるときには，助言，紛争解決のための助力，弁護士の手配等の援助を与えることができる。差別を受けた当人が，援助なく訴えを提起することが困難であるときにも，EOCは援助を与えることができる。EOCはまた，差別を廃止するための幅広い活動を実施する権限を有している。したがって，EOCはこの権限を行使して，イギリス政府の雇用平等立法政策を是正させるために，政府を相手取って裁判を提起することもできる。

(2) **日本の男女雇用機会均等法**

日本には，雇用における女性差別を禁止する男女雇用機会均等法（以下，均等法）が一応は存在するが，この法律にはなお問題点が多い。日本には現在のところ，均等法も含めて，明文で間接差別を禁止する立法は存在しない。この点につき，政府は均等法や男女共同参画社会基本法の制定過程において，以下のような説明を行ってきた。日本の法律は，差別を直接と間接とに分けて整理していないが，「性別による差別的取扱い」の中には，直接差別のみならず間接差別も含まれる，と。確かに，この説明のように，「性別による差別的取扱い」の中に直接差別のみならず間接差別をも読み込むことは可能である。しかしながら，このような解釈が司法上定着していくかどうかは未知数である。解釈による解決方法が存在するとはいえ，間接差別を明文で禁止することの必要性が縮減されるわけではない。

1.3 均等法と差別

(1) **1985年の均等法の限界**

日本国憲法の定める法の下の平等の理念に沿って戦後間もなく制定された労基法は，4条において女性に対する賃金差別を禁止したが，賃金以外における男女差別については何ら禁止規定を設けなかった。それゆえ，日本は1985年に国連の女性差別撤廃条約を批准した際，労基法の規制していない賃金以外にお

ける男女差別を規制するための国内法の整備を迫られた。その結果制定されたのが，均等法である。

　しかし，1985年に制定された最初の均等法は，1972年の勤労婦人福祉法を改正したものとして成立したため，雇用における男女差別を禁止し，両性の平等を達成するという本来の目的を実現するには，さまざまな点で不十分な法律であった。当時の均等法の限界は，①募集・採用，配置・昇進における男女の均等取扱いは，事業主の努力義務とされるにとどまったこと，②「一般職，女性のみ」「パート，女性のみ」という募集のような，女性の雇用機会を狭めるのではない取扱いは，法律違反ではないとされたこと（均等法の片面性），③紛争を解決するための調停の開始には，使用者の同意が必要とされたことにあらわれている。このような限界を内包していた均等法は，当然のことながら，女性差別を有効に是正することはできなかった。

　一方，均等法は女性の人生や職業に対する価値観に変化をもたらし，その結果，共働き夫婦が増え，女性たちも仕事に責任とやりがいを求めるようになった。にもかかわらず，1990年代初頭にバブル経済が崩壊すると，女子学生に対する就職差別が頻発するようになった。また，就職した女性たちの前には配置や昇進における壁が立ちはだかっていた。女性たちの中からは，女性のみの保護規定（一般女性保護規定：2.1で扱う）が逆に女性の職域を狭めているとの不満も生じてくるようになった。こうした社会状況が，均等法改正への動きを作り上げていった。さらに，「1.57ショック」（1人の女性が生涯に産む子どもの数：1989年）と騒がれて久しいが，日本で深刻化している少子化現象は，女性の就労環境の見直しを促し，直接的には1991年の育児休業法の制定に結実し，間接的には均等法および労基法の女性保護規定の改正への追い風となった。

(2) **1997年の均等法改正**

　1997年の均等法改正は，一般女性保護規定を部分的に廃止する労基法改正と同時に行われ，改正均等法は男女雇用平等法としての性格を強めた。主な改正点は，①女性に対する差別を禁止し，旧均等法の下で許容されていた「一般職，女性のみ」という募集のような，女性を優遇する取扱いも差別に含まれるとして違法としたこと，②旧均等法が使用者の努力義務としていた，募集・採用，配置・昇進等における均等取扱いにつき，明確な差別禁止規定を設けたこと

(改正均等法5～8条)，③旧均等法の下では，使用者の同意がなければ開始されなかった調停を，同意がなくても開始できるようにしたこと（同法13条），④差別の発生に対して厚生労働大臣が勧告を出しても従わない企業については，制裁措置として企業名を公表することができるようになったこと（同法26条），⑤ポジティブ・アクション（過去の差別のもたらしている弊害を除去するための積極的差別是正措置）は差別ではないこと，また国がポジティブ・アクションを行う企業を援助できる旨を規定したこと（同法9条・20条）⑥事業主のセクシュアル・ハラスメント防止配慮義務を新たに定めたこと(同法21条)等である。

しかしながら，①から分かるように，改正均等法は男性に対する差別については違法としておらず，均等法の片面的性格は完全には払拭されなかった。また，間接差別を禁止する規定が，改正均等法には盛り込まれなかったなど，諸外国の雇用平等法や性差別禁止法に比べて，均等法が差別として禁止する行為は，まだまだ限定的である。さらに，均等法が規定する制裁措置としては④しかなく，同法の履行を強制するような規定は存在しない。なお，⑥につき，均等法21条に違反する事業主に対しては，厚生労働大臣が助言，指導，または勧告を行うが（同法25条），同法はセクシュアル・ハラスメントの発生を理由とする調停の申請は認めていない。そのため，セクシュアル・ハラスメントについては，紛争解決システムが存在しないという問題があった。だが，2001年10月から個別労働関係紛争解決促進法が施行され，セクシュアル・ハラスメントを含む個別紛争については，紛争調整委員会によるあっせんが行われることになった。

1.4　賃金差別と労基法

労基法4条は，「使用者は，労働者が女性であることを理由として，賃金について，男性と差別的取扱いをしてはならない」と定め，女性に対する賃金差別を禁止している。この規定は，1947年の労基法制定時に設けられ，ILO100号条約において定められている「男女同一価値労働同一賃金原則」を定めるものだとする解釈が有力である（日本は同条約を1967年に批准しているが，その際にも労基法4条に同原則が含まれているとの解釈から，条約批准のために特に国内法を整備・改正するようなことは行われなかった）。なお，労基法が，より一般的に男女平等取扱い原則を規定せず，賃金差別のみを禁じるにとどまったのは，

同法が女性に対してはさまざまな保護規定をおき，労働関係において男女異なる取扱いを許容しているためだといわれている。

労基法4条の適用にあたって問題となるのは，①「女性であることを理由として」と，②「賃金について」という文言の解釈である。①については，女性労働者が男性労働者よりも低い賃金を支払われている場合，労働者が女性でなければ使用者はより高い賃金を支払っていたであろうと認められるならば，男女の労働が同一であるかどうかにかかわらず，本条違反が成立すると解されている。一方②については，直接的な賃金差別ではなく，昇格差別等，結果として賃金差別にも帰結する態様の差別を，同法違反と捉えることができるかが問題となることがある。この点につき，最近，注目すべき判例が登場している（→【展開講義8】）。

労基法4条違反の賃金差別に対しては，公法的には刑罰の適用を前提として，労働基準監督官が是正命令を出す。私法的には，女性労働者が差別を訴え，それが認められると，労働契約の賃金に関する部分は無効となる。無効となった契約部分は労基法13条により補充され，女性労働者は未払い賃金を得られる。ただし，賃金支給基準が存在しない等，労基法13条による補充が困難な場合は，差別を不法行為ととらえることにより，女性労働者は未払い賃金および慰謝料を損害賠償として請求できる。

【展開講義8】 男女賃金差別判例の展開

　判例はこれまで，どのような態様の賃金差別を労基法4条違反の賃金差別と捉えてきたのだろうか。例えば，秋田相互銀行事件判決（秋田地判昭和50年4月10日判時778号27頁）は，男女に異なる賃金表を適用することを同条違反とした。また，岩手銀行事件判決（盛岡地判昭和60年3月28日労判450号62頁，仙台高判平成4年1月10日労判605号98頁）は，女性行員に家族手当を支給しないという取扱いを同条違反とした。

　日ソ図書事件（東京地判平成4年8月27日労判611号10頁）は，上記のような事例とは異なり，客観的な賃金支払基準が存在しない会社における賃金差別が問題となった事例であるが，この事例では，男女労働者の労働が「質及び量において同等」となった場合には，初任給格差を是正せずに維持することが労基法4条違反であると判断された。さらに，1.1の展開講義で紹介した三陽物産事件判決

は，性中立的な基準によって基本給が支給されていた会社における賃金差別が問題となった事例であるが，ここでは，これらの基準が女性に一方的に不利益になることを容認しつつ導入された場合には，労基法 4 条違反になると判断された。

注目すべき事例としては，芝信用金庫事件東京高裁判決が存在する（東京高判平成12年12月22日労判796号 5 頁）。この事例では，昇格（資格の付与）差別が争われていたが，会社における昇格と賃金額の増加が連動関係にあったことから，「資格の付与における差別は，賃金の差別と同様に観念できる」とされ，労基法13条および93条の類推適用により，昇格請求が認められた。

1.5 雇用差別をなくすために

近年，女性の就業パターンは二極化しているといわれる。すなわち，男性なみの長時間労働に耐えながら，正社員として働き続ける女性と，家族的責任等の制約ゆえに，パート労働をはじめとした非典型雇用に参入する女性とに分けられる。前者のグループの女性に対して行われる差別の特徴が，女性ゆえに男性と同一の処遇を受けられないというものであるのに対し，後者のグループの女性に対して行われる差別の特徴は，パートタイム労働者という身分ゆえに不当に低い処遇しか受けられないというものである。なお，パートタイム労働法（1993年）は，パートタイム労働者の雇用管理の改善や職業能力の開発および向上に関する措置について定めているが，フルタイム労働者との均衡処遇を事業主の努力義務としているにすぎない。

ところで，こうした二つの態様の差別は，実は本質的に起源を同じくする問題なのではないだろうか。後者のグループに属する女性の大半は，自発的に非典型雇用を選択したのではなく，社会全体においては職業を中心とした公的領域と家庭を中心とした私的領域が分断されており，家庭内においては性別役割分業が維持されているがゆえに，強制的にそれを選択させられている。こうした女性が，自分の能力に応じて不本意な選択を迫られることなく働くことができるようにするためには，何よりも，彼女たちを過重な家族的責任から解放し，男性と社会にもその責任をともに担ってもらえるようにしなければならない。具体的には，時間外・休日労働および深夜業についての男女共通規制を強化させる一方で，社会が提供する育児・介護サービスを多様化し，質・量ともに高

めていくこと，また家族的責任に対する男性および社会の意識を変革していくことが必要である。

　一方，前者のグループに属する女性の大半は，男性なみに働いていることで差別とは無縁に働けるかというと，そうではない。彼女たちは彼女たちで，男性から性的規範やステレオタイプに根ざした差別を受けているのである。男性に対してならば行われなかったであろう，こうしたさまざまな差別を，彼女たちが現に受けているということが，まさに雇用社会における男女のヒエラルキーを象徴している。そして，このヒエラルキーが存在するのは，やはり社会が公的領域と私的領域に分断されていて，私的領域である家庭内においては性別役割分業が維持されているからであろう。雇用差別をなくすためには，公的領域と私的領域の分断を解消し，すべての人々が両領域を行き来できるようにすることが必要である。

2　女性の労働条件

◆　導入対話　◆

「保護」と「平等」

教師：最近，電車内の駅名のアナウンスが女性の声で流れてくるのを耳にしませんか。

学生：ときどき耳にします。

教師：どうして今までは，男性の声しか聞くことがなかったのでしょうねぇ……？

学生：運転手とか車掌が男性だったからじゃないでしょうか？

教師：では，なぜ運転手とか車掌は男性ばかりだったのでしょう？

学生：きっと男性の募集しかなかったからじゃないかと思います？　だって，ニュースとかでも，「初の女性運転手が誕生しました」とかってやってるし……。

教師：そうだとしたら，なぜ，今まで女性には運転手や車掌の募集がなかったのでしょう？

学生：電車とかって，夜中まで走っていますよね。そんなに遅くまで働かなきゃいけないわけでしょう。女性に，そんなに遅くまで仕事をさせるってことでしょう。きっと何か法律が絡んでるんじゃないですか？　法律の内容まではよ

> く分からないけれど，何か制限とかあるんじゃないでしょうか？　その辺のこと，調べてみたいような気もするけれど……。

2.1　母性保護と一般女性保護

　労基法が規定する労働条件の中には，女性のみに適用されるものが存在する。それらの労働条件を規定した労基法上の規定を総称して女性保護規定という。これをさらに，個々の規定の性質から分類すると，母性保護規定と一般女性保護規定とに分けることができる。

　母性保護規定とは，妊娠・出産・哺育という女性特有の身体的機能を保護する規定で，産前産後休暇や妊産婦に対する危険・有害業務の禁止等をいう。母性保護規定は，1997年の労基法改正で強化されたが，これについては **2.3**（妊娠・出産保護を手厚く）で扱う。

　もう一方の一般女性保護規定とは，妊娠・出産・哺育をする妊産婦以外も含めて，女性全般を保護する規定で，坑内労働の禁止や生理休暇の規定などをいう。1997年の労基法改正以前は，時間外・休日労働の制限・深夜業の禁止に関する規定も存在した。

　さて，1997年の労基法改正により一般女性保護規定が一部廃止されたことは既に述べたが，なぜこのようなことが起こったのだろうか。1997年の労基法改正が，均等法の改正と同時に行われたことを今一度思い起こす必要がある。これらの法律改正の意義とは何だったのだろうか。

　1946年に制定された労基法は，女性労働者は男性労働者に比べて生理的・体力的に弱く，保護の必要な労働者だという認識を出発点にしていた。また，当時は労働条件も全般的に劣悪で，女性「保護」の方が男女「平等」よりも切実な課題であった。しかし，女性労働者に対する労基法の当初の認識は，時代とともに批判されるところとなった。「保護」か「平等」かという論争は，1985年の女性差別撤廃条約の批准に伴って均等法が制定され，労基法が改正された際に激化した。結局，時間外・休日労働および深夜業に関する一般女性保護規定の撤廃については，当時の女性の家事・育児責任負担の実態に照らして非現実的であると判断され，見送られた。

その後10年余りが経過し，社会は一段と変化した。法定労働時間が短縮され，育児・介護休業法（以下，育介法）が制定されて，職業責任と家族的責任の両立を図るための取組みも開始されるようになってきた。何よりも，女性の就業意識が変化し，以前よりも「平等」が主張されるようになると，女性に対する保護規定が，女性の職域拡大の阻害要因になっているのではないかとの見解が示されるようになった。その結果，1997年には均等法が改正されて，「平等」が強化されるにいたった。この時同時に労基法も改正され，具体的には時間外・休日労働および深夜業に関する一般女性保護規定が廃止されるというように，「保護」が縮小した。

1997年の法律改正にいたるまでの間には，「保護」か「平等」かという論争にも深みが出てきた。つまり，「保護」については，一口に「保護」の存続あるいは廃止を唱えるのではなく，保護の内容を母性保護と一般女性保護とに分け，前者についてはより充実を図り，後者についてのみ，男女平等の観点から不要な部分は廃止していくという議論の仕方が定着してきた。また「平等」については，ただやみくもに男女平等を主張するのではなく，女性の働き方を基準にして，それに男性の働き方を合わせていくという平等化こそが，あるべき平等化の方向であるとの主張が強くなった。

2.2 女性保護から男女共通保護へ

今日，日本の女性は，もはや「弱い性」ではない。教育水準においては男性に劣ることがなく，就業意識も高くなり，家族的責任は男女で平等に担うべきだという考え方を半数以上の人がするようになっている。社会においても，法定労働時間が短縮され，男女労働者を対象とする育介法が制定された。こうした変化に加えて，男女平等の促進という課題からは，時間外・休日労働および深夜業に関する「女性のみ保護規定」は解消すべきであるとの立場が支持されるようになっている。

しかし一方で，女性の意識変化ほどには，男性の意識変化は進んでおらず，女性は家庭にあって男性の約6倍の家事労働を負担している。しかも男性の労働時間が長時間化し，家事労働を負担する気持ちのある男性でさえ，実際にはそうすることが困難な現実もある。家庭をもちながら働く多くの女性にとって，「女性のみ保護規定」の廃止が突きつける現実は生易しいものではない。

「平等」を優先させるのか、現実直視でいくのか、「女性のみ保護規定」の廃止をめぐって、日本の立法政策は難しい選択を迫られた。結論的には、「女性のみ保護規定」のほとんどが廃止された。それはなぜだったのか。当時議論されていた一連の法改正、すなわち均等法および育介法の強化と労基法における「女性のみ保護規定」の廃止は、それを見送れば、次に再び同じような法改正議論が浮上してくることがあるのか危ぶまれた。「平等」を後退させないためにも、一連の法改正を成功させる必要があった。そこで、1997年の労基法改正においては、ひとまず「女性のみ保護規定」が廃止された。

立法政策において、女性保護に代わり男女平等を選択した結果、次に浮上したのは、職業責任と家族的責任が女性にとっても現実的に両立可能なものとなるために、労働条件に関する男女共通保護を設け、男女労働者がともに長時間労働から解放されて、仕事と家庭を両立させられる働き方を獲得していく必要性であった。それゆえ、1997年の労基法改正後は、労働基準についてどのような男女共通保護を設けるかという点に議論が集中した。

1998年、最終的に成立した改正労基法は、残念ながら男女共通保護を設けるという一段高い理想とはかなりかけ離れたものになった。育児・介護責任を有する女性労働者については、労働者自身の申出により、1998年から3年間は激変緩和措置として、年間150時間をこえる時間外労働は免除されることになった。家族的責任を有する男女労働者の時間外労働の規制に関しては、激変緩和措置終了後に検討すべきことが、1998年の労基法改正の際の国会の附帯決議において謳われるにとどまった。

しかしながら、1997年、1998年の労基法改正をめぐる当時の議論は、戦後約50年間維持されてきた労働条件に関する男女二重基準を共通基準に改めたという点において、歴史的に画期的な意義を持つものである。さらに、男女共通保護を設けるべきであるという議論は、激変緩和措置が終了した2001年4月から施行されている改正育介法に反映されるにいたった（**3.2**を参照）。

2.3 妊娠・出産保護を手厚く

1997年の均等法改正と労基法改正によって、母性保護規定はいっそう拡充した。具体的な改正点は以下のとおりである。

まず、多胎妊娠の場合の産前休暇が、10週間から14週間に延長された。その

結果，現行法においては，通常の妊娠・出産の場合は，産前休暇が6週間，産後休暇は8週間，多胎妊娠の場合は，産前休暇が14週間，産後休暇は8週間となった（労基法65条1項・2項）。労基法には，この他にも妊産婦の保護に関する規定が存在する。妊産婦には危険・有害業務についての就業制限があり（同法64条の3第1項・3項），制限内容は一般女性に対するそれよりも厳しい。使用者は，妊娠中の女性から請求があった場合には，その者を他の軽易な業務に転換させなければならない（同法65条3項）。使用者は，妊産婦が請求した場合には，その者を変形労働時間制の適用から除外し（同法66条1項），また時間外・休日労働および深夜業をさせてはならない（同法66条2項・3項）。

次に，現行の均等法は，事業主は，妊娠中および出産後の女性が健康管理を行うために「必要な時間を確保することができるようにしなければならない」と定めている（均等法22条）。また，「勤務時間の変更，勤務の軽減等必要な措置を講じなければならない」と定めている（同法23条1項）。

均等法22条にいう「必要な時間」とは，産前については，妊娠23週までは4週に1回，妊娠24週から35週までは2週に1回，妊娠36週から出産までは1週間に1回与えられる必要な時間である。また産後1年以内については，医師または助産婦が必要と指示する時間である（均等則16条1号・2号）。

均等法23条1項が事業主に「講じなければならない」とする措置に関しては，労働大臣が指針を定めることとされている（同法23条2項）。指針は，事業主は，医師等から指導を受けた旨を妊娠中の女性が申し出た場合には，①通勤緩和のために，時差通勤，勤務時間の短縮等の措置，②休憩時間の延長，休憩回数の増加等の必要な措置，③作業の制限，休業等の必要な措置を講ずるものと定めている。指針はまた，医師等から指導がない場合でも，女性労働者から申出があった場合には，医師等と連絡をとってその判断を求める等，適切な対応を図るものとしている（母性健康管理指針2(1)～(2)）。

2.4 時間外・休日労働

現行法が提供する時間外・休日労働の規制は，①一般の男女労働者を対象とするものと，②育児・介護責任を有する男女労働者を対象とするものとに分けられる。ここでは①について検討することにし，②については続く**3**の〈家庭と仕事の両立〉で扱う。

時間外・休日労働は，三六協定によって行われるものが一般的である。三六協定とは，使用者と当該事業場の過半数組合，それが存在しないときには過半数代表者との間で締結される，時間外・休日労働に関する書面協定である。使用者はそれを労働基準監督署に届け出ることによって，その協定の定めるところに従い，労働者に時間外・休日労働を命ずることができる（労基法36条1項）。

表1　時間外労働上限基準

一定期間	限度時間
1週間	15時間
2週間	27時間
4週間	43時間
1カ月	45時間
2カ月	81時間
3カ月	120時間
1年	360時間

（労働省告示第154号平成10年12月28日）

　三六協定にもとづく「時間外労働」の限度については，厚生労働大臣が，労働時間の延長の限度その他必要な事項について基準を定めることができるものとされている（同法36条2項）。この上限基準は，現在，表1のように定められている。ただし，これは「時間外労働」に関する基準であって，休日労働には規制がいっさい存在しない。

　労働者は，三六協定が存在すれば，当然に時間外・休日労働の義務を負うわけではない。三六協定は，使用者がそれに従って労働者に時間外・休日労働をさせても，労基法違反として処罰されないという効果（いわゆる免罰的効果）を有するにすぎない。したがって，三六協定の存在に加えて，いかなる条件が満たされれば，労働者に時間外・休日労働義務が発生するのかにつき，議論が展開されている（【展開講義 9】参照）。

2.5 深夜業

　深夜業とは，午後10時から午前5時までの間の労働をいう。深夜業についても，女性たちが男女共通規制を求めたにもかかわらず，改正労基法には男女共通に深夜業を規制する明文の規定は設けられなかった。しかし，改正労基法附則12条が，男女労働者の深夜業に関して，「国は，深夜業に従事する労働者の就業環境の改善，健康管理の促進等当該労働者の就業に関する条件の整備のための事業主，労働者その他の関係者の自主的な努力を促進するものとする」と定めた点は，見落としてはならない。今後は，この条文を根拠に，自主的なガイドラインが作られ，それらが集約されてより高い規範としてのガイドライン

が作られることが望まれる。

　一方，均等則17条は，事業主に，女性を深夜業に従事させる場合，安全確保に努めるよう求めている。労働省は，同条文を根拠に，「深夜業に従事する女性労働者の就業環境等の整備に関する指針」を定めた。それによれば，事業主は，女性労働者を深夜業に従事させる場合には，①通勤および業務の遂行の際における安全の確保，②子の養育または家族の介護等の事情に関する配慮，③仮眠室，休養室等の整備，④健康診断等について，適切な措置を講ずるべきであるとされている（同指針2(1)～(4)）。

　①の措置としては，例えば，送迎バスの運行，公共交通機関の運行時間に配慮した勤務時間の設定，従業員駐車場の防犯灯の整備，防犯ベルの貸与等を指す。女性労働者が深夜に一人で作業をすることがないように努めることも必要となろう。②は，新たに女性労働者を深夜業に従事させようとする場合には，その女性労働者の育児や介護に関する事情を聴き，それらについて配慮を行うよう努力することをいう。③については，労働安全衛生法の定めるところにより，仮眠室，休養室等が男女別に設けられなければならない義務があることを明らかにしている。④についても，労働安全衛生法の定めるところにより，健康診断を実施しなければならない義務があること等を明らかにしたものである。

　なお，使用者は妊産婦からの請求があった場合は，その者について深夜業を免除しなければならない（労基法66条3項）。また，後述するとおり，育児・介護を行う必要のある一定の労働者も，使用者に深夜業の免除を請求できる（育介法19条・20条）。しかし，深夜業については，それが本来，人間の生体リズムに反する働き方であるという認識を前提に，すべての男女労働者を対象にした規制が検討されるべきである。

【展開講義　9】　時間外・休日労働義務の発生

　　労働者は，いかなる場合に時間外・休日労働義務を負うことになるのだろうか。この点につき，学説・判例は，三六協定の締結に加えて，①就業規則や労働協約に時間外・休日労働を命ずることがある旨の規定が存在すれば，使用者の命令により労働者に時間外・休日労働義務が発生するという見解と，②労働者の個別的同意が必要であるという見解とに分かれている。最高裁は，①の考え方に立つこ

とを明らかにした（日立製作所武蔵工場事件・最判平成3年11月28日労判594号7頁）。つまり，時間外労働に関する就業規則の規定が合理的であれば，それが具体的労働契約の内容をなすから，当該労働者には時間外労働の義務が発生するとする。さらに本判決は，問題の就業規則規定の合理性評価につき，実際には本件三六協定の内容を問題とし，三六協定で(i)時間外労働の時間数と，(ii)その事由が明確にされている場合には，就業規則規定が合理的であるというべきであるとの判断を示している。この判断によれば，結局は三六協定が存在する限り，ほとんどの場合に労働者の包括的な時間外労働義務が肯定されることになろう。

　ただ，最高裁の立場をとるにせよ，労基法は時間外労働の上限基準を設けているのであるから，たとえ使用者が三六協定において時間外労働の時間数を限定していても，その時間数が労基法上の上限基準を上回る場合には，三六協定は非合理的であると解釈され，時間外労働義務が否定されよう。さらに，時間外・休日労働はあくまでも例外的労働であるという点から考えると，労働者は正当な理由がある場合には，時間外・休日労働を拒否することができると解釈しうる。この解釈によれば，使用者が三六協定において命ずる時間外労働が，たとえ労基法上の上限基準を下回っている場合であっても，労働者は正当な理由により，時間外労働を拒否できるということになろう。その場合，使用者の時間外労働命令は権利濫用と評価されよう。

3　家庭と仕事の両立

◆　導入対話　◆

育児・介護は誰の責任か

教師：みなさんは，将来家庭をもって，育児とか介護をしなければならなくなったとしたら，そのために自分が休暇を取りますか。それとも，自分のパートナー（夫ないし妻）に休暇をとってもらいますか。

学生A（女）：えー，男性が育児休暇とか介護休暇を取っていいんですか。女性が取ることになっているんじゃないんですか。

学生B（男）：いやぁ，男も取れるはずだよ。でも，自分は，取りたくないな。やっぱり，男が取ると，社会からのプレッシャーがね……。

学生C（女）：私は，自分が取ると思う。自分の夫に，育児休暇とか介護休暇と

か取らせて，キャリアに傷がついたら損だと思う。だって，男性の方が将来的にも稼ぎが良さそうだから，やっぱり，男性が順調にキャリアを築いた方が，夫婦にとっても経済的に得なんじゃない？
学生Ｄ（男）：オレは，育児休暇なら面白そうだから取ってみたいな。それに，なかなかできない経験だと思うし。

3.1 労働基準法

労基法が育児・介護を行う労働者に対して定める保護は，以下の２点である。

第１に，生後１年未満の子を育てる女性は，１日に２回，少なくとも30分の育児時間を請求できる（同法67条）。第２に，使用者は，育児・介護を行う男女労働者に対して，変形労働時間制を適用する場合には，労働者が育児・介護に必要な時間を確保できるように「配慮しなければならない」（労基則12条の６）。

第１の点については，本来の趣旨は授乳時間の確保にあったが，最近は育児時間が授乳のためではなく，保育園の送迎に利用されている。そのため，女性のみが育児時間を取得できることに対しては批判があり，今後は，男女労働者が取得できるように法改正がなされることが望ましい。

3.2 育児・介護休業法

育介法は，1995年に日本がILO156号条約（家族的責任を有する男女労働者の機会及び待遇の均等に関する条約）を批准した際に，育児休業法を改正して作られた法律である。育児休業法は，1991年に制定されたが，その直接の契機となったのは，1989年にマスコミによって「1.57ショック」と騒がれた少子化問題であった。少子化問題を解消するためには，働きながら子どもを産み育てやすい職場環境を整備する必要があるとの認識が，法律制定の原動力となった。

育児休業法制定の最大の意義は，すべての労働者の権利として育児休業を認めた点にある。それまでの日本には，育児は女性が行うものという固定観念があった。そのため，1985年制定の均等法は，育児のために便宜を図ることを事業主の努力義務として定めたが，これは女性のみを対象とするものであった。しかしながら，1981年に採択された前出のILO165号条約は，家族的責任は男

女労働者が平等に果たすべきものであるという理念を謳いあげている。日本も，1991年に育児休業法を制定した際，この理念を取り入れることになった。

育介法は，1995年の制定以来，3度にわたる改正を経てきた。1997年における最初の改正は，均等法と労基法の改正に伴って行われた改正であり，育児・介護責任を有する一定の労働者に対して時間外・深夜労働を制限する目的で行われた。2001年に行われた2度目の改正は，育児・介護責任を有する男女労働者に一定時間を超える時間外労働の免除請求権を認め，病気の子どものために年5日の看護休暇を付与すべきことを事業主の努力義務として定める等，同法による保護をより手厚くする目的で行われた。2004年に行われた3度目の改正では，同法の適用対象者を一定の要件を充たす有期契約の労働者にまで広げる一方で，育児休業の期間の延長，介護休業の取得回数制限の緩和および看護休暇の制度化が図られた。改正育介法は，2005年4月1日から施行される。以下，これの内容を見ていく。

3.3 育児休業・介護休業

育介法は，男女労働者に対し，育児・介護を理由とする休業請求権を認めている。育児休業を請求できる労働者は，同一の事業主に引き続き雇用された期間が1年以上あり，かつ，養育する子が1歳に達する日を超えて引き続き雇用されることが見込まれる者である。ただし，子が2歳に達する日までの間にその労働契約の期間が満了し，かつ当該労働契約の更新がないことが明らかである者は除外される（育介法5条1項）。育児休業期間について，法は，子が1歳に満たない期間の休業と，1歳から1歳6カ月に達するまでの休業を認めている。ただし，後者の休業については，①養育する子について，労働者またはその配偶者が当該子の1歳到達日に育児休業しており，かつ，②その後の期間（1歳から1歳6カ月に達するまで）について休業することが雇用の継続のためにとくに必要と認められる場合にのみ認められる（同法5条1項・3項）。①の要件からは，子が1歳になった日以降に労働者が初めて育児休業を取得することは，配偶者からバトンタッチする場合以外，認めていないことが分かる。また，①および②の要件からは，育児休業は子が1歳に達するまでというのが原則で，例外的に最長6カ月の延長が認められるものであるということが分かる。最近の法改正で延長が認められるようになった背景には，それまで法律で認め

られていた育児休業（子が1歳に満たない期間の休業）終了後，子どもの生まれた日によっては，すぐに保育所に入所させられないケースが少なくないとの事情があった。保育所の応募は，年度始めからの入所については比較的多数あるが，年度途中からの入所については状況が異なるからである。

育児休業の申出は，特別の事情がある場合を除き，1人の子につき1回と定められているが（同法5条2項），有期契約の労働者の育児休業の申出については特例が認められている。有期契約の労働者の場合，子が1歳に達するまで休業を予定していたとしても，それよりも前に契約満了を迎える場合，形式的には契約満了日をもって育児休業が終了することになる。このような労働者については，労働契約の更新に伴い，再度，育児休業の申出をすることが特例として認められている（同法5条5項）。

次に，介護休業を請求できる労働者は，「対象家族」が「要介護状態」にある者である（同法2条2号）。「要介護状態」とは，負傷，疾病または身体上もしくは精神上の障害により常時介護を必要とする状態をいう（同法2条3号）。「対象家族」に含まれるのは，「配偶者，父母，子，配偶者の父母」と，「当該労働者が同居し，かつ扶養している祖父母，兄弟姉妹又は孫」である（同法2条4号，育介則2条）。有期契約の労働者が介護休業を取得するには，当該事業主に引き続き雇用された期間が1年以上であり，かつ介護休業開始予定日から起算して93日を経過する日を超えて引き続き今日されることが見込まれる者でなければならない。さらに，93日経過日から1年を経過する日までの間にその労働契約期間が満了し，かつ当該労働契約の更新がないことが明らかでないことが必要である（育介法11条1項）。

介護休業の申出は，最近の法改正により，取得回数制限が家族の「要介護状態」1回につき1回となった（同法11条2項）。1回の休業期間の上限は93日である（同法15条1項）。なお，有期契約の労働者については，育児休業の特例と同様の特例が設けられており，予定していた介護休業終了日よりも前に労働契約満了日が到来する場合は，労働契約の更新に伴い，特別に再度，介護休業の申出ができる（同法11条4項）。

事業主は，育児・介護休業を理由とする不利益取扱いを行うことを禁じられている（同法10条・16条）。指針によれば，不利益取扱いの中身は，例えば，①

退職の強要や，正社員にパートタイム労働者になるよう強要すること，②自宅待機を命じること，③降格すること，④減給等を行うこと，⑤不利益な配置変更を行うこと，⑥就業環境を害することなどが含まれる（子の養育又は家族の介護を行い，又は行うこととなる労働者の職業生活と家庭生活との両立が図られるようにするために事業主が講ずべき措置に関する指針2条3項2号）。

なお，事業主は，3歳未満の子を養育する労働者で育児休業をしない者の申出にもとづき，短時間勤務制度，フレックスタイム制度，始業・終業時刻の繰上げ・繰下げ，希望者に所定外労働をさせない制度，託児所の設置等の便宜供与のうち，少なくとも一つの措置を講じなければならない（同法23条1項，育介則34条1項）。介護を行う労働者に対しては，連続する93日間以上の期間において，短時間勤務制度，フレックスタイム制度，始業・終業時刻の繰上げ・繰下げ，介護サービス費用の助成等のうち，少なくとも一つの措置を講じなければならない（同法23条2項，育介則34条2項）。

加えて，事業主は，3歳から小学校就学前までの子を養育する労働者に対して，上記の措置（3歳未満の子を養育する労働者で育児休業をしない者に対して行われる措置）に準じた措置を講じる努力義務を負う（育介法24条1項）。事業主はまた，介護を行う労働者に対しても，上記の措置（前段落において例示した短時間勤務制度その他）に準じた措置を講じる努力義務を負う（同法24条2項）。その他，育介法が事業主に課す努力義務としては，労働者を転勤させる場合に，当該労働者の育児・介護の状況に配慮することが挙げられる（同法26条）。

育介法の3度に及ぶ改正により，育児・介護休業については，今日，有期契約にある労働者にも取得を認めるなど，保護の内容が拡充されてきた。そのことは評価されるべきである。ただ，育児・介護休業の取得をめぐっては，休業取得者の圧倒的多数が女性（妻）であるという問題が存在する。男性（夫）の休業取得を妨げる要因としては，家庭や社会における性別役割分業意識，休業取得が職場に迷惑をかけ，出世に響くのではないかなどという男性（夫）の心理的不安や，男女賃金格差が大きい中で男性（夫）の収入を失うことにより生じる家庭の経済的不安など，さまざまなものが存在する。育介法を有効に機能させるためには，社会においては性別役割分業を解消させるための意識啓発が行われるとともに，休業期間中の所得保障（現在は雇用保険から賃金の4割に相

当する育児・介護休業給付が支給されている）についての検討がなされる必要がある。また，各職場においては，上司や人事担当者が休業しようとする労働者と休業前に面談を行ったり，休業期間中もメール等の通信手段を利用して職場や職務に関する必要な情報を提供するなどの支援を行う等，労働者の休業取得に対する不安を取り除くための取組みがなされる必要がある。また，育児休業をしない労働者に対して，その養育する子が3歳になるまで事業主が義務として行わなければならない勤務時間の短縮等の措置を，せめて子が小学校に就学するまで，できれば小学校卒業くらいまで行うよう法律で定めるべきである。

3.4　両立のための時間外・深夜労働の制限

　事業主は，小学校就学前の子を養育する労働者または介護を行う労働者が請求した場合は，1月について24時間，1年について150時間を超える時間外労働をさせてはならない（同法17条・18条）。育介法はこのように定め，育児・介護責任を有する一定の男女労働者を対象に時間外労働を規制している。ただし，同法は「事業の正常な運営を妨げる場合は，この限りではない」として，事業主が，労働者からの時間外労働免除の請求を拒否できる場合を設けている。

　男女労働者を対象とした時間外労働規制がなされたのは，2001年の2度目の法改正においてである。そのいきさつは次の通りである。1997年の労基法改正により，それまで存在した女性労働者のみを対象とした時間外労働の制限が撤廃された。労基法はこのとき，育児・介護を行う一定の女性労働者については，これらの者が突然に長時間の時間外労働を命じられて仕事と家庭の両立が困難になることがないよう，時間外労働の上限を通常の労働者よりも低いものとする激変緩和措置を定めた。ただし，当該措置は時限的なもので，2002年3月末には終了することになっていたため，それを踏まえて2001年に法改正が行われた。改正された法律は，2002年4月から施行されている。

　育介法は，また，事業主は，小学校就学前までの子を養育する労働者および介護を行う労働者が請求した場合には，深夜業をさせてはならない（同法19条1項・20条1項）と定めて，育児・介護責任を有する一定の男女労働者に対し，午後10時から午前5時までの深夜時間帯における労働を制限している。ただし，①雇用期間が1年未満の者，②深夜において常態として子の保育もしくは家族の介護ができる同居の家族がいる者，③その他，請求できない合理的な理由が

あると認められる者は，深夜業の制限を請求できる労働者に含まれない（19条1項・20条1項）。育介則によれば，②にいう「同居の家族」とは，16歳以上の同居の家族のうち，深夜において就業していない者，身体上・精神上の障害により育児・介護が困難でない者，産前6週間・産後8週間以内ではない者である（育介則31条の2第1～3号）。また③にいう「その他，請求できない合理的な理由があると認められる」労働者とは，1週間の所定労働日数が2日以下の労働者，または所定労働時間の全部が深夜にある労働者である（育介則31条の3第1・2号）。なお，事業主は，育児・介護を行う労働者について深夜業を免除することが「事業の正常な運営を妨げる場合」には，労働者からの免除請求を拒否することができるとされている（育介法19条ただし書・20条）。

　深夜業の制限期間は，1回につき1カ月以上6カ月以内である。労働者は，制限を希望する期間の開始日の1カ月前までに請求をしなければならない。請求回数に制限はない。

　育介法上，育児・介護を理由とする深夜業免除請求権の規定が存在することの意義は大きい。しかし，この規定にもなお問題点が多い。例えば，同法の下で深夜業の免除を受け得るのは，育児・介護責任を有する夫婦がともに深夜業に従事していて，かつ高校生以上の子どもがいない場合に限られる。だが，夫婦のうち一方が深夜業に従事しており，他方が日勤であったとしても，日勤の者の残業が深夜時間帯にまで及んでしまうということも考えられる。また，育児を理由とする深夜業免除は，対象である子が小学校就学前までであるため，その子がひとたび小学校に入学すれば，労働者としては深夜業の免除を請求できない。仮に，高校生以上の子どもが同居している場合であっても，その子が塾通い等で，午後10時以降の時間にも自宅に不在ということも考えられる。このようなさまざまな場合を想定すると，深夜業免除を請求できる労働者の範囲は，現行の規定以上に広げられるべきである。

3.5　両立のための看護休暇

　保育所は，子どもが病気にかかると，その子を預かってくれないため，労働者は子の看護のために休暇をとらなくてはならない。これまで子の看護のために，労働者は年次有給休暇を活用する等してきたが，仕事と育児を両立させるための要望として，看護休暇制度の導入を挙げる労働者は多かった。そのた

め，2001年の育介法改正では，1年度に5労働日を限度とした看護休暇の付与が事業主の努力義務と定められ，続く2004年の改正では，これが制度化された。

育介法は，小学校就学前の子を養育する労働者は，事業主に申し出ることにより，1年度において5労働日を限度として，負傷し，または疾病にかかったその子の世話を行うための休暇（子の看護休暇）を取得することができると定めている（同法16条の2）。事業主は，労使協定で定められた適用除外者以外の労働者からの看護休暇の申出に対して，それを拒むことができない（同法16条の3）。労使協定で，看護休暇の申出をできない者と定めることができるのは，①当該事業主に引き続き雇用された期間が6カ月に満たない労働者，および②看護休暇を取得することができないこととすることについて合理的な理由があると認められる労働者として厚生労働省令で定める者である。育児・介護休業と同様に，看護休暇についても，労働者の申出や取得を理由とする不利益取扱いの禁止が明文で定められている（同法16条の4）。看護休暇中の所得保障についても考えていくことが今後の課題である。

[参考文献]
　浅倉むつ子『均等法の新世界』有斐閣，1999年
　浅倉むつ子『労働とジェンダーの法律学』有斐閣，2000年
　浅倉むつ子『労働法とジェンダー』勁草書房，2004年
　中島通子＝山田省三＝中下裕子『男女同一賃金』有斐閣，1994年
　日本労働法学会編『講座21世紀の労働法第6巻　労働者の人格と平等』有斐閣，2000年

第4章　貧困と社会保障

1　貧困の女性化と社会保障法

◆　　導入対話　　◆

アンペイド・ワーク

教師：では今日は一つ問題を出しましょう。統計的にみて，男性と女性のどちらが長く働いているでしょう。

学生A：それは断然，男ですよ。だいたい労働人口には男が多いし，正社員は圧倒的に男です。総合職にも男が多いから，残業だって男の人のほうが多くやっています。

学生B：たしかに女性はパートが多いし，残業もたぶん男性のほうが多くやっていると思うけど，だからといって偉そうにいうのは許せないわ。だってそもそも女性を一般職やパートにしかしないのは企業です。これって差別じゃない。だいたい……。

教師　ちょっと待ってね。女性差別の話は別の機会にするとして，今はどちらが長く働いているかという統計的な事実をみようということです。

学生B：わかりました。たしかに企業の中の労働時間の統計をみると，男女の残業時間は違います。でも，女性は残業が少ない分，家に帰ってきてすごく働いています。うちの母は教師をしていますが，帰ってきてからすぐに食事の支度をして，祖父の面倒もみなければならないし，いつも疲れてます。父は会社から遅く帰ってきても，家では母よりはゆっくり休んでいるようにみえます。

学生A：それって労働時間に入るんですかぁ。だって家事や育児って，会社の仕事とは違うでしょ。そんなこと言ったら，主婦が長時間労働しているなんていうことになって，全然おかしいです。

教師：なぜ会社で働いていることだけを「労働」といって，家事を「労働」といわないのでしょう。

学生A：だって主婦は給料もらってないですよ。

> 教師：給料をもらっている労働だけが「労働」でしょうか。無報酬の労働を視野にいれると，労働時間の話もBさんの言ったように，大いに広がりますね。この無報酬労働（アンペイド・ワーク）も含めて，男女のどちらが多く働いているかをみてみようというのが今日のテーマです。
> 学生B：へえーっ。アンペイド・ワークなんていう言葉があるんですね。そんな発想をきくと，とっても元気がでてきました。給料をもらっている労働と家事労働をあわせたら，女性のほうが，断然，多く働いていると思います。
> 学生A：たしかに両方をあわせたら，女性にかなわないかなあ。

1.1 世界的な規模で進む「貧困の女性化」

(1) 女性労働の過小評価

　アンペイド・ワークには2つの領域がある。一つは，経済活動とみなされながら過小評価されるか，まったく把握されなかったインフォーマル・セクターの労働である。これらは，小規模自営業の家族従事者の労働や行商などであって，とくに途上国ではおびただしい数にのぼる。もう一つの領域は，世帯内や地域社会での無償労働で，子どもや高齢者のケア，家事労働，ボランティア活動などである。

　UNDP（国連開発計画）の『人間開発報告書』によれば，ペイド・ワークとアンペイド・ワークをあわせると，女性は男性より長時間働いている。開発途上国および工業国31カ国の調査によれば，女性はすべての労働負担のうち，途上国では平均53％，工業国では51％を担っている。農村地域で働く女性は男性よりも平均して20％も長く働いている。女性こそ長時間労働をしているというのは，正しい。

　しかし，男性の場合は，労働時間の大半が報酬労働に費やされているが，女性はその仕事の3分の1に対してしか報酬を得ていない。ILO（国際労働機関）は，「女性は世界の労働の3分の2を行っているにもかかわらず，収入は5％でしかなく，資産は1％にも満たない」という。

　女性のこのような経済的過小評価は，「貧困の女性化」を生みだしている。1995年に北京で行われた世界女性会議では，「貧困の女性化」が，女性の人権とともに最大の焦点になった。採択された北京行動綱領は，世界の女性たちが

直面している12の重要分野のトップに貧困をあげた。綱領は，食料，飲料水，住居，保健や教育機会において，必要最低条件の基準も満たすことができない絶対的貧困状態にある貧困層は10億人以上であり，その7割が女性であると述べた。

(2) **経済のグローバル化**

貧困の女性化を促進している要因は多面的だが，先進国優先の世界経済構造と経済のグローバル化がこれを押し進めたことは明白な事実である。1960年代以降，国連を中心に，先進国は途上国の経済開発を促進してGNP拡大路線を推進したが，これは「北」による「南」の支配を一層強めることになり，貧困は解決するどころか拡大している。

たとえば，途上国は大幅な債務超過に見舞われて，世界銀行などによる構造調整プログラムを受け入れざるをえなくなり，外貨獲得のための輸出用の食料が生産される一方で，農民は自給的な食料生産ができなくなり，飢餓状態になった。先進国から貸し付けられたODA（政府開発援助）は，巨大インフラの整備ばかりに集中して使われて，貧しい住民の強制立ち退き問題や環境問題を引き起こしている。進出した多国籍企業で働く若い女性の労働条件は，以前よりも過酷になった。多国籍企業は，南の農業や漁業へも進出をはかり，これまで女性たちが生活基盤としてきた農村や漁村の環境は破壊された（本書第1章も参照）。

(3) **「貧困の女性化」の進行**

貧困の女性化は，母子世帯などの女性世帯主家庭の増大現象でもある。北京行動綱領は「世界の全世帯の4分の1が女性世帯主である。女性が支える家庭はもっとも貧しいが，それは労働市場における賃金差別や職種差別などジェンダーによる障害のためである」と述べる。

先進国である日本でも，「貧困の女性化」が生じており，女性世帯主の家庭の収入はかなり低い。母子家庭の平均収入は年間たった247万円であり（国民生活基礎調査），高齢女性の中には月々3万円の収入しかない人たちが20％を占めている。豊かな国の中の「貧困」は，疎外感，孤立感を深めるため，より一層，深刻だともいえる。母子世帯は統計的にみても増加傾向が顕著である。2003年現在の母子世帯数は1,225,400世帯で，1998年当時より28.3％も増加し

た(『平成15年度全国母子世帯等調査結果報告』)。しかし一方，統計にあらわれない数値も多く，母子世帯の実態は顕在化しにくい。その理由は，日本的な家族関係にあり，母子世帯は親や親族と同居することによって独立した世帯を形成しない傾向があるからだ。離婚がまだ自由ではないという社会環境も作用しているだろう。貧困の女性化は，目にみえないまま進行している。

1.2 社会保障法とジェンダー

「貧困の女性化」に対して，国は数多くの対策を講ずべきであり，多くの法分野にまたがる方策がとられなければならない。ここでは，その一部である社会保障の法分野のみをとりあげる。さて，具体的な社会保障法上の施策を検討する前に，考えておかねばならないのは，社会保障法が，はたしてこの問題にどこまで効果的に取り組むことができるのだろうかということである。社会保障法は，ジェンダー・バイアスをなお深く組み込んでいる法制度だからである。

(1) 20世紀に登場した社会保障法

社会保障(Social Security)という用語を使った最初の立法は，アメリカの1935年「社会保障法」であり，これは20世紀に登場した新しい法分野である。もっとも，その起源は非常に古く，イギリスの救貧法やドイツの労働者保険法にルーツがある。

しかし，救貧法は，「貧困は個人の責任」という発想にたっていたために，労働能力のない貧民を劣等に処遇しながら(たとえば公民権を剥奪するなど)，恩恵的に救済したにすぎない。また，労働者保険法は，一定の範囲の労働者だけを対象にする保険制度にすぎず，その他多くの国民はその対象ではなかった。これに対して，20世紀になってようやく，「貧困は個人の責任ではなく，社会的性格をもっている」という認識が広がり，国が国民の生活保障に責任をもたなければならないと考えられるようになった。また，労働者保険が，国民一般を対象とする社会保険へと発展をとげるのも，20世紀を待つ必要があった。したがって，社会保険と公的扶助を統合する概念として登場した社会保障法は，20世紀の新しい位置づけをもつ法制度だったのである。

(2) ベヴァリッジとラロック

第二次大戦後の各国の社会保障制度構想に大きな影響を及ぼしたのは，1942年のイギリスのベヴァリッジによる報告書「社会保険および関連サービス」

だった。日本の戦後の社会保障制度の基礎を作ったのは、1950年に出された社会保障制度審議会の「社会保障制度に関する勧告」であるが、これがベヴァリッジ報告書の社会保障制度を基底としていたことには異論がない。

しかしベヴァリッジは、社会保障を家族単位でとらえていた。貧困の原因は「扶養の喪失」だと発想したからである。ベヴァリッジの社会保障プランの中心を占める「社会保険」制度では、夫婦は一対のものとして扱われ、無収入の妻をもつ男性に対する均一的な給付がモデルとなっていた。単身や共働きの男性に対する給付としては、より低い金額の給付が設定されていた。年金の支給開始年齢は、女性のほうが5歳早く設定されており、職業をもつ女性は、社会保険制度において減額給付を選択できるような仕組みがあった。女性は仕事よりも家庭を選択できるように設計されていたのである。

このようなベヴァリッジの社会保障制度は、1984年に、フランス人ピエール・ラロックを筆頭とする委員会の報告書によって、批判された（ラロック・レポート）。ラロックは、社会保障は適切に生活保障を達成できていないとして、ベヴァリッジによる社会保障は、「男性が男性のために作った制度であり、女性が社会で負担させられている責任について認識が不足している」し、「時代遅れの扶養概念や道徳的判断が上積みされて、『新しい生活スタイル』を採用する人々にペナルティを課している」と批判したのである。離婚、再婚、同棲、ひとり親世帯の増加傾向や、女性が高齢者として単身で暮らすような新しい生活スタイルに、従来の社会保障は対応できていないことを改めるべきだとして、ラロックは、同居している者が個人として受給権をもつ仕組みや、あらゆるタイプの夫婦関係を認める社会保険制度を提唱した。

(3) 改革はきざしだけ

このラロックの提案は、なお、多くの国において実現していない。日本でも然りである。たしかに日本でも、ようやく1990年代になって、社会保障の基本理念の見直しが始まり、「世帯単位から個人単位へ」という方向性が打ち出され（1995年の社会保障制度審議会勧告「社会保障制度の再構築に関する勧告」）、部分的には改革のきざしがみえる（2001年6月の内閣府国民生活局「家族とライフスタイルに関する研究会報告」など）。しかし、実際には、ラロックが述べたような「新しい生活スタイル」に対応する社会保障制度の構築は、まだほとんど

実現されていない。むしろ1980年代に刻印された社会保障政策の基本的方向（日本型福祉社会論，家庭基盤の充実，生活保護の適正化，児童扶養手当の重点化など）が，21世紀を迎えた今日の日本を，今なお規定していると思われる。社会保障法のジェンダー・バイアスは，体系的かつ根本的に見直される必要がある。

【展開講義 10】 社会保障法の守備範囲と法体系

1 社会保障法とは

社会保障法の基本的性格は何か。どのような法律群を社会保障法に含めるのか。その中ではどのような体系が構築されるべきか。このような基本問題をめぐって，日本の社会保障法学界では，かなりの議論がこれまでに積み重ねられてきた。

一言でいえば，憲法25条が定める生存権を保障する法制度の総体が社会保障法であるということができる。しかし，社会保障法は，生存権保障にかかわる制度のすべてを網羅するものではない。それは，生存権保障のための法律群の中の一部を守備範囲としているにすぎない。社会保障法は，国家や公的主体が責務をもって実施する総合的な生活保障体系であるが，その守備範囲を確定するのは，社会保障法が対象とする生活事故・状態，すなわち，「要保障事故・状態」である。

2 要保障事故・状態

「要保障事故・状態」にもいろいろあるが，これらは三つの類型にまとめることができる。

まず，最大の要保障事故・状態は，社会的に引き起こされる「貧困」であり，生活全体がすでに「健康で文化的な最低限度の生活」水準を下回ってしまっている状態をさす。これを「生活不能」状態と呼ぶ（第1の類型）。

つぎに，生活不能状態を引き起こす契機となっているのは，所得の中断・喪失（老齢や障害によって労働能力を喪失してしまうことなど）や，特別の出費（老齢や病気になって介護費用や医療費がかかることなど）をもたらす，「生活危険」事故である（第2の類型）。生活危険事故には，傷病，出産，老齢，障害など，人間生活に危険をもたらすあらゆる事故が含まれる。この生活危険を放置しておくと，人間のくらしは，たちまち「生活不能」状態に陥るのである。

さらに，老齢や障害などの生活危険事故と同時に発生するのが，生活上のハンディキャップを負う状態であり，これを「生活障害」状態という（第3の類型）。

3　保障方法

　社会保障法は，さまざまな保障方法をもっている。それらは，おおむね要保障事故・状態に対応して発展してきたものである。保障方法には，①公的扶助，②社会保険，③社会手当，④社会福祉援護サービスの4種類のものがある。

　「生活不能状態」は，すでに人間が自力では生活を維持できない貧困状態に陥っている状態であるから，国は，緊急に，人間としての最低限度の生活維持を公的な責任によって実施する必要がある。そのために，「公的扶助」という方法が用意されてきた。「公的扶助」とは，公費によって生活困窮者に対して，「所得」を保障する制度である。

　さて，放置しておくと「生活不能状態」に陥るような，所得の中断や特別の出費を発生させるさまざまな部分的な「生活危険事故」に対しては，あらかじめ保険料を徴収して将来の生活危険が発生したときに保険給付を行う「社会保険」という方法がある。さらに，保険料は徴収しないが，所定の事故が発生したときに定額の給付を行う形をとる「社会手当」という方法もある。

　最後に，「生活障害状態」は，上記のような所得保障（経済的支援）だけではカバーできない生活上のハンディキャップを負っている状態であるから，具体的なサービス自体を支給しなければならない。身体的な機能回復訓練や介護その他の援助などを，施設と在宅の両面において，具体的に提供するのである。このような方法を「社会福祉援護サービス」という。

　「貧困」にかかわる社会保障法上の対策として，本章で述べることは，ここに示した社会保障の保障方法に対応した項目になっている。すなわち，「公的扶助」，「社会福祉」，「社会手当」である。「社会保険」に関する日本の法制度としては，医療と年金に関する制度があるが，これらは第5章「税金と年金」の分野で述べられているので，そちらを参考にしていただきたい。

2　公的扶助とジェンダー

◆　**導入対話**　◆

補足性の原理

学生：先生。そろそろ就職活動をする時期ですが，どうもまだ自分の将来が見えてきません。納得できる仕事先がみつからなかったら，しばらくはフリーター

でいようと思います。
教師：納得できる仕事をさがそうとする努力を否定するわけではないけれど，はじめからフリーターになるのを見越している姿勢はどうかな。卒業するときには，経済的に自立しようという決意が大切よ。アルバイトでは，月額15万円程度を稼ぐだけでも大変でしょう。
学生：そうそう，そのことで，僕は先生の授業を聞いていて，納得できないものを感じました。だって，生活保護は，「健康で文化的な最低限度の生活」を保障する制度ですよね。もし僕の収入が最低生活の基準に達しなかったら，生活保護を受けることができるはずです。苦労してまで働く意味はどこにあるのかなあ。
教師：私の授業をさぼったことを白状しているような意見ですね。生活保護の「補足性の原理」を説明してみなさい。
学生：ええっとー。まいったなあ。
教師：生活保護は，自分がもっている資産や能力，扶養義務者からの援助などをすべて活用して，それでも足りない場合に国家から給付を受けるという最後の手段ですよ。あなたは少なくとも「稼働能力」をもっているのだから，それを活用しているとはいえませんね。とうてい生活保護を受給することはできないでしょう。でも，今は「稼働能力の活用」を議論する前に，卒業できるように「勉学能力の活用」を考えなさい。
学生：やぶ蛇だったなあ。

2.1 生活保護法と補足性の原理

　日本の「公的扶助制度」を具体化している法は，生活保護法である。生活保護法は，法が定める要件にしたがって，生活に困窮している者に対して，「健康で文化的な生活水準」を維持できるように給付を行う法律である。要保護者やその扶養義務者などが，生活保護の申請をすると，保護の実施機関（社会福祉事務所）がその申請を受理して，保護が必要かどうかを決定するために調査を行い，申請から14日以内に保護の要否を決定する。
　生活保護法の保護の種類は，生活扶助，教育扶助，住宅扶助，医療扶助，介護扶助，出産扶助，生業扶助，葬祭扶助の8種類である。衣食その他日常生活の需要を満たすために必要な金額を支給する生活扶助がその中心である。

では，どれだけの金額が支給されるのか。毎年，厚生労働大臣が，告示という方式によって，最低生活費を定めることになっている。最低生活費は，一般家庭の消費水準の6割程度が目安になっている。保護世帯に一定の収入がある場合でも，その収入が生活保護基準に足りない場合には，その水準に達するまで必要なかぎりで各種の扶助が支給されるのである。

生活保護を受けようとする者は，まず自己の資産や能力など一切の生活手段を活用して生活の維持をはかるべきであり，それでもなお最低生活を維持できない場合にかぎって，その不足を補う給付が行われる。これを「補足性の原理」という（生活保護法4条）。補足性の原理は，生活保護法が，生活不能状態に対する最終的な生活保障である公的扶助制度であるところから帰結する本質的な原理である。とはいえ，これをあまりにも硬直的に解釈すると，必要な保護がなされないという誤った運用に陥りやすいので注意が必要である。

補足性の原理によって活用されるべきものとしては，資産と能力（同法4条1項），民法上の扶養義務と他の法律による扶助がある（同法4条2項）。ただし，急迫した事由がある場合には，補足性の原理にかかわらず，必要な保護が行われなければならない（同法4条3項）。

資産の活用といっても，要保護者が保有する資産すべてが処分されなければならないというわけではない。最低限度の生活の維持に必要な場合には，資産の保有は認められ，その限度を超える場合にのみ，原則としてそれを処分して生活費にあてるものとされている。行政実務では，①生活を維持するのに必要なものや自立助長に実効があがるもの，②処分することができないものや，売却費用が高くつくもの，③社会通念上，処分が不適当なものなどについては，保有することを認めるという解釈基準が示されており，さらに，資産の種類ごとに，保有を認めるかどうかの細則が定められている。

能力の活用というのは，稼働能力を意味する。実務では，①健康状態，年齢，性別などを総合的に検討して，稼働能力があるかどうかを判断し，②実際に稼働能力を活用する就労の機会がない場合には，本人が努力していれば要件が満たされていると判断する。

扶養義務者が現実に援助を行った場合には，その限度で，生活保護は実施されることはない。これが扶養義務優先の趣旨である。

2.2 適正化通達とその影響

1980年代になって，マスコミではしばしば暴力団による生活保護の不正受給問題がとりあげられるようになった。これをうけて，1981年に，厚生省から「適正化通達」が出された（「生活保護の適正実施の推進について」社保123号）。「123号通達」とも呼ばれるものである。

この通達には，不正受給を防止するために，保護の実施機関は，保護の申請があったときには，資産保有状況や収入状況を徹底的に調査すること，そのために，申告書を詳細にして，申請内容が事実であることの署名捺印を求めること，関係先（銀行や雇い主）に照会することの同意書を求めることなどが，記載されていた。この通達を受けて，1980年代半ば以降，全国の福祉事務所で，「補足性の原理」を，硬直的にかつ厳格に解釈・運用する動きが始まった。上級官庁の監査で「指導」を受けないように，生活保護受給率をなるべく低くしようという自己規制が始まったのである。現場のケースワーカーたちが，窓口を訪れる人に対して，面接・相談の段階で保護の申請をさせないようにして，受給率の低下をもくろむ「水際作戦」すらみられるようになった。

その結果，もたらされたのは，暴力団の不正受給の防止ではなく，もっとも弱い層（女性や高齢者）の切り捨てでしかなかった。1987年に札幌市で生じた母親餓死事件は，適正化通達がもたらした象徴的な結末だったといえる。この事件の中で注目されるのは，福祉事務所を訪れた母親に対して，面接員が，「9年前に別れた夫から養育費をもらえないか，もらえないならその証明書をもってくるように」と言って，生活保護の申請受理を拒否したことである。母親は，離別した夫に扶養を請求しても，とうていそれは実現しないことを身にしみてわかっていたに違いない。そのような場合に，母親が，この証明書を出さないかぎり生活保護申請は認められないと思いこんで，再度，福祉事務所を訪れる気力を失ったとしても不思議はない（水島宏明『母さんが死んだ』ひとなる書房，1990年，寺久保光良『「福祉」が人を殺すとき』あけび書房，1988年参照）。

離別していない夫婦の場合には，女性が生活保護を申請すると，扶養義務者である夫に扶養照会がいく。DV（ドメスティック・バイオレンス）の被害者がシェルターから出た場合，生活保護は，本来，強い味方になるはずである。しかし，扶養照会から居場所がわかり，夫に追跡されて，ひどい暴力を受ける危

険がある。問題は深刻である。もっとも，DV法をめぐる議論の中でこの問題に対する認識が高まり，自治体によっては，扶養照会を省略するところや，民間シェルターを居所と認めて，生活保護支給を決定している例もあるとのことであるが，すべての自治体がこのような扱いをしているわけではなかった（戒能民江編著『ドメスティック・バイオレンス防止法』98頁，尚学社，2001年）。2004年のDV法改正により，国や地方自治体による被害者保護の責務に，被害者の自立支援が含まれることが明言された（2条）。国や自治体の諸機関が協力して被害者の自立支援に当たる中で，上記のような取扱いも改善されることが期待される。

　たしかに，補足性の原理の中には，「扶養義務の優先」が含まれている。それは先に述べたように，実際に扶養義務者が援助した場合には，その限度で生活保護は実施されないという趣旨にすぎないと解釈されるべきである。この法文の趣旨が，現場では正しく理解されていないのは問題である。むしろ，戦後一貫して，実務レベルでは，要保護者に扶養義務者へ扶養を依頼するように「助言指導」することが行われており，それに従わない要保護者に対しては，要件を欠くものとして申請を却下する取扱いがなされてきたという批判がある（赤石壽美「家族の変容と公的扶助」『講座社会保障法第5巻　住居保障法・公的扶助法』169頁，法律文化社，2001年）。ジェンダーの観点からも無視できない生活保護法の問題点といえよう。

【展開講義　11】　ホームレスと生活保護

　大都市を中心に，ホームレスが急増している。大半は単身の男性であるが，中には女性も見受けられるようになった。

　林訴訟では，名古屋駅周辺に野宿していた原告の生活扶助，住宅扶助を認めなかった福祉事務所長の処分に対して，地裁と高裁で異なる判決が出された。1審判決は，野宿生活をしている日雇労働者の原告が，就労先を見つけることはきわめて困難だったと認定して，福祉事務所長が抽象的な就労可能性を前提として稼働能力を活用していないと認定したのは，法律に違反する処分であるとした（名古屋地判平成8年10月30日判タ933号109頁）。これに対して2審は，より真摯な態度で求人先と交渉すれば就業の機会があったはずだと推定して，原告敗訴の判決を出し（名古屋高判平成9年8月8日判タ969号146頁），その後に原告は死亡

し，最高裁は，訴訟は上告人が死亡したことによって終了したと判断した（最判平成13年2月13日賃金と社会保障1294号21頁）。

　生活保護法は，居住地のない要保護者に対しても，「現在地」で保護を実施するように要請している（生活保護法19条1項2号）。しかしこれまで，行政実務では，住所不定者に対して，しばしば問題のある取扱いをしてきた。それは，①住所不定（住居がないこと）を理由に保護しないこと，②稼働能力があることを理由に保護しないこと，③居宅での保護は認めず，保護施設等へ入所させるか病院へ入院した場合のみに限って保護を実施することである。林訴訟は②の事例が争われたものである。

　厚生労働省は，ようやく2001年に，このような取扱いを改める通知を出して注意を促した。通知では，「いわゆるホームレスに対する生活保護の適用については，単に居住地がないことや稼働能力があるということのみをもって保護の要件に欠けるということはなく，真に生活に困窮する方々は，生活保護の対象となるものである」と述べている（厚生労働省社会援護局資料「生活保護の適正運営について」2001年1月18日）。しかしなお，③の取扱いについては是正されていない。この点に関して，国は収容保護主義をとっており，ホームレスの「保護の方法としては，……基本的には保護施設，自律支援センター等において，健康管理，金銭管理能力や生活習慣の回復のための指導及び就労の支援等を図りながら，自立した生活が営めるように支援し，施設入所等の目的が達成せられた場合には，必要に応じて居宅での保護の適用を行うことが適切なものである」としている（前掲・厚生労働省資料）。しかし，収容施設は，きわめて劣悪な状況にあり，二段ベッドが詰め込まれた一室に17～18名の入所者がいて，最低限のプライバシーもない生活を我慢させるものでしかない。この施設の劣悪性に我慢できずに退所すれば生活保護が打ち切りになるという取扱いが，施設収容と野宿生活の循環をもたらし，ホームレス状態から抜け出せない人々を作り出しているのである。佐藤訴訟に関する大阪地裁判決（平成14年3月22日賃金と社会保障1321号10頁）は，住居を有しない要保護者に対して居宅保護はできないと解釈して「収容保護」を行った大阪市立更生相談所長の保護決定は，違法であるとする結論を導いた。つまり，居宅保護を申請した者に対して施設保護を強制することは，可能な限り避けるべきだという判断をしたのである。本件に関して，被告の大阪市はなお控訴している。

3　社会福祉とジェンダー

―――――――――― ◆　導入対話　◆ ――――――――――

介護はさせるが財産はやらない？

A：私の人生っていったい何だったのかしら。昨日，母に「もう私は病院に入ることにしたから，あなたは出ていって」と言われてしまったのよ。

B：お母さんって，あなたの亡くなったご主人のお母さんよね。たしか。

A：そう。3年前に夫が突然亡くなったでしょ。そのとき，夫の母とはもう30年近くも同居していたのよ。子どもたちもおばあちゃんと離れたくないと言ったので，私は母が寝たきりになったときも，一生懸命面倒をみることにしたわ。

B：偉かったわねえ。たしかご主人にはご兄弟がいたと思ったけど。

A：兄弟たちは，3年前は，母を病院や老人ホームに入れることに大反対だったの。私もそうしないほうがよいと思って，自宅でずっと面倒をみてきたわ。この夏は，実は母の具合が悪くなって，いよいよだめかしらと何度も思う時があったのよ。

B：そうよね。あなた，寝ないで看病していたもの。でも，お母さんを入院させることと，あなたが出ていくこととはどう関係しているの。

A：じつは，夫の兄弟が急に，「他人に家の財産をやるわけにはいかん。母親は病院に入れるから，家を出ていってくれ」と言い出したの。家はたしかに母の名義なんだけど，働きにでることもなく，ずっと母の面倒を一人でみてきた私はいったいどうなるの。一番ショックだったのは，母までそれに同意したことよ。なんだか，私のこれまでの人生を全部否定されたみたい。昨夜は眠れなかったわ。

B：なんてひどい話かしら。「嫁」を人間扱いしてないわね。

A：財産を欲しくて面倒をみたわけじゃないって，言い返してやったけど。でも悔しくって。

B：あなたの気持ちはわかるわ。でも，短気をおこしちゃだめ。たしか，介護にあたった嫁の寄与分を評価すべきだという厚生省の報告書もあったはず。弁護士に相談しなさい。

　　　　　（春日キスヨ『介護とジェンダー』26頁，家族社，1997年を参考にした）

3.1 介護者は女性

　高齢者や障害者などは，社会生活を送るうえで多様なハンディキャップを抱えている。社会福祉は，これらのハンディを緩和し，解消するために，各種の具体的な援護サービスを提供する。社会福祉の分野における高齢者介護の問題をここでとりあげてみよう。

　日本の高齢者介護は，家族による介護に大きく依存してきた。しかし近年の家族形態の多様化とあいまって，介護を担っている家族の心身の負担は限界に達している。「家族はまさに『介護疲れ』の状態にある」（厚生省「高齢者介護・自立システム研究会報告書」1994年）と指摘された。

　要介護者を介護しているのは，ほとんどが女性である。1995年の連合の調査では，在宅介護の主たる介護者は，女性が約7割であった。「主たる介護者になった理由」のトップは，「嫁・妻・娘として引き受けざるを得なかった」(51.2%)であり，これは「夫・息子として引き受けざるをえなかった」(17.7%)や，「要介護者の希望」(8.7%)，「自分で希望した」(8.4%)などの理由を大きく引き離している。性別役割分業意識や慣行に強いられる形で，介護が，女性たちの上に大きな負担となっている現状が浮かび上がる。家族による介護負担問題は，女性問題にほかならない。

3.2 介護保険制度とジェンダー

　2000年4月1日から施行された介護保険制度は，疲弊しきった家族，とくに女性にとって，大きな朗報となるはずだった。しかし，実際に運用されているこの制度は，ジェンダーの観点から，大きな問題点を浮き彫りにしている。

　第1に，サービスの単価を定める介護報酬の水準が低いことである。これでは営利企業を含む多様な事業主体が参入することによって介護サービスの増大がはかれるという見通しは暗い。しかし，介護報酬を高めようとすれば，保険料に影響するために，それもかなわない。結局，少なくとも在宅サービスについては介護保険制度実施後にサービス不足が解消されるというわけにはいかなかった。申請してもサービスが受けられないという実態が存在し続けている。

　第2に，介護保険制度導入による経済的負担増が深刻化していることである。高齢者，とくに女性高齢者にとって，保険料の負担は大きい。市町村の区域内に居住する65歳以上の第1号被保険者で月額1万5,000円以上の年金受給者は，

保険料を年金から天引きされる（特別徴収）。保険料は市町村ごとの所得段階別定額保険料になっているが，市町村によって格差がある。2004年現在，これは平均月額3,300円程度であるが，ただでさえ収入が少ない年金受給者にとっては，大きな負担である。市町村の区域内に居住して医療保険に加入している40歳から64歳までの第2号被保険者については，保険料は医療保険の保険料に上乗せして徴収される。

　第3に，介護保険のサービスを利用する場合には，定率1割の利用者負担があり，低所得を理由とする利用料減免は認められていない。それだけに，低所得の者はサービスの利用を手控えることになりかねない。もっとも，一定額を超える自己負担金については，高額介護サービス費が支給されることになっているが，この金額以下であっても，とうてい支払うことができないという要介護高齢者は多いに違いない。中でも高齢者女性は，ひとり暮らしの人が多く，年金の金額は少ない。わずかな老齢福祉年金のみに頼っている人もまれではない。このような事情から，要介護認定を受けながら，サービスを利用しない人は多い。結局，介護保険制度は，高齢女性の援護制度たりえていないという実情である。

3.3　家族介護への保険給付のあり方

　さて，議論があるのは，介護保険の給付として，現金給付を認めるべきかどうかという点である。そもそも介護保険制度を立案するときから，「現物給付」だけでなく「現金給付」を行うかどうかは問題となっていた。これには積極的意見と消極的意見がみられた。現金給付をすべきだという積極的意見としては，外部サービスを利用する家族だけでなく，家族による介護を選択した人々をも尊重すべきだという主張があった。しかし，現金給付をすることになると，たとえば「嫁」に対して，意に添わない介護が強いられることになるのではないかという不安は拭えず，これが原因となって現物サービスの拡大が阻害されるのではないかという消極的な意見が強力に主張された。

　結局，家族介護者がホームヘルパーの資格をとって，家族介護とあわせて他者への介護を行ったときにかぎって，保険給付の一つとして，現金給付がなされることになった（特例居宅介護サービス費の支給）。つまり，ごく限定された範囲においてのみ，家族介護に対する現金給付が行われるのである。介護保険

は，要介護者が存在することによって生じる家計の負担を現金で保障する制度ではなく，専門職による有償の介護サービスに対してのみ保険給付を行うしくみだといえる。

【展開講義 12】 社会福祉の給付方法——措置制度から支援費支給制度へ
1 社会福祉基礎構造改革

　社会福祉事業法は，公的責任および公私分離を規定しており（旧5条），福祉サービスを「措置制度」として具体化していた。すなわち，社会福祉の各法に定められた各種の措置は国家が実施するというものである。もっともすべてのサービスを国が提供することはできないので，「措置委託」という方法がとられた。民間事業者に措置の提供を委託し，国は，業者に委託費を支払うという方法である。

　措置制度の下では，福祉サービス利用希望者が，まず申請をし，措置権者（地方公共団体またはその長）が，受給要件を認定し，措置決定を行う。その結果，措置が実施されることになる。措置決定をする際には，サービスを利用する必要度，緊急度に応じて，優先順位が決定される。

　しかし，運用の中で，措置制度については，大きな問題点が指摘されるようになった。措置決定は行政処分であり，実施は職権主義による。したがって，利用者のサービスを受ける権利は，措置の実施の結果生ずる反射的利益であると解釈されて，権利性が否定されるからである。また，サービスの供給量が不足する場合には，行政がサービス提供を拒否してもよい裁量権を有するとされていた。行政が措置委託をするにあたって施設に遵守を求める施設の最低基準も低いものであったので，処遇の質がかなり低いという問題点もある。

　以上のような措置制度の問題点を，立法的に解決する政策として，「社会福祉基礎構造改革」がスタートした。この改革は，1997年の児童福祉法改正，介護保険法の成立に始まり，2000年の社会福祉事業法改正（社会福祉法の成立）・各種社会福祉法改正によって，ほぼ完了した。これによって，福祉サービス給付方法は，措置制度から大幅に変更されて多様化することになった。

2 社会福祉の給付方式

　現在の社会福祉サービスの給付方法は，以下に述べるように多様である。
　第1に，支援費支給方式がある。これは，身体障害者福祉法，知的障害者福祉

法にもとづく居宅・施設サービス，児童福祉法にもとづく障害児に対する居宅サービスなどにみられる方法である。サービスを利用する者は，市町村に申請して，支給の要否の決定を受ける。支給される支援費の額は，居宅支援や施設支援に「通常要する費用」をもとにして，ここから，利用者またはその扶養義務者の負担能力に応じて算定された金額を控除した額とされる（応能負担）。支給決定を受けた者は，市町村から受給者証の交付を受けて，これを指定された事業者・施設に提示して，サービスを受ける。その費用は，市町村が，支援費の額を限度として，利用者に代わって指定事業者に支払う。利用者は，業者に自己負担分を支払うことになる。

　第2に，介護サービスを提供する介護保険方式がある。保険料の徴収という点で，そもそも支援費支給方式とは異なるのだが，介護保険方式でも，被保険者と指定事業者・施設とのサービス利用契約を前提にして，利用した費用に対して保険給付が行われるという点で，第1の支援費支給方式と類似した法律関係であることは間違いない。ただし，介護保険方式では，利用者の負担能力にかかわらず，サービス費用の9割という定率の保険給付がなされる（利用者は1割という定率の自己負担）。つまり，指定事業者には，保険者から9割分の費用が「介護報酬」として支給される。

　第3に，従前どおり「措置」として実施されるサービス給付も，なお，存在する。高齢者介護の多くは，第2の介護保険によって実施されるが，「やむをえない事由」によって介護保険法に規定する居宅介護サービスの利用や施設入所が著しく困難である場合には，市町村が，老人福祉法にもとづく介護や入所の措置をとる権限をもつとされている。保育所の入所については，97年の児童福祉法改正によって，地方公共団体と利用希望者との契約にもとづく利用に改められたと説明されているが，この法律関係も，地方公共団体がサービス自体の給付義務を負うことから，措置方式と変わりないことに注意しなければならない。

‖‖‖

4　社会手当とジェンダー

◆　導入対話　◆

パート所得と児童扶養手当
Ａ：怒り心頭に達するとは，このことね。

B：どうしたの？ あなたにがそんなにかっかして怒るなんて，めずらしいわね。
A：だって，年収が130万円を超えると，児童扶養手当を段階的に削減するという制度改正が通りそうなのよ。考えられないわ。
B：ちょっと待って。年収130万円って，聞いたことがある数字ね。
A：そう。国民年金の第3号被保険者でいられる限度額よ。健康保険の被扶養者としての年収の限度額でもあるわ。夫が厚生年金に加入しているとき，妻の年収が130万円以下だと，妻は自分の保険料を払わなくても国民年金を受けられるって話があるでしょ。これが第3号被保険者のことなんだけど，パートで働いている人たちは，自分の年収が130万円を超えそうになると，これ以上給料を増やさないように雇用調整する人が多いのよ。
B：でも，児童扶養手当って，母子家庭に支給されるものでしょ？ 夫がいなければ第3号被保険者にもなれないし，健康保険の被扶養者でいることもできないじゃないの。どうしてもこの関連がわからないわ。
A：関係があるわけないじゃないの。ただ，年収130万円がパート労働者の平均年収だと考える人がいるというわけよ。つまり平均年収を超える人には児童扶養手当を減らそうというわけでしょ。でもどうして平均年収がパートなのよ。女性労働者の平均年収にすればいいのに。パートの平均年収と児童扶養手当の減額とはぜんぜん無関係よ。不合理で説明になってないわ。
B：そうよね。だって，パートが雇用調整するのは夫の社会保険に頼ろうとするからじゃない。母子家庭の母親には夫の社会保険があるわけではないでしょ。どうしてこの数字を関連させるなんていう発想が頭に浮かぶのかしら。役人の頭の構造をのぞいてみたいくらいよ。
A：ほんと，そうでしょ。あなただって，ずいぶんかっかしてきたじゃない。
B：母子家庭に対するいじめって感じよ。国全体の支出を減らすために，弱いところから削減しようといういつものやり方に違いないわ。
A：パートの人たちにも，年収が少ないことがこういうところに利用されているのよと伝えたいわね。雇用調整なんかやめなさいって言いたくなるわ。

4.1 児童手当制度とジェンダー

社会手当制度としては，児童手当制度と児童扶養手当制度がある。ジェンダーの観点からみると，二つの制度とも，きわめて強いジェンダー不平等に彩

られている。

　児童手当は，小学校3年までの児童の「養育者」に支給される。子ども一人あたりの支給額は，月額で第1子・第2子は5千円，第3子以降は1万円である。児童手当には，支給要件児童の数に応じた所得制限が課されている。たとえば，扶養親族等が3人ならば，所得が年額415万円未満でないと児童手当は支給されない（2004年）。ただし，児童手当法附則6条によって，民間被用者か公務員に対しては，この所得制限はある程度，緩和されており，年額574万円までの所得であれば，児童手当と同額の特例給付が支給される。

　児童手当制度の受給者である「養育者」とは，その児童を監護し，一定の生計関係にある者である。父と母が同時に養育している場合は，その児童の生計を維持する程度の高い者いずれか一人のみを受給者とみなすことになる。その場合には，「家計の主宰者」が受給者であり，それは「家計においてより中心的な役割を果たしていると社会通念上認められる者をいう」とされている（児童手当制度研究会『児童手当関係法令通知集平成12年版』323頁，中央法規出版）。

　役所の窓口で，児童手当は「父親に支給するもの」と言われて母親の申請が認められなかったという苦情がよせられたために，厚生省は，2000年7月31日付で，どちらが家計の中心を占めているかは，個別の家庭の状況に応じて総合的に判断すべきとする見解を公表した。しかし，共働き家庭で夫婦のいずれに支給するかという場合には，どちらの収入が恒常的に高いか，給与中の児童に係る「家族手当」がどちらに支払われているか，所得税等の扶養控除や健康保険において子どもがどちらの扶養家族になっているか，また，住民票上の世帯主がどちらであるか等によって判断するとされている。いずれの判断基準からしても，母親が受給者になることはかなり難しい。

　日本の制度に比較してみると，諸外国の児童手当は，母親に支給される制度になっているものが多く，所得制限を課している国も少ない。このような国では，児童手当制度は，母親と子どもに対して，父親の所得の高低に関わりのない独立の所得を保障するものとして位置づけられているという。それに比べて，日本の児童手当は，なおジェンダーバイアスに満ちた制度であるというべきだろう。

4.2 児童扶養手当制度とジェンダー

　児童手当制度が児童一般を対象としているのに対して，児童扶養手当制度は，満18歳未満の，主として父と生計を同じくしない児童，すなわち，①父母が婚姻を解消した児童，②父が死亡した児童，③父が政令で定める程度の障害の状態にある児童等，を監護する母に支給されるものである。この手当には従来，2段階の所得制限があった。たとえば2002年1月段階では，手当額は，児童1人の場合は年収204万8,000円未満は月額4万2,370円（全部支給），同204万8,000円以上300万円未満は2万8,350円（一部支給）で，第2子は月5,000円，第3子は月3,000円だった。ところがこの所得制限をより厳しく改正しようとする動きが検討されて（導入対話で述べたとおり）法改正が行われ，2002年8月から施行されている。

　2004年現在，児童扶養手当の所得限度額はきめ細かく定められるようになり，全部支給は42,360円であるが，一部支給は所得に応じて減額されている。扶養親族が一人の場合（母と子ども1人の世帯）の手当支給額は，以下の通りであり，法改正前に比べてかなりの金額の削減になったことは間違いない。

所得額（年額）	手当額（月額）
57万円	42,360円
100万円	34,320円
130万円	28,710円
160万円	23,090円
190万円	17,480円
220万円	11,870円

　母子世帯の生活実態はきわめて厳しい。厚生労働省『平成15年度全国母子世帯等調査結果の概要』によれば，生別母子世帯の平均年収は，児童扶養手当や年金を含めて212万円であり，一般世帯の36.0％にすぎない。これは平成10年度の調査より17万円も減少しており，母子世帯の経済水準は悪化している。夫から養育費をもらっている母子世帯は17.7％であり，5年前の調査よりも減少し，また生計を支えるにはほど遠い。母子世帯は，豊かな国日本の中の貧困をもっとも集約している層である。しかしながら，母子世帯のうち生活保護受給

世帯は10.2％（2002年）にすぎず，ほとんどの母子世帯の母親は低賃金でも生活保護を受給せずに自立しようとしている。

　この現実を前にして，児童扶養手当制度を抜本的に改正し，社会保障費を抑制する一方で，これを自立支援に振り向けようとする動きがある（政府・与党「母子家庭等自立支援対策大綱」）。ここでは，①児童扶養手当全額支給を5年間のみに制限する，②母子家庭の母親を正社員に雇用した場合に奨励金を支給する，③保育所への優先入所などの自立支援策，④別れた父親の養育費支払い義務を法律に明記することなどが，強調されている。

　②から④の施策を否定するつもりはない。離別した父親からの養育費の支払い率が低いことは問題であり，一部に，児童扶養手当制度が「私的扶養責任の実質的な肩代わりになっている」という批判があることも事実である。しかしながら，これら自立支援の実効性が不透明な段階で，①の施策を同時並行的に実施して，給付費の増大を抑制するために児童扶養手当の削減をするのは，まったく本末転倒である。児童扶養手当制度をより充実させつつ，同時に母子世帯の自立支援策を総合的に講ずることこそが，本来の施策の筋道というべきである。

【展開講義　13】　児童扶養手当制度と婚外子差別

　児童扶養手当法4条1項は，支給対象児童として，「父母が婚姻を解消した児童」など四つの類型を定めたうえで，5号で，「その他前各号に準ずる状態にある児童で政令で定めるもの」とし，これをうけて，同法施行令1条の2は，法4条に列挙された児童に準じる児童を規定する。1988年に改正される以前の施行令1条の2第3号は，「母が婚姻によらないで懐胎した児童（父から認知された児童を除く）」と定めていた。そのために，婚外子を出産，監護しつつ児童扶養手当を受給してきた母親が，父親が子を認知したために，括弧内の除外規定に該当することになったとして，児童扶養手当の支給を打ち切られるという事態が発生した。母親は，この手当支給打切処分は違法だと主張して，提訴した。

　一方で，「父母が婚姻を解消した児童」（児童扶養手当法4条1項1号）に対しては，離婚後に父親が養育費を支払っているかどうかの実態とは無関係に，児童扶養手当が支給されていた。第1審の判決は，本件のような施行令の規定（括弧書）は，合理的な理由がないにもかかわらず，婚姻外の児童をその他の児童に比

べて差別的に取り扱うものであるから，憲法14条の平等原則に違反すると判示して，手当打切処分は無効であるとした（奈良地判平成6年9月28日判例時報1559号31頁）。

しかし，その控訴審判決（大阪高判平成7年11月21日判時1559号26頁）は，婚姻外の児童が事後的に認知された場合に児童扶養手当の支給を打ち切ることには「一応の合理性」があるから，立法裁量を逸脱した違法なものとはいえないと判断した。これに対して，最高裁は，「本括弧書は法の委任の範囲を逸脱した違法な規定として無効と解すべき」であり，本件処分も違法であるとした（最一小判平成14年1月31日判時1776号49頁）。実質的に憲法14条の内容を判断にとりこんで，政令の一部を，法の委任の趣旨を超えるとして無効とした最高裁判決は，注目に値する。

なお，訴訟が係属している最中の平成10年に，政令改正が行われて，問題の括弧書は削除された。立法的には，一応の解決がなされたといえる。

［参考文献］

浅倉むつ子「社会保障法とジェンダー」『講座社会保障法第1巻　21世紀の社会保障法』法律文化社，2001年

加藤智章＝菊池馨実＝倉田聡＝前田雅子『社会保障法［第2版］』有斐閣，2003年

川崎賢子＝中村陽一編『アンペイド・ワークとは何か』藤原書店，2000年

北明美「ジェンダー視点からみた児童手当制度」女性労働研究39号（2001年1月）。

尾藤廣喜＝木下秀雄＝中川健太朗『誰も書かなかった生活保護法』法律文化社，1991年

松井やより『グローバル化と女性への暴力』インパクト出版，2000年

籾井常喜編『社会保障法』エイデル研究所，1991年

座談会・二宮周平＝赤石千衣子＝浅倉むつ子＝丸山茂「ジェンダーの視座から家族法を考える」法律時報74巻9号（2002年8月）。

第5章　税金と年金

1　税金の基礎

──────── ◆　導入対話　◆ ────────

納税者の権利
A子：最近，政治がらみの「脱税事件」が多いわね。
B子：税金のことは会社任せだから気にしなかったけど，あまり脱税，脱税っていわれるので，私は一体税金をいくら払っているのかと思って，この間しみじみ給料明細眺めちゃったわ。
A子：私もよ。こんなに税金払ってるんだってはじめて知ったわ。
B子：それに税金の使い道にも無関心だったしね。
A子：ここずうっと続いている不景気で国や地方行政の財政状態が厳しいといわれているでしょ。それを理由に財政カットされて，保護が必要な人たちへの支援が打ち切られたり縮小されたり。一方で不祥事件も多くてずいぶん無駄使いもあるようだし。
B子：財政支出の中身にもっと注意を向けて，意見を言わないといけないわね。納税者の権利だし，責任でもあるものね。

1.1　税金の役割

日本国憲法30条［納税の義務］に「国民は，法律の定めるところにより，納税の義務を負ふ」と定められている。憲法に定められるほど重要な税金の役割とは何か，簡単に触れておきたい。

① 国および地方公共団体の財政収入を構成する　国や地方公共団体は，各種社会保障関係のサービス，教育，道路の新設・整備といったさまざまなサービスを提供している。当然ながらそれらのサービスを提供するためにはコ

ストがかかる，そのコストを賄うためのもの．主体者は納税者なのだから，どのようなサービスを望むのか，納税者自身の意向が十分に反映されなければならないのは当然のことである．

② 所得再分配機能を持つ　所得の多寡は人により違い，ある程度の差が生じるのは仕方がないだろう．しかしその差が極端に広がることは，貧富の差を広げることになり，平等な社会の維持ができにくくなる．そこで貧富の差が大きくなりすぎないように，また，元気で働ける時に働き，税金を支払い，そうでない時に他の人に支えてもらうことができるような機能が必要である．それを「所得再分配機能」という（『少子高齢時代の税金・年金入門』岩波書店）．国や地方公共団体の「財政」というお財布を通じて互いに助け合っているということである．

③ 特別な政策実現のため　その時々の時代的要請に応じて必要な政策を実現していくため，税制度を利用することが多々ある．景気浮上策として行われる特別減税策，中小企業育成のための特別優遇措置などがこれにあたる．

「納税」は私たちの暮しを直撃するほどに重要な事柄なのだが，人々の関心はあまり高いとはいえない．税金を支払う時，私たちは通常「税金を取られる」と表現するが，納税に関しての受動的態度が垣間見える表現である．実際には公共福祉のための財源として分担しているのだから，「取られる」という表現は適切ではない．税金の使い道へ関心を寄せ，公正に使われているのかどうか監視するなど，私たち一人ひとりが税金に関して能動的でありたいものである．

1.2　公平な税制度とは
(1)「公平」と「中立」

「公平」には，「垂直的公平」と「水平的公平」とがある．所得の高い人に高い負担率，低い人には低い負担率で課税（超過累進税率）する場合を「垂直的公平」，所得の多寡，種類に関係なく一定同率（比例税率）で課税する場合は「水平的公平」という．「公平」を判断する基準として，その他にも個人単位とするのか世帯単位とするのか，労働から得られる所得（勤労所得）とそうでない所得（不労所得）とは同じ扱いでよいのか等々，一口に「公平」といってもさまざまな見方がある．極端な超過累進税率を適用することは，がんばって働

く人たちの意欲をそぐとの批判があり，近年，超過累進税率がしだいに緩やかに改正される傾向にある。しかし，そうした傾向は所得再分配機能を弱めることになるとの再批判もあり，「公平」の重点をどこに置くかによって制度に差異が生じる。

(2) 世帯単位か個人単位か

税制度において個人に関わる所得は，取得する個人名で申告・納税することになっている。その意味では個人単位の制度といえよう。しかし，現行の所得税法等において「配偶者控除」「配偶者特別控除」等が導入されており，妻（夫）の存在が夫（妻）の税金計算に影響を与えていることからいえば，実質的には世帯単位になっているといえよう。

男女共同参画社会基本法等が施行されて男女平等社会への転換が本格的にはかられるようになり，性別役割分担からの脱皮が求められている。夫，妻あるいは男女を問わず，収入を得る仕事（報酬労働）も収入を得られない仕事（無報酬労働）も半々に責任を持とうということであるが，現行の実質世帯単位の制度上では，「片稼ぎの夫＋専業主婦」とそうではない人たちとの間でさまざまなひずみをもたらしており，世帯単位制度の見直しが指摘されている。

(3) 女性の就労と「中立」

ある税制度を導入する前と後で人々の行動に著しい影響を与えないようにすることを税制における「中立性の原則」という。

税制，年金，給与の配偶者手当が一体となった「103(130)万円で就労調整」は，広く知られるところである。「配偶者控除」「配偶者特別控除」の利益（手取り収入が増える）は，無報酬労働の担い手である妻本人ではなく夫が得ることになるため夫の手取り収入が減らない範囲で働くことを，夫が妻に強要することになりやすく，実際に多くの女性たちが就労調整している。このような「中立性の原則」に反する制度が継続している限り，男女平等の実現は困難である。

1.3 税金の種類

税金にはさまざまな種類があるが，納付先別に分ける方法と納付方法の違いによって分ける方法とがある。

(1) 納付先による分け方

① 国税（国に納付）──法人税，所得税，贈与税，相続税，消費税……
② 地方税（地方公共団体に納付）──住民税（都道府県民税，市町村民税），固定資産税，事業税，自動車税，地方消費税……
(2) 納付方法による分け方
① 直接税（納税者が直接税務署ならびに地方公共団体の税務課に納付）──法人税，所得税，贈与税，相続税，住民税，固定資産税，事業税，自動車税……
② 間接税（実際の納税者と納税義務者とは違う）──消費税，地方消費税，酒税……
(3) その他にも，納税義務者本人が申告・納税する方法と，税務当局が税額を計算し納税者に通知して納税する賦課徴収の方法とに分けることもできる。

1.4 税負担者の減少

わが国では，少子高齢社会が急激に進んでいる。平成11年度年金白書によれば，1995年において65歳以上の人口構成割合は14.6％であったが，2050年には32.3％になると予想されている。ちなみに同年におけるいわゆる労働可能人口である20～64歳は50％になっており，一人で自分の他にもう一人の人を支えていかなければならない状況であり，財政を支える層の著しい減少が予想されている。

現在，労働可能年齢にある女性の約3分の1は，税金等の負担をしていない。労働市場で働いていないか，いわゆるパートタイマーとよばれる一定額以下（税金を納付する必要がない）で働く主婦たちである。

報酬労働の場では，男性が主たる稼ぎ手で，女性は補助でよいという性別役割分担意識が払拭しきれておらず，働く女性たちへの支援も不十分，その上，税・年金制度が中立的でないこと等々が相俟って，税金等を負担していない女性の割合が3分の1から急激に減少する傾向にはない。女性の労働人口を増やし社会的進出を支援するためにも女性が働きやすい環境づくりと条件整備が必要であり，女性が出産・育児等を理由に退職せざるを得ないような実態の改善を図り，納税者を増やすことが求められている。

社会の都合に振り回されることがないよう，女性たちが「働く権利」の獲得という視点をしっかり持つことが重要である。

2 所　得　税

◆　**導入対話**　◆

「内助の功」で「得」するのは誰？

夫：今年は年末調整でずいぶん税金が戻ってきたなぁ。
妻：どうして？
夫：僕たち今年結婚しただろう。君は勤めを辞めて専業主婦になったから，「配偶者控除」と「配偶者特別控除」が認められるんだって。手取りがずいぶん増えたから今月小遣い余分にもらっていいだろう？
妻：ちょっと待ってよ。どうして私が勤めを辞めるとあなたの手取りが増えるの？
夫：「内助の功」ってやつじゃないの？
妻：それじゃあ，なお，おかしいわ。「内助の功」をやっているのは私でしょ。私は一銭ももらえなくて，あなたの手取りが増えるなんてどうしたっておかしいわよ。その分は私がもらっていいはずだわ。
夫：!?

2.1　所得税のしくみ

(1) 総合課税による税の計算

「所得税」とは個人の所得に課税される国税をいう。所得はその源泉の違いにより10種類に分けられており，原則的に，それぞれ収入金額からその収入を得るための必要経費を差し引き「所得金額」を計算する。納税者のそれぞれがこの10種類の所得を合算する「総合課税」方式となっている。しかし，「利子所得」のように総合計算の中には入れず，分離独立して納税する「分離課税」方式の「所得」もある。税額計算に際しては，所得の高い人ほど高い税率（超過累進税率）を適用して，「垂直的公平」を実現している。

総合課税の計算方法は次の計算式によって算出されている（所得税の速算表は表1参照）。

　　所得金額（収入金額−必要経費）−所得控除額＝課税所得金額
　　所得税額（課税所得金額×税率）−税額控除額＝申告納税額

表1　所得税の速算表

課税所得金額	税率	控除額
330万円以下	10%	—
900万円　〃	20%	33万円
1,800万円　〃	30%	123万円
1,800万円超	37%	249万円

(2) 所得控除

　課税所得を計算する際に，所得金額から「所得控除」を差し引くことになっている。「所得控除」には次の16種類がある。①雑損控除，②医療費控除，③社会保険料控除，④小規模企業共済等掛金控除，⑤生命保険料控除，⑥損害保険料控除，⑦寄付金控除，⑧障害者控除，⑨老年者控除，⑩寡婦控除，⑪寡父控除，⑫勤労学生控除，⑬配偶者控除，⑭配偶者特別控除，⑮扶養控除，⑯基礎控除。

　所得控除は納税者本人の生活状況を考慮し，税金の減免をする制度となっている。税制度を通じての社会福祉政策といえよう。しかし，超過累進税率のもとでの所得控除は所得の高い人ほど減税幅が大きくなり，一方で低所得者，税金を納付していない人にはあまり効果的ではない。

2.2 配偶者控除

(1) 戦後の経済成長政策と「配偶者控除」

　そもそも「配偶者控除」は，どのようないきさつで導入されたのだろうか。

　所得控除の一つとして「扶養控除」が創設されたのは1920(大正9)年のことであったが，無収入の妻は原則として「被扶養者」として認められなかった。「扶養控除」の対象者として無収入の妻が認められたのは1940(昭和15)年，戦費調達のため課税ベースを広げたかわりの緩和策といわれている。

　1961(昭和36)年に「配偶者控除」が新たに創設され，被扶養配偶者は「扶養控除」から「配偶者控除」適用者となり，控除金額が他の被扶養者より少し高めに設定された。

　戦後の混乱期を経て，諸外国に追いつけ追い越せとの時代の要請を受けて，無収入の妻は，夫の被扶養者から「内助の功」担当者として「配偶者控除」が

認められ，経済成長を家庭の中から支える存在となったのである。

　教育の現場でも性別役割分担を推進するためのカリキュラムが組まれた。1962年に中学では家庭科の男女別学が，さらにその翌年の63年に高校で女子に家庭科が必修とされた。69年には，教育家庭審議会での「男女の特性に応じた教育」をベースにした，たくましい男と優しい女が「良い」とする教育観の定着がはかられた。今にいたってもなおそうした価値観は根強く残っており，制度改正の障壁となっている。

(2)　「配偶者控除」制度とその問題点

　「配偶者控除」は所得控除の一つであり，妻（夫）の所得が38万円（給与収入の場合は103万円）以下の場合，夫（妻）の税金計算上，所得金額から控除することができる。配偶者は法律婚が要件とされている。夫（妻）が自営業者であり妻（夫）が夫（妻）の事業を手伝い収入を得ている場合には，たとえ103万円以下であっても「配偶者控除」は適用にならない。

　さて，この「無報酬労働担い手」評価としての税優遇策については，理論的に大きく二つの点で疑問がある。一つは無報酬労働それ自体の重要性を評価したものではなく，それが「内助の功」である時だけ優遇されていることである。共働きの男女，シングルで働く人たちも生活者であれば誰もが無報酬労働を行っているにもかかわらず，この場合は何の優遇措置もない。

　二つ目は，百歩譲って「内助の功」を認めたとして，優遇を受けるのは，無報酬労働を担っている妻（夫）本人ではなく，夫（妻）の方だという点である。つまり「配偶者控除」が適用されることで税金が少なくなり，手取り収入が増えるのは夫（妻）の方なのである。

　日本では夫婦別産制になっており，原則として自分名義の収入がなければ自分名義の財産をもつことはできない。妻（夫）の働きが夫（妻）の手取り収入を増加させるというような制度が合法的に存在していることに大きな疑問を持つ。

(3)　「配偶者特別控除」とその問題点

　「配偶者特別控除」は1987年消費税が導入されたその同じ年に導入された。男女平等社会に向けて遅ればせながら日本も少しずつ動き始めたにもかかわらず，性別役割分担を一層推し進めるような「配偶者特別控除」が導入されたの

はなぜか。

一つは消費税の導入に伴うサラリーマンの増税感を和らげること。もう一つは，パートで働く主婦たちが103万円を超えると夫の税金計算上，「配偶者控除」が適用されず，103万円をわずか超えただけでは世帯の手取り収入が減ってしまうという「逆転現象」への不満解消策とすること。

103万円を仮に1万円を超えた場合を考えてみよう。夫の「配偶者控除」38万円はゼロになる。夫の所得税率が10％であれば，3万8,000円の増税になり，世帯では差引2万8,000円手取り収入が減ってしまう。「配偶者特別控除」を導

表2　配偶者控除と配偶者特別控除の早見表

配偶者のパート収入	配偶者控除	配偶者特別控除	控除合計額
70万円未満	38	0	38
75万円未満	38	0	38
80万円 〃	38	0	38
85万円 〃	38	0	38
90万円 〃	38	0	38
95万円 〃	38	0	38
100万円 〃	38	0	38
103万円 〃	38	0	38
103万円	38	0	38
105万円未満	0	38	38
110万円 〃	0	36	36
115万円 〃	0	31	31
120万円 〃	0	26	26
125万円 〃	0	21	21
130万円 〃	0	16	16
135万円 〃	0	11	11
140万円 〃	0	6	6
141万円 〃	0	3	3
141万円以上	0	0	0

注意：配偶者特別控除は夫の所得金額が1,000万円（給与収入約1,231万5,000円）を超えると適用にならない。

入することで控除額が38万円かゼロかということではなく、妻のパート収入の額によってなだらかに控除額が減少するように設定された（表2参照）。配偶者のパート収入70万円から103万円のところで適用になる「配偶者特別控除」は平成16年1月から廃止された。これによって税制度上では世帯の逆転現象は解決したが、103万円を配偶者手当（もしくは家族手当ともいう）の支給基準にしている企業が多く、103万円を境にした世帯収入の逆転現象は実質的に存在しており、就労調整は続いている。

また、自営業者の夫の元で働く妻には同様の状況下でも「配偶者控除」「配偶者特別控除」の適用はない。

2.3 働き方で異なる税金申告

所得税法上、申告・納税方法に自主申告と年末調整方式の二つがある。個人事業等を営む人（自営業者）は、収入と必要経費、税金納付額を計算して、自主的に申告することが義務付けられている。一方、給与所得者は事業主が一切の計算、申告の義務について責任を負う年末調整方式となっている。

給与所得者の必要経費は給与所得控除額として法定されており、実額かどうかは問われない。他の所得との捕捉率の違い、前倒しの納税等を考慮し実際に予定される必要経費よりかなり高めに設定されているといわれている。そうした自営業者との間で生じた格差を解消するために、別種の控除を自営業者に導入するといったように、税制は複雑化する一方である。

給与所得者についても、本人の自主申告が原則であることからすれば、自己責任で申告することが求められよう。

3　年金の基礎

◆　導入対話　◆

「白馬の騎士」はサラリーマン!?

A子：これからはダブルインカムの時代とかいうけど、やっぱり、いいところに勤めている高収入の人と結婚するのがいいわね。

B子：A子らしくないこと言うじゃない？

A子：だって、専業主婦やっていれば年金保険料は払わなくていいし、夫が死ん

でも遺族年金はたっぷり貰えるし。
B子：自分で商売している人はダメなの？
A子：被用者年金加入者か国民年金加入者かがポイントなのよ。国民年金加入者の夫なら夫死亡後の暮しは楽じゃないことを覚悟しないとね。
B子：でも会社が倒産したり，離婚したらダメでしょう？
A子：そこが問題よね。でも平成19年から離婚で年金分割が認められるはずよ。100％確定保障つきの「白馬の騎士」ってやはりサラリーマンってことかしら。
B子：そうなったらサラリーマンは結婚したがらなくなるんじゃないの？

3.1 公的年金制度のしくみ

表3　年金制度の体系

		厚生年金基金 適格退職年金	共済年金
国民年金基金		厚生年金保険（比例報酬部分）	
国民年金（基礎年金）			
自営業者等	第2号被保険者の被扶養配偶者	民間サラリーマン	公務員等
第1号被保険者 2,237万人	第3号被保険者 1,124万人	第2号被保険者 3,685万人	

合計　7,046万人（平成16年3月末現在）

(1) 被用者年金と国民年金

　公的年金制度の体系は表3のようになっている。国民皆年金といわれ誰もが同一の年金制度に加入しているように錯覚を起こしがちだが，実際には国民年金を基礎部分（基礎年金）とし比例報酬部分（厚生年金等）が積み上がっている2階建て方式の被用者年金（厚生年金，共済年金等）と国民年金に大別され，そのどちらか一方に加入することになる。

　雇用労働者は原則被用者年金（第2号被保険者）に，雇用労働者の被扶養配偶者（概ね妻，第3号被保険者）と自営業者等（第1号被保険者）は国民年金加入者となる。一生の間に雇用労働者であったり自営業者であったりした場合は，

双方を行ったり来たりすることになる。

(2) 保険料の負担と受給

第2号被保険者は収入金額に13.934％を乗じて計算し，その計算された保険料を労使で折半する。基礎年金と比例報酬部分である厚生年金等双方の年金を受給する。平均月額は男性で約20万1,000円，女性では10万8,000円である。

第3号被保険者1,124万人のうち，男性はわずか，大半はサラリーマンの妻である。保険料の負担はなし。第3号被保険者の保険料は，第2号被保険者とその雇用主とが全員で負担している。40年加入で年金受給額は月額約6万6,000円。これについては，保険料を負担せず年金受給できるという制度の是非を問う，いわゆる「第3号被保険者」問題が起きている。

第1号被保険者は所得に関係なく，保険料の3分の2に相当する月額1万3,300円（平成17年4月より13,580円）を負担し，残りの3分の1は国の負担となっている。40年加入で月額6万6,000円の受給額となる。

3.2 現行年金制度の問題点

(1) 男性の雇用労働者中心の年金制度

年金保険制度の主目的は安心な老後保障である。しかし，老後がまがりなりにも保障されているのは第2号被保険者である男性と一部キャリア女性だけといえる。その割合は年金加入者全体の50％以下と予想される。

(2) 被用者年金に加入できない雇用労働者

雇用労働者は必ずしも被用者年金に全員加入というわけではない。従業員を雇用していれば原則加入が義務付けられているが，零細企業，個人事業等では保険料の半額負担ができず未加入のところがかなりある。そうした場合，事業主，従業員それぞれ自己責任で国民年金に加入することになる。

年金加入者の総数は平成10年3月末日では7,050万人，平成16年末日で7,046万人となっているが，被用者年金加入者数は，平成10年3月末日で3,826万人，平成16年3月末日で3,685万人に減少している。一方，国民年金加入者は平成10年末日で2,043万人，平成16年3月末日では2,237万人に増加している。

(3) 働き方で異なる年金制度

国民皆年金とはいえ，雇用労働者以外の人たちにとっては現在の年金制度は厳しい現状となっている。厚生白書（平成12年版）によれば，自営業中心で生

活していた男性では平均年金額は99万円，女性は66万円，被用者年金中心では男性247万円，女性は137万円となっており，働き方による年金格差は大きい。

男女の加入状況を平成10年3月末日で比較してみると，男性では約72％，女性ではわずか36％が被用者年金加入者となっている。女性の残り64％は国民年金加入者（第3号被保険者を含む）となっている。老齢期における女性の経済状況は厳しい。

(4) **生活保護費より安い国民年金受給額**

国民年金加入者は40年の加入期間を満たしている場合でも，月額約6万6,000円の受給額となっているが，この金額は一人世帯の生活保護費をかなり下回る金額である。

(5) **夫の違いで異なる女性の年金**

女性たちの年金は，夫の働き方の違いによって大きく影響を受けることになり，男性に比較して著しく弱い立場にあるといえる。妻が専業主婦（一定額以下のパート主婦を含む）の場合，夫がどちらの年金制度に加入していたかで格差が大きい。被用者年金加入の夫であれば妻本人（第3号被保険者）は保険料を負担せずに国民年金を受け取ることができる。一方国民年金加入者の夫を持つ場合は，たとえ収入がなくても，自ら国民年金加入者（第1号被保険者）となり保険料を支払わなくてはならず，しかも，年金受給額は第3号被保険者と同額である。遺族年金についても夫が被用者年金加入者であれば，手厚く保護されるが，国民年金加入者の場合，原則的に遺族基礎年金の支給はない。さらに平成16年度の改正によって，夫が被用者年金加入者であれば平成19年4月より，離婚時の年金分割が認められることになった。夫の違いによる女性の年金は一層格差が広がり女性たちを分断する制度となっている。

【展開講義 14】 年金制度をどう改正するか

(1) 誰もが同じ年金制度に

現役時代にどのような立場，働き方であっても老後に大きな影響を与えない年金制度が求められる。それには国民年金制度と被用者年金とに大別されている現在の制度を同一の年金制度とすることである。雇用労働とそうでない働き方の間で従来のような線引きは難しく，自営業者等に自助努力を求めるだけの従来のや

り方は時代にマッチしない。比較的恵まれた雇用労働者もリストラ，倒産で職を失う，あるいは自ら起業といった場合，老後の生活にまで影響が出たり，ほんの一部の恵まれた人たちだけが心配のない老後が保障されることになってはならない。

(2) **個人単位の国民年金制度に一本化**

国民年金制度は原則個人単位となっている。被用者年金制度は思いきって廃止して，国民年金制度に一本化することも一案である。遺族年金は原則廃止ということになる。

ところで，現行の遺族年金制度には子育て支援が含まれている。問題は，夫と死別し扶養する18歳未満の子どもがいる場合と離婚，未婚で同様の子どもがある場合の差異が大きいことである。

18歳未満の扶養する子どもがいる場合，保険料の未払い等がなければ通常，残された妻に遺族基礎年金が支給される。老齢基礎年金（年額約80万円）に子ども一人23万円（ただし，第3子以降は大幅減額）が加算される。また，年金制度ではないが子育て支援として児童手当，児童扶養手当等の制度がある。ところでこの両方の子育て支援制度を一つにまとめてみた場合，死別による母子家庭には比較的手厚い支援がされているが，離婚，未婚による場合には著しい差異がある。前者には遺族基礎年金が支給されるが，後者には，その支給がなく，児童扶養手当に頼るしかないからである。財政悪化を理由に児童扶養手当（母子家庭に支給）削減が決定されたが，離婚，未婚にペナルティを課すような現行の福祉制度は早急な見直しが必要である（第4章参照）。

20歳を超えたら，制度を一本化した年金に自動的に加入することにすれば，その結果，加入，喪失等の手続が不用となり手続の簡素化ができるだろう。

(3) **保険料の負担と受給は所得スライド制に**

現行の国民年金制度では，保険料は所得に関係なく定額である。もちろん収入がなくても原則負担，受給額も定額である。

これを所得にスライドした負担に改め，受給額も負担した保険料にスライドさせ，収入のない人も一定額の負担をし，どうしても支払えない場合は減免措置とし，しかし，加入期間には算入するなどの方法が考えられる。

現在の国民年金加入者にとっては保険料のアップになるかもしれないが年金受給額も上がるのであれば，大きな問題となっている国民年金空洞化に歯止めがかかるのではないか。

受給に関しては，所得再分配機能を加味し，最低のミニマム年金を保障する。従来から，自営業者等については所得捕捉ができないとの批判があるが，ほとん

どが確定申告しているのだから，申告書の所得金額を，また，給与所得者については給与所得控除後の金額を基準にすればよい。

　年金額は一人暮しの最低生活費の6割程度から多くても最低生活費の額までとする。現在の物価水準では10万円から15万円程度となろうか。

(4) **プラスアルファーは自己負担で**

　ミニマム年金以上を希望する人は，積立て方式，自己責任で私的年金に加入する。この場合は長期預金と同様の性格なので，本人死亡の場合は遺産となり，遺産相続の対象となる。収入のない妻も夫から非課税範囲の資金の贈与を受け，自分名義の私的年金を確保できる。

4　「103(130)万円の壁」

◆　導入対話　◆

夫の本音は!?

A子：去年のパートの収入103万円超えてしまったの。それに気付かなくて大変だったのよ。

B子：例の「103万円の壁」ね。で，何が大変だったの？

A子：夫の年末調整の書類を出す時に，私のパートの収入について何も申告しなかったのよ。そしたら市役所の課税課から夫の会社に私の収入の報告がいってしまってね。夫の税金は増えるわ，配偶者手当は取り消された上に1年分の返還は求められるわ。

B子：そりゃ，本当に大変だったわね。とんだ物入りになってしまったのね。

A子：お金のことだけじゃなくて，夫に失望したことの方がショックで。

B子：どういうこと？

A子：パートを始める時，夫に相談したのよ。その時は，君も仕事を持つことは大事だと賛成してくれたのに，今度のことで夫はずいぶん会社で怒られたらしくて，ちょっとの収入を余分に稼いだことで俺の立場はなくなるし，手取りは減るし，何も無理して働くことはない‼︎ってどなりちらすのよ。今までは男女平等が大事だなんていっていたのに。夫の顔を見るのも嫌になってしまったの。

B子：○夫さんも今は感情的になっているから，少し時間を置いてから話し合ってみたら。彼にとって，しっかり理解するいいチャンスになるかもしれないわ

> よ。

4.1 「103(130)万円の壁」とは

「103(130)万円の壁」とは，女性たちが就労調整を表現する象徴的な言葉といえるだろう。税制度と年金制度の双方に関係する。

① 103万円は本人の課税最低限である
② 130万円を超えると年金に自ら加入する
③ 103万円から140万円の間で夫の「配偶者控除」「配偶者特別控除」に影響を与える
④ 夫の給料に含まれる「配偶者手当」に影響を与える

上記の項目が大雑把に「103(130)万円の壁」といわれている具体的事象である。

(1) 「103万円の壁」と就労調整の現実

職場での就労調整の実態に目を向けてみたい。

① 妻が働いている事業所では住民税の申告が適正になされ，しかし，夫の勤務先にそのことが申告されていない場合，後日，夫の税金計算上，「配偶者控除」「配偶者特別控除」と配偶者手当の見直しが行われる。その結果，税金の追徴，配偶者手当の返還が求められたりする。
② 事業主が種々の面倒避けるために，最初から103万円を超えて就労しないとの約束のもとに雇用する。事業主はあらかじめスケジュール表を作成し，103万円を超えるパートがいないように細心の注意を払い管理する。103万円以上働きたい人にとっては避けたい職場である。
③ パート主婦が103万円を超えて働かない。11，12月になると公然と就労調整に入るので責任をもって働いてほしいと願う事業主にとっては避けたいパート雇用のケースである。②③の間でのミスマッチはあちこちで起きている。
④ 103万円を超えた部分を超えない人につけたり，架空の名前にしたりする。こうした方法で，年間150万円ほど稼ぐパート主婦が自らも税金を逃れ，かつ夫の税金計算上，「配偶者控除」「配偶者特別控除」を適用させる

といったケースが現実にかなりあることが予想されるのである。
⑤ 事前に何も調整はせず，住民税の申告はしないケースがある。税務調査でそうした行為が発見された場合はひたすら謝る。以上のように「103万円の壁」は単なる就労調整にとどまらず違法行為まで誘発しているのである。

(2) 「103万円の壁」と夫婦別産制

2. 2項で自分名義の収入を持つことがなければ，自分名義の財産を持つことができないことに触れた。それ以外の財産取得は相続か贈与を受けるということになる。

「103万円の壁」における就労調整は，自分名義の収入を得る，あるいは増やすチャンスを自ら放棄することである。大学卒業の女性が定年まで働き続けた場合の稼得所得は2億8,560万円，一方，結婚，出産により退職，103万円のパートで復帰した場合の金銭的損失は2億3,793万円を超える（『平成15年版経済財政白書』）。

4.2 女性労働の賃金水準

(1) 低賃金の固定化と低年金

自主的であれ，強制されたのであれ，現実的には103万円以内で働く人がいる限り，給料の絶対額は上がらない。パート労働者の低賃金固定化である。しかし，この現象はパート労働者だけにとどまらず，女性全体の賃金をも低い水準で固定化する。労働コストの高い正社員をパートや有期雇用に切り替える事業体は多い。社会保険料の負担も避けたい企業等はますます就労調整を望むパートに雇用へと切り替えていく。より安い賃金労働者が競争相手では，正規の女性雇用労働者の人数が減少し，賃金水準も下降現象となろう。

さらに世帯維持を重視する賃金体系は，各種の手当は世帯主である夫に支給される。かくして，女性の平均賃金は男性の半分といわれる。

現役時代の賃金格差は，当然ながら年金受給額にも響くことになる。

(2) 誇りと自立を阻む「103万円の壁」

低賃金の固定化は当然ながら女性の自立を阻むことになる。性別役割分担は払拭できず，男女平等も進展しないことになる。収入枠に捉われた働き方では，自分の技術等のレベルアップなどに前向きにチャレンジする活力をも押さえることになろう。老後までも夫の年金頼みでは，女性自身が自立し，誇りをもっ

た生き方ができない。男女平等参画社会の実現には「103万円の壁」は、まさに女性の自立と誇りを阻む壁なのである。

　同時に男性たちの生き方から誇りを奪っていることにも気づきたい。最近の不祥事件の続発には目を覆うものがあるが、誇りもモラルも消し飛んでしまった労働の場で、暮らしの経済的責任を一身に背負って耐えている男性の姿がある。また、そうした働き盛りの男性たちの自殺率が高いという現象は、女性たちの立場と表裏一体でもある。妻が経済的責任を分かち合うことにより、男性たちの生き方をもっと柔軟にし、社会全体の風通しをよくしなければならない。

　ところでこうした「103万円の壁」就労調整は、都市部のパートで働く女性のみならず、しだいに農村女性起業家の間にも広がってきている。近年、農村女性たちの起業活動が活発化してきているが、やっとの思いでステップアップし、第2ステージに進もうとする時に就労調整が始まる。兼業農家で夫がサラリーマンであれば、制度的には都市部のパート女性とまったく同じことになるからである。

　農林水産省は農村女性の地位向上、経済的自立等に加えて、地域振興、地産地消等の役割をも期待し、農村女性起業に対してさまざまな支援を行っているが、この「103万円の壁」が、結果として農林水産省の政策推進の足を引っ張ることになっているのである。

　また、日本の農業の6割を農村女性が担っているといわれながら、事業経営者として税金申告を認めているケースはあまり多くないようである。兼業農家で実質経営の責任者あるいは共同責任者であっても、農地の所有者ではないこと、世帯主ではないこと等を理由に、税務署は女性を事業主と認めないケースが多い。しかしながら、実質経営責任を担っており、事業主としての申告があれば性別に拘らず、速やかに認めるべきであろう。

【展開講義　15】　これからの税制

1　社会福祉を支える税制と公平性

　北欧等高福祉社会を維持している国々の税金負担率は直接税、間接税ともに一様に高い。スウェーデンでは直接税、間接税の合計は優に50％を超えている。福祉国家の理想といわれるスウェーデンだが、保守系、社会民主系を問わず福祉国

家について大まかの合意ができており，程度の差はあっても政策的に大きなぶれはない。国民の政府への信頼度は日本とは較べようもなく高く，高い税負担についての国民的合意には，感心するばかりである。

ひるがえってわが国の状況を考えてみると，どのような福祉国家を実現していくのかとの青写真は鮮明ではない。福祉のために消費税アップをといわれても，自己責任，自助努力を連発するだけでは，どのような福祉政策が実現するのかイメージできない。

まず，青写真を作ること。次に税負担の方法，税負担率などについて議論を進めるべきである。何らかの形で現在以上の税（社会保険料も含む）負担が必要になるだろうと予想されるが，その際に公平，公正な税制度が不可欠である。不公平税制の存在は，税負担率が大きくなればなるほど不公平税制から生じる税の絶対額を増加させることになる。それでは人々の間に不満が生じ，ますます政府への信頼を失わせることになる。何のため，誰のための福祉政策かということになりかねない。

2　税制度をどう改正するか

(1)　「配偶者控除」「配偶者特別控除」等の見直し

「配偶者控除」「配偶者特別控除」は廃止すべきである。ただ，いきなりの廃止は影響が大きいことが予想されるので，他の制度とも関連させて段階的な廃止が必要であろう。

第一段階では，「配偶者控除」と「配偶者特別控除」を廃止し，平成16年に廃止された70万円から103万円までの「配偶者特別控除」を復活させる。同時に「基礎控除」を引き上げるかあるいは税率を下げる。

第二段階でその復活させた「配偶者特別控除」を廃止する。両控除と密接に関係する「扶養控除」についてはやはり廃止し，子育て支援は直接の手当支給とする。

多様な生き方，働き方が出現し，カップルのあり方はプライベートな自由な選択となっている。もはや公的制度として「配偶者控除」「配偶者特別控除」制度が介入し，一方向に誘導する必要があるとは思えない。

(2)　「扶養控除」から直接手当支給へ

「扶養控除」については福祉政策としての側面が強く，税制度の所得控除方式では高額所得者ほど手厚い支援を受ける結果になり，所得控除方式が子育て支援に有効な方法かどうか疑問である。「扶養控除」はむしろ廃止し，直接手当支給

とする方が効果的ではなかろうか。社会福祉全般の視点から検討が必要と思われる。現行制度ではさらに，夫婦共働きで一人っ子の場合，夫婦のどちらか一方の所得控除となり，控除を受けた方の手取り収入が増えるという不公平を夫婦間にもたらすことにもなる。

　(3)「寡婦（父）控除」の見直し

　「寡婦（父）控除」は男女で，適用条件に違いがあり，まずは同じ条件にすることが必要である。第二段階として子育て支援策とも関連させた見直しが必要である。

[参考文献]

鹿嶋敬『男女摩擦』岩波書店，2000年
塩田咲子『これでいいの女性と年金』かもがわブックレット，1997年
女性と政治を考える会編（発行）『21世紀の女性と年金』，1998年
全国婦人税理士連盟編『配偶者控除なんかいらない!?』日本評論社，1994年
全国婦人税理士連盟編『私の税金と年金』ビジネス教育出版社，1997年
福島瑞穂『裁判の女性学——女性の裁かれかた』有斐閣選書，1997年
福島瑞穂『あれも家族　これも家族』岩波書店，2001年
山崎久民＝石川昭子『少子高齢時代の税金・年金入門』岩波書店，1998年
山崎久民『税理士が見たジェンダー』ユック舎，2000年
「女性からみた民法改正と税制度」「女性からみた年金制度」女と男が平等に働く
　ための制度改革をすすめる会編・発行，1995年
「女性と税制　高齢社会と女性の選択」あごら189号，BOC出版部，1993年

II　ジェンダーからの解放

第6章　女性に対する暴力

1　性　暴　力

◆　導入対話　◆

信じられてきた「強姦神話」

学生A：相変らず，若い女性の性被害が多いですね。中学生も被害を受けているけど，性行動の低年齢化が進んで，開放的になっているからじゃないでしょうか。女の子も，携帯の出会い系サイトに気軽にかけたりしているものね。女性のほうがもっと気をつけないと，危ないですよ。

教師：たしかに，少女が性被害を受ける事件が急増しているね。でも，女性のほうだけ気をつけていても，強姦や強制わいせつなどの性暴力はなくならないのではないかな。

学生A：でも，女性の注意が足りないから，犯罪に巻き込まれるのじゃないのですか？　暗い夜道を女性が一人で歩いたり，大体，服装だって大胆だからね。襲われても仕方ないかもしれない。それに，いやだったら大声あげて逃げたらいいのに？

学生B：そうかな。女性は夜道を歩いたらだめということにならない？　男はみんな狼だから気をつけなさいということになるよ。

学生A：それに，普通の男性は強姦なんかしないよ。特別な男だけがそんなことをするのさ。

教師：そういうのを『強姦神話』って言うんだ。今，君が言ったことはみんな『強姦神話』だよ。

学生A：強姦神話ってなんだろう？

教師：実際には違うのに，みんなが信じ込んでいることを「神話」というだろう。強姦についても，根拠もないのに，みんなが信じ込んでいる「神話」があるんだ。それを『強姦神話』というんだ。

学生B：たとえばどんなことですか？

> 教師：普通の男は強姦などしない。異常な男の特殊な犯罪であるとか，赤の他人が暗い夜道で突然襲うとか，女性には強姦されたい欲望があるとか，いっぱいあるよ。
> 学生A：へえー。女性が強姦されたがってるなんていうのは，信じないけど，強姦は見知らぬ男が突然襲うものだと思っていたし，殴ったり，蹴ったりして暴行するんだと聞かされてきたんだけど。
> 教師：誰にそんなことを聞いたの？
> 学生A：だって，知っている人だったら，いくらなんでも嫌だといえるはずですよ。それに，ポルノに出てくるのは，殴る，蹴る，縛るなんて普通だからね。
> 学生B：驚いたなあ。ポルノと現実とはちがうんじゃない？
> 学生A：でも，僕の友達なんか，みんな，嫌がる相手を力づくで押さえて無理やりやるのが強姦だって言ってるよ。

1.1 女性たちに沈黙を強いる社会

　警察庁の犯罪白書によれば，2001年に警察が認知した強姦事件はおよそ2,300件である。欧米諸国に比べて，日本は強姦が少ないといわれてきた。確かに，日本の強姦発生率は1.8（2001年）と低い数字を示してきた。しかし，1965年をピークに，統計上，一貫して減り続けてきた強姦事件は，1997年以降，再び増加傾向にある。また，同白書は，被害者と検挙された加害者との関係を示しているが，強姦の場合「面識なし」が76.3％と３分の２以上を占め，「面識あり」の23.1％，「親族等」の0.6％を大きく上回っている（平成12年版犯罪白書）。
　これらの数字だけを見ると，やはり強姦は暗い夜道などで見知らぬ人が襲ってくる滅多にない事件であり，被害者は運が悪かったか，そんな夜道をひとりで歩いている被害者にも落ち度があるということになりそうである。
　たとえば，数年前，ある地方都市の学校の女子寮で，侵入してきた男にスタンガンで脅された寮生が強姦された事件があった。警備が不十分であったことに対して，被害者が学校側に抗議したところ，学校側は謝罪するどころか，「犬にかまれたと思って忘れなさい」と被害者に言ったという。しかも，学校側は「そのような表現は乱暴された女性に対してよく使う」と，何の疑いも持っていなかった（中日新聞1998年３月27日付け）。

また，ある強姦裁判では，深夜，居酒屋で初対面の男性グループと飲酒して，王様ゲームでパンストを脱ぐなど騒いだ挙句，男性の車に誘われるまま乗り込んだのは女性のほうに過失があるとして，車の中で強姦されたとして訴えた女性の主張を退け，強姦無罪とした（東京地判1994（平成6）年12月16日判時1562号141頁）。

　しかし，女性の経験は「犯罪白書」と異なる様相を示す。

　1996年に民間グループの「性暴力被害研究会」が発表した調査結果「女性が受ける性的被害と警察に求める援助—第一次報告」によれば，強姦の被害者で警察に届けた女性はわずか6％しかいなかった。痴漢や強制わいせつなど，性的被害全体でも届出は1割に満たない。また，被害者と加害者との関係については，加害者が「見知らぬ人」であったのは12.5％に過ぎず，親族等20％，友人・恋人21.5％，職場関係者と夫がそれぞれ7.7％，教師6.2％，その他知人が24.6％と，「面識あり」が合わせて87.7％を占める。警察への届出と加害者との関係を見ると，「届け出なかった人」の67.3％が「面識あり」であり，23.1％が「親族等」であった。つまり，顔見知りの加害者による強姦の場合は，圧倒的多数が警察に被害届を出さず，加害者が「赤の他人」であった場合に被害届を出す割合が高くなるということである。強姦罪が被害届によってはじめて捜査が開始するという親告罪であることから，実際に被害にあっても，沈黙を守る被害者が多いということだ。警察のデータは，警察へ被害届を出した被害者を母数としているので，強姦の加害者の3分の2以上が「面識なし」となるだけである。

　被害を受けたのだから，「泣き寝入り」しないで，「勇気を出して」訴えればよいのに，なぜ黙っているのか。

　強姦の被害者は決して「泣き寝入り」しているのではない。

　多くの被害者はさまざまなところに相談し，訴えている。だが，相談先で被害を信じてもらえず，まともに取り合ってくれないどころか，かえって傷つけられてしまい，口を閉ざしてしまう結果となる場合が多い。

　被害を受けた女性に沈黙を強いるのが，強姦神話である。強姦されたなどと言えば，周囲から不名誉な体験をしたかわいそうな女性として哀れみをかけられ，同情されるか，普段の素行が悪いからだとか，隙があるからだなどと冷た

い視線が向けられるかのいずれかである。他方，被害届を出せば，警察や裁判所で性体験を聞かれたり，プライバシーを暴かれたりと，被害者はさらに二次被害を受けて傷つく。また，訴え出たことが加害者に知れて，報復を受けるのではないかという恐れにもさらされるのである。

強姦神話は多様なメディアを通して，日常的に垂れ流されている。新聞報道では，現在でも，強姦は「暴行，婦女暴行，乱暴」などと言い換えられ，子どもへの性的虐待は「いたずら」と表現されている。最近は，性的暴行と書くようになったが，「新聞の品位を低める」という理由で，強姦などの言葉は使わないというのだが，「暴行」や「いたずら」という表現からは，「大したことはない」という軽いイメージしか浮かばない。これでは，性暴力の恐怖が男性にはまったく伝わらないのではないだろうか。「強姦」という言葉を使わないのは，被害にあった女性が傷つかないように配慮しているというのだが，むしろ強姦の被害は女性にとって不名誉なことであるというメッセージが伝えられ，逆に女性を沈黙させ，加害者を許容する効果を生み出しているといえる。

1.2 刑法の「性犯罪」の構造

刑法は「性犯罪」として，強姦と強制わいせつを規定している。性暴力ではなく，性犯罪としていることに注意が必要である。暴力とは，相手の意思に反した不法な力の行使を意味するが，「性犯罪」は，むしろ加害者の行為が国家が許した性的欲望の範囲を逸脱した場合に犯罪とし，性的欲望に国家による枠付けをしようという意義がある。被害者ではなく，加害者の行為の規範からの逸脱性に着目した犯罪概念だといえる。強姦は性的欲望を満たすための性的行為だとされ，力の行使により相手を意のままにする「支配」であるとは考えられていない。

最高裁は，強制わいせつ事件の判決で，強制わいせつが成立するためには，「犯人の性欲を刺激興奮させ，または満足させるという性的意図のもとに行われることを要する」としている（最判1970（昭和45）年1月29日刑集24巻1号1頁）。

強姦罪は刑法177条に「暴行又は脅迫を用いて13歳以上の女子を姦淫した者は，強姦の罪とし，3年以上の有期懲役に処する」と規定されている（2004年12月刑法一部改正，2005年1月1日より施行）。

この規定から言えることは，①強姦の被害者が女性に限定されている。②姦

淫，つまり性交があったことが強姦成立の要件となっている。③しかも，そのときに「暴行・脅迫」があったことが必要である。④13歳未満の被害者の場合は，性交があれば，暴行・脅迫がなくても強姦は成立する。⑤強姦罪の法定刑は懲役3年以上であることの，5点である（なお，2004年刑法改正で集団強姦罪が新設され，4年以上の有期懲役とされる）。

さらに，加害者との関係を特定せず，例外規定も置いていないので，近親姦や夫の強姦も除外していないことになる。また，強姦および強制わいせつは，被害者が訴えて初めて捜査が開始される親告罪である（刑法180条）。2000年刑事訴訟法改正までは，告訴期間が6カ月しかなかったが，改正によって告訴期間は廃止されたので，公訴時効成立の7年間（強姦の場合。強制わいせつは5年間）いつでも告訴できることになった（刑事訴訟法235条1項1号）。

(1) 死ぬほど抵抗しないと強姦にはならない

強姦罪は起訴率，量刑ともに低く，執行猶予がつく割合が高い。その理由は，強姦成立のハードルが高いことに求められる。現在の判例・通説では，強姦が成立するためには，単なる暴行・脅迫があっただけでは不十分であるとし，「相手の反抗を著しく困難にする暴行・脅迫」を必要だとしている。つまり，被害者が抵抗できないほどの強度の暴行・脅迫が必要だということである。暴行・脅迫の程度は，被害者がどれだけ抵抗したか，どれだけの外傷・痛手を負っているかどうかで判断することになる。

死ぬほどの抵抗をしたと認められないと強姦は成立しない。しかし，「殺すぞ」と脅かされて，何とか殺されず，ともかく命だけは守ろうと思い，加害者の言うがままじっと我慢する場合もある。また，抵抗するともっとひどい目にあう危険だってあるのだ。さらには，恐怖のあまり声も出ず，なんらの抵抗もできない場合もある。しかし，いずれの場合も，抵抗しなかったのだから「暴行・脅迫」はなく，強姦罪にはならないとされる。

なぜそんな理不尽なことになるのだろう。殴ったり，蹴ったりするのは合意の上でのセックスでも当然だという前提があり，合意がないという以上，相手方の抵抗があるはずであり，その抵抗を排除するために殴ったり，蹴ったりする以上の「暴行・脅迫」が必要だという考え方を取っているからである。つまり，大怪我するくらい必死に抵抗しない限り，女性は暗黙のうちに「イエス」

と言っているのだと裁判所は考えているということである。女性の性的自己決定権をまったく無視した考え方である。裁判では,「相手方の抵抗が著しく困難」かどうかは,「相手方の年齢,体力,両者の関係性,素行,犯行時間,場所の環境」などによるとされている。

　「抵抗できないほどの暴行・脅迫」要件が加重されていることで,強姦の成立がきわめて困難になるのが,加害者が上司や教師あるいは夫である場合や,被害者が13歳以上の近親姦の場合である。

　上司や教師あるいは夫といった上下関係や優位な地位にある加害者から,望まない性交を強いられた場合,拒否をしたらどんな報復や仕打ちが待っているか考えただけで,抵抗もできずいうことを聞かざるを得ない場合がある。被害者に対して力関係の上で優位に立つ加害者は,「暴行・脅迫」を行わなくても,性行為の強要が行えるのである。

(2) 密室の犯罪と証言の信用性

　強姦の多くは密室の犯罪であり,目撃者も物的証拠も残らない場合がほとんどである。しかも,加害者と被害者の言い分は真っ向から対立する。加害者の多くはセックスがあったこと自体は認めるが合意であったと主張することが多い。そのような場合,裁判では,加害者と被害者双方の証言の信用性が争われることになる。どちらの証言が一貫性があり,不自然ではないか,経験したものでないと語れない臨場感があるかなど,証言が信用できるかどうかの争いとなる。「暴行・脅迫」が認められず,被害者の証言に信用性がないとなると,強姦は成立せず,加害者は強姦無罪となる。

　強姦事件の場合,証言の信用性の判断に,被害者の貞操観念の有無が問われる場合がある。ある事件で裁判所は,被害を訴えた女性の経歴や服装,普段の行い,言葉づかい,性体験,当日の行動などをつぶさに指摘して,この女性には「貞操観念」がないので,証言は信用できないとして強姦無罪とした。女性の証言の一貫性や自然さ,経験した者でないとできない証言かどうかで,当日の強姦行為という事実について判断するのではなく,裁判官の特定の価値観にもとづき,「こんなふしだらな女性だったら言っていることは信用できないはず」という予断と偏見で判断しているといってよい。

　さらに,証言の信用性の判断では,女性の過失が問われる。誘われてついて

いった，部屋に入った，車に乗ったなどの事実が女性の「過失」（落ち度）とされ，証言の信用性がないから強姦は成立しないという結果となる。それだけ女性は自分の身を守るために，より高度の注意義務があると考えられていることになる。

強姦と同じく「暴行・脅迫」を成立要件としている強盗罪（刑法236条）では，強盗の被害という事実があれば，被害者の過失が刑の重さに影響することはあっても，強盗罪そのものが無罪になるということはない。しかも強盗罪のほうが法定刑5年以上と，強姦よりも重い。

1.3 強姦裁判と「合意」の壁

刑法177条の強姦罪は，基本的に「不同意の性交罪」である（森川恭剛「強姦罪の問題点」法学セミナー，1998年，31頁）。たとえば，他人の家に許可なしに立ち入ることは住居不法侵入罪を構成する。同様に，性交においても，相手の同意があるかどうかがまず問題である。誰といつセックスをするかしないかは性的自由に属することであり，相手の同意のないセックスは性的自由の侵害である。

しかし，被害者の意思の有無で犯罪の成否を決することは主観的であり，「法的安定性」に齟齬をきたすことから，同意の有無を外形的に判断するために，刑法は「暴行・脅迫」要件を必要としているのであり，それ以上のものではない。何らかの「暴行・脅迫」が外側から見て認められるのならば，原則として「同意がない」ことを推定させると考えるべきである。したがって，「相手の抵抗を困難にするほどの暴行・脅迫」は必要ないし，逆に，「暴行・脅迫」があった場合は，加害者が「同意のあったこと」を証明しなければならないというべきである（ラディカ・クマラスワミ（クマラスワミ報告書研究会訳）『女性に対する暴力―国連人権委員会特別報告書』明石書店，2000年）。

しかし，裁判ではこのような解釈は行われていない。被害者の抵抗の度合いと証言の信用性（過失の有無や貞操観念）によって，強姦の成立が判断されている。被害者の抵抗の度合いによって強姦成立の是非を判断する裁判所の考え方には，必死に抵抗しない限り，そのセックスは「合意」にもとづくという「推定合意」が働いていることになる（福島『裁判の女性学』248頁）。

キャサリン・マッキノンが言うように，「抵抗すれば殺される可能性が高くなるが，もし抵抗しなければ，彼女は強制されたということを証明できないので，

それは強姦ではない」ことになる（キャサリン・マッキンノン（村山淳彦監訳）『セクシュアル・ハラスメント オブ ワーキング・ウィメン』こうち書房，1999年）。

とくにセクシュアル・ハラスメント事件でしばしば見られるように，上司や教員が力関係を利用して一度強姦した後に性関係が継続した場合，被害者は自ら拒否できなかった自責の念と加害者との関係を断ち切れない無力感とに支配され，なおさら抵抗は難しくなる。周囲も「恋愛関係」とみなすだろうし，訴えても「振られたはらいせだろう」と冷淡な対応しか返ってこない。

マッキンノンは，女性が逆らわず，一見相手を受け入れたかのようにみえるのは，報復の恐怖や孤立化への懸念を意味するだけではなく，「セクシュアル・ハラスメントが要求する同意の一形態である」といっている。女性のもっとも普通の対応は男性の面子を立ててやりながら，何とかそれで男性がやめてくれるだろうと期待することだとする。

職場や大学，夫など権力関係のもとでは，加害者が「暗黙の同意」と解釈するものが，実は「強制された同意」にほかならない。

1.4 強姦罪は何を守るのか

強姦の語源は何か，知っているだろうか。

強姦の語源は「拉致」つまり「女性を無理に従わせること」にあるという（ジョルジュ・ヴィガレロ（藤田真利子訳）『強姦の歴史』作品社，1999年）。フランス中世慣習法ではRazと表現された。フランス・ボルドーの慣習法では，強姦とは男性の所有物である妻や娘を奪うこと，つまり，男性の所有権の侵害としての意味を与えられていたという。イギリスのコモン・ローでも，強姦は夫または父の所有物の侵害を意味した。

このような女性の所有物視は，男性の正統な血を引いた子どもを産むのが女性の役割であり，結婚制度もその目的のためにあるという家父長制思想にもとづく。

したがって歴史的には，夫以外の男性の子を産むという不法な性交による妊娠を防止するために，夫以外の男性との性交を犯罪として処罰する必要が出てきた。そこから，強姦の成立には，「姦淫」＝性交が要件となり，妊娠の可能性をはらむ夫以外との性交については，女性は生命をかけても抵抗するものだとみなされるようになったのである。

現在でもなお，被害者の抵抗の度合いが問題になるのは，強姦の保護法益が女性の性的自由ではなく，「貞操」を守ることにあるからである。「姦淫」の事実が問題になるので，被害者は法廷で仔細に強姦されたときの様子を語らなければならない。また，性交の有無だけが問題になり，女性を傷つけるさまざまな性的侵害を不問に付す結果となる。

1.5 強姦裁判と被害者の権利

強姦の被害者は，法廷でしばしば事件とは直接関係のないプライバシーを暴露される。アメリカでは被害者の過去の性的経験などセクシュアル・ヒストリーを証拠として提出してはならないという「強姦シールド法」(rape shield law) を制定している州が多い。日本では，被害者の証言の信用性を判断する際に，被害者のプライバシーの暴露が行われており，二次被害から被害者を守る手段が制度化されていない。

被害者は刑事裁判では証人として尋問されることになるが，当の加害者が目の前にいるところで証言しなければならないのは苦痛である。セカンド・レイプという言葉があるように，被害当時の様子がよみがえり，仔細な証言を求められているうちに，精神的不安を呈することにもなる（フラッシュバック）。

また，刑事裁判では被害者は裁判の当事者ではなく，蚊帳の外に置かれる。つい最近までは，裁判の開始も結果についても被害者には知らされていなかった。証人として呼ばれてはじめて裁判が行われていることを知るという状況であった。被害者には弁護士が当然つくわけではなく，検察官の事件の取扱い方に意見を述べることすら難しい。

近年，ようやく被害者の権利を守る方向での法の運用や法改正が行われるようになった。被害者が希望すれば裁判について通知する制度が開始され，2000年の刑事訴訟法改正と犯罪被害者保護法によって，証人尋問の際の付添い人が認められ，証人と加害者（容疑者）との間についたてを設置して遮断することや別室でのビデオリンク方式での証言，被害者の心情その他の意見陳述などがようやく認められるようになった。

しかし，被害者が主体的に強姦裁判にかかわるためには，自ら原告となって民事裁判を提起するほかない。だが，民事裁判では立証責任は原告である被害者にあり，被害者に大きな負担となっている。また，民事裁判においても刑事

裁判と同様に，被害者のプライバシー保護がはかられるべきである。

なお，2004年12月に「犯罪被害者等基本法」が成立した。この法律は被害者の権利保護を目的とし，被害者支援を国・地方公共団体の責務とした。

【展開講義 16】 夫の強姦は強姦ではない？

　刑法の強姦罪は，夫による強姦を処罰しないとはひとつも規定していない。だが，判例や通説は，夫が妻に対して暴行・脅迫を用いて性交を強要した場合は，他人による場合とは異なり，夫の暴行・脅迫罪は認めるが，強姦罪は適用しないとしている。強姦について夫の法的責任を免除する考え方を「婚姻例外」と呼び，日本の裁判所は現在もなお，婚姻例外を認めている。

　はじめて夫の強姦を認めた判決として，判例集に紹介された事例がある。この事件では，度重なる夫の暴力から何度も実家に逃げ帰っていた妻を待ち伏せし，無理やり家に連れ帰ろうとして妻を車に乗せた夫が，同乗してきた友人とともに車中で妻を強姦したものである。一審判決は夫の証言に一貫性がなく信用できないとして強姦を認めたが，婚姻例外についてはまったく触れていない（鳥取地判1986(昭和61)年12月17日判タ624号250頁）。

　控訴審の広島高裁松江支部も強姦罪の適用を認めたが，すでに婚姻関係が破綻しており，実質的に夫婦として認められないときに，暴行・脅迫を用いて妻に性交を強要したという例外的な状況で認めたに過ぎない。同高裁判決は，婚姻中，夫と妻には相互に性交要求権があり，これに応ずべき義務があると述べており，原則的には「婚姻例外」を認めている（広島高松江支判1987(昭和62)年6月18日判時1234号154頁）。

　国際的には夫の強姦免責条項は廃止される傾向にある。妻の性的自由の観点から言えば，当然の帰結である。なお，近年，警察は「夫の強姦」を立件するようになったということである。

2　セクシュアル・ハラスメント

◆　導入対話　◆

セクシュアル・ハラスメントはなぜわかりにくいか

学生A：セクハラってどこからどこまでを指すのかな？

学生B：誰かにセクハラだって言われたの？

学生A：ちょっとからかっただけなのに、セクハラだというんだ。

教師：君の言った性的なジョークが、彼女にとって不快だったからだよ。セクシュアル・ハラスメントというのは、相手が不快に思う性的な言動を言うんだ。君がなんでもないと思っても、相手が望まない性的な言葉や行為はセクハラなんだよ。性的な脅かしということだ。

学生A：でも、彼氏にだったらセクハラだなんていわないのに、おかしいですよ。

教師：同じ行為でも、相手との関係や文脈が違えば、当然不快に思わない場合だってあるだろう。好意を寄せている人から性的な関心を示された場合と、一方的に性的な誘いを受けたり、体に触られたりしたときとは違うだろう。不快感を感じるよね。

学生B：軽い冗談や挨拶程度で、そんなつもりじゃないときもセクハラですか？

教師：男性はよくそう言うよね。でも、意図とは関係なく、相手が不快に感じればセクハラなんだ。挨拶程度とか冗談という言葉は自分の行為をごまかすためのものだよ。

学生A：女性のほうにも問題があるのじゃないの。嫌だったらきっぱり断ったらいいのに。

教師：断れない関係にある人からの一方的な性的誘いかけがセクハラということだ。たとえば、指導教官から論文指導だといって食事に誘われて、その後散歩に連れ出されて、いきなりキスされたら君はどうする？　すぐ抗議したり、誰かに訴えたりできるかな？

学生B：そんなことされたなんていうのは恥ずかしいし、あの先生がまさかって、みんな言うだろうし……。それに、抗議したりしたら、後の仕返しだってこわいもの。

学生A：単位がもらえるか、論文指導はちゃんとやってもらえるか、心配になるよね。

学生B：そうか。上司や教員などが、自分の持っている権限や地位を使って、相手が嫌でも断れないだろう、言うことを聞くだろうと性的関係を迫ったり、性的なことを言ったりすることなんだね。そうすると、セクハラのポイントは、相手が「ノー」と言いにくい力関係があるということと、相手を性的対象としか見ていないということだね。

学生A：でも、セクハラ、セクハラってそんなに騒ぐことないと思うけど。セクハラやる男なんて滅多にいないよ。

学生B：本当にそうかな？

2.1 セクシュアル・ハラスメントとは何か

　セクシュアル・ハラスメントとは，相手の望まない性的言動をいう。相手を不快にさせる意図があるかどうかにかかわらず，相手を不快にさせる性的言動はセクシュアル・ハラスメントとなる。

　セクシュアル・ハラスメントは性的に攻撃することで相手をコントロールしようとする暴力であり，相手の労働権や学習・研究権を奪い，性的自由を侵害する人権侵害である。

　セクシュアル・ハラスメントを理解するためには，セクシュアル・ハラスメント概念が誕生した歴史的経緯を見ていく必要がある。

　セクシュアル・ハラスメントは，1960年代後半にアメリカの女性たちが作り出した新しい法的概念である。従来，多くの女性たちが転職や退職を余儀なくされてきた背景に，セクシュアル・ハラスメントがあることを発見したのである。

　職場の上司から，その地位や上下関係を利用して一方的な性的な働きかけを受けたときに，拒否しても，拒否することができなく応じたとしても，どちらにせよ，居づらくなったり嫌がらせを受けて退職に追い込まれたり，職を失いたくないために沈黙をせざるを得ず，精神的苦痛を与えられるという不利益を被ることになる。しかも，性的働きかけへの対応の結果，不利益を受けたとしても，すべて自分の意思にもとづく行為だとされ，法的救済が困難であった。

　しかし，セクシュアル・ハラスメントとは，個人的な問題に見えるが，実は組織の中での力関係や優越的地位を使って行われる性的脅かしである。相手がノーと言えない立場にあることを利用して行われる行為である。自分の意思で応じたように見えても，強制力が働いていることを表すためにセクシュアル・ハラスメントという法概念を作り出したのである。優位な力関係に立つ者が行った性的言動が，望まないものであり，その結果不利益が生じたならば，たとえ自ら性的働きかけに応じたように見えたとしても，セクシュアル・ハラスメントであり，法的救済の対象となる。

　さらに，加害者個人の責任だけではなく，セクシュアル・ハラスメントを放

置・容認して職場環境を悪化させた組織の責任が問われることになる。

セクシュアル・ハラスメントの形態は，強姦から身体的接触や言葉での嫌がらせまで多様であり，時には身体的暴力や脅迫まで行われる。職場だけではなく，大学や学校でも起きている。また，セクシュアル・ハラスメントの被害者は圧倒的に女性が多いが，男性も被害者となる場合があり，セクシュアル・アイデンティティとは無関係に起きる。

日本にセクシュアル・ハラスメント概念が紹介されたのは，1980年代末である。東京の女性グループによる日本初のアンケート調査で，多くの女性たちが職場で不快な性的脅かしの経験をしていることがわかった。1989年には，福岡でセクシュアル・ハラスメント裁判が提訴されている。

2.2 セクシュアル・ハラスメント防止の法制度

アメリカでは，セクシュアル・ハラスメントは性差別の一形態と位置付けられている。1976年のウィリアムス事件以来，公民権法第7編（タイトルセブン）の男女平等違反として裁判で認められてきた。1986年にはヴィンソン事件で，連邦最高裁は，職場環境の悪化をもたらす環境型セクシュアル・ハラスメントについても性差別であると認めた。1980年には雇用機会均等委員会（EEOC）が職場のセクシュアル・ハラスメント防止ガイドライン（指針）を制定し，米国教育省公民権局（OCR）は，1997年に教育の場での防止ガイダンスを新たに示した。

日本ではセクシュアル・ハラスメントを禁止する法律は一切ない。唯一，1997年改正男女雇用機会均等法が事業主のセクシュアル・ハラスメント防止配慮義務を規定している（21条）。改正均等法は，1999年4月より施行された。

均等法は，女性労働者に対するセクシュアル・ハラスメント防止のための配慮義務を事業主に課している。だが，同条を直接の根拠として，被害者が加害者や事業主に対して損害賠償請求を行うことはできない。事業主が積極的な防止措置を行わない場合に行政指導が行われる法的根拠に過ぎない。

事業主が行うべき積極的防止措置の内容を示したのが，ガイドライン（指針）である。事業主の配慮義務の対象となるのは，「職場における性的言動」に限定される。日本の職場で一般的なアフター・ファイブの酒席での性的言動はケース・バイ・ケースで判断すべきだとし，女性を女の子扱いしたり，女だ

からといって差別するようなジェンダー・ハラスメントは「グレーゾーン」ではあるが，防止に配慮すべきだとしている。

事業主には，セクシュアル・ハラスメント防止の方針を明らかにし，就業規則に防止を規定すること，啓発・研修に努めること，相談窓口を設置することが求められ，被害が生じた場合は，迅速かつ適切に対応しなければならない。

均等法は民間企業および地方公務職場に適用されるが，国家公務員に対しては，人事院規則が改訂され (10-10)，同じくガイドラインが制定された。人事院規則では，セクシュアル・ハラスメントを「他の者を不快にさせる職場における性的言動」といったん広く規定した上で，「セクシュアル・ハラスメントに起因する問題」として，就労上の不利益を与えることと就労環境の侵害をあげている。

均等法と比較すると，人事院規則は，①男性も被害者と扱うこと，②職場外も対象となること，③性差別意識が生み出すジェンダー・ハラスメントも対象としていることが特徴である。セクシュアル・ハラスメント概念を，実態に即して広く把握しようとしている。

なお，人事院規則施行に伴い，文部省（現文部科学省）におけるセクシュアル・ハラスメントの防止に関する規程が制定され，大学や学校におけるセクシュアル・ハラスメント防止のガイドラインが示された。

2.3 職場のセクシュアル・ハラスメント裁判

(1) 福岡裁判

1992年福岡地裁は日本ではじめてセクシュアル・ハラスメントについての同法による判断基準を示した。小規模の出版社に勤めていた女性が上司である編集長から執拗な性的誹謗・中傷を受けた結果，退職を余儀なくされた事件である。被害者である女性が加害者である上司と会社に対して損害賠償を請求した。私生活上の性的うわさを流され，取引先の男性との関係についても中傷された被害者は，会社に相談したが，個人間のトラブルとしか扱わず，退職という犠牲を一方的に強いられたため，1989年，匿名で訴えたものである。

裁判所は，セクシュアル・ハラスメントという言葉は使わなかったが，加害者の言葉による中傷は原告の人格を侵害し，原告の働きやすい環境で働く権利を侵害したものと認めた。この判決の画期的な点は，加害者個人の責任を認め

ただけではなく,「仕事に支障をきたす事態を防止し, そのような事態が発生した場合は適切に対処して, 働きやすい環境を保つように配慮する義務」を会社に求め, 会社には加害者の行為について「使用者責任」があるとしたことである (福岡地判1992(平成4)年4月6日判時1426号49頁)。

判決はさらに, 現代社会で女性が低い地位にあることを利用し, 管理職の古い女性観にもとづいて, 職場から女性を追い出す手段として, 女性の私生活の暴露や性的中傷を使うことは違法だとした。また, 雇用主が職場内の対立や混乱を調整するときは, 男女平等に扱うべきであり, 女性の犠牲のもとで問題を解決しようとすることの違法性を認めた。

加害者の行為が女性の尊厳や性的平等を侵害するセクシュアル・ハラスメントと認め, 個人的な問題に終わらせず, 会社の責任をも認めた判決は, 文字通り画期的なものである。

(2) 金沢事件

社長の自宅で家事や電話番をしていた女性が社長からわいせつ行為をうけ, 強姦されそうになった事件の一審判決では, 社長の性的言動が原告の女性に不快感を与え, 労働環境を悪化させたとして, セクシュアル・ハラスメントとして損害賠償の支払いを社長と会社に命じた (金沢地輪島支判1994(平成6)年5月26日労判650号8頁)。

しかし, 強姦されそうになった女性が拒否した結果, その後, 性的言動はなくなったが, ボーナスの不払いや仕事を取り上げるなど嫌がらせが続いたので抗議したところ, 一方的に解雇された。判決は, 原告の女性が被害直後に仕事の買い物に出かけていること, 翌日も出勤していることを理由に強姦未遂を認めず, 解雇についても原告の反抗的態度が限度を超えているとしてやむをえないとした。

原告が仕事を続けたのは, 苦痛を覚えながらも生活のために給料のよいその仕事をやめるわけにはいかなかったという事情があったからである。原告の「反抗的な態度」も性暴力の被害を受けた女性の怒りと孤立した状況を考えれば, 理解できることではないだろうか。

(3) あるべき被害者像と被害者への非難

セクシュアル・ハラスメント裁判において, 裁判所はジェンダーの偏見にも

とづく固定的な被害者像によって，判断しがちである。

事務所で上司の部長と二人きりになったとき，その部長から抱きつかれるなど，20分にわたりわいせつ行為を受けた事務員の女性が，セクシュアル・ハラスメントとして上司と会社を訴えた事件で，裁判所は原告の女性の証言が信用できないとして訴えを退けた（横浜事件：横浜地判1995（平成7）年3月24日判時1539号111頁）。

通常，性的被害にあった女性は声をあげて助けを求めたり，逃げたりするはずなのに，冷静に普段と同じように部長と同じ部屋で昼食を取っていること，被害を受けたらすぐに被害を訴え，詳しく説明をするはずなのに詳細に説明していないのは不自然であり，信用できないとして，原告敗訴とした。

短大の研究補助員であった女性が学会出張での宿泊先のホテルの室内で，上司である教員から強制わいせつ行為を受けた事件の一審判決でも，裁判所は「あるべき被害者像」に反するとして，原告の訴えを退けた。原告が主張するような強制わいせつ行為があったならば，反射的に大声をあげるとか，逃げようとして抵抗するのが通常であるのに，すぐに抵抗も非難もしなかった原告の態度は冷静すぎて通常ではないとして，わいせつ行為の存在を否定した（秋田事件：秋田地判1997（平成9）年1月28日判時1629号121頁）。

いずれの判決も，特定の被害者像を想定しており，それに合わない被害者の証言は信用できないとしている。裁判所は，セクシュアル・ハラスメントの被害を受けたら，女性は誰でも逃げるか，声をあげて助けを求めるものだという固定観念に縛られている。

このような裁判所の考え方は，強姦神話にとらわれていると同時に，権力関係を利用した支配というセクシュアル・ハラスメントの本質を見過ごすものである。職場の上司だからこそ，ノーといえず非難もできないのである。今後のことを考えれば，その場ではすぐには抵抗や非難をしないという選択をする場合もある。

横浜事件の控訴審では，フェミニスト・カウンセラーの証言とアメリカにおける先行研究を証拠とすることによって，一審判決と正反対の結論が導き出され，原告の逆転勝訴となった（東京高判1997（平成9）年11月20日判時1673号89頁）。

秋田事件の控訴審では，女性たちの性暴力被害体験を書いた意見書を証拠と

して提出し，性暴力への対処行動は一人ひとり異なることを事実として示すことで，裁判所の固定観念を覆し，原告逆転勝訴を導き出した（仙台高秋田支判1998（平成10）年12月10日判時1681号112頁）。

なお，最近の判例では，改正均等法の「事業主の配慮義務」による企業の対応自体の注意義務を問うケースが増えてきている。企業の対応が適切であったかどうか直接問われるようになってきているとともに，企業の防止策が十分であったかについても争われる事例が出ている（厚木市事件，横浜地判，2004年7月8日判時1865号106頁，下関事件，広島高判2004年9月2日労働判例881号29頁）。

2.4 キャンパスにおけるセクシュアル・ハラスメント

大学でのセクシュアル・ハラスメントが次々と明るみに出されている。国立大学でセクシュアル・ハラスメントを理由に処分を受けた教員が，1999年以降増え続けている（2001年は12名）。

1999年3月の文部省防止規程通達以降，多くの大学が相談窓口の設置やガイドラインの制定など，防止対策に取り組むようになり，従来潜在化していた被害の顕在化が進んだ。しかし，問題は，大学に求められる自律的解決機能が不十分にしか働いていないことである。とくに，大学は加害者の形式的処分で済ませようとする傾向にあり，肝心の被害からの救済つまり，被害者の学習・研究・就労の権利と尊厳の回復の視点が欠落しがちである。

(1) **大学のセクシュアル・ハラスメントの特徴**

大学のセクシュアル・ハラスメント事件では，男性の教員から女性の学生・院生に対する被害がもっとも多い。なかでも裁判例では院生の被害が目立ち，研究指導に名を借りた教員の権力行使が被害を生み出していることがわかる。被害者は女性だけに限らない。さらに，学生から学生へ，教員間のセクシュアル・ハラスメント事件も表面化している。大学がセクシュアル・ハラスメント防止対策に乗り出した結果，学生から学生への性暴力事件がようやく問題化されるようになった。性暴力事件の場合，研究室や部活での被害など，顔見知りの場合は告発しないケースが圧倒的に多いことを考えると，ストーカー被害を含めて，大学が毅然とした態度で対応することが被害の未然防止に結びつくものと思われる。

セクシュアル・ハラスメント行為の内容は，強姦や強制わいせつなどの刑法

犯罪に該当する行為から、性的誘いかけ、個人指導の強要、差別的・侮辱的発言や不快な発言、迷惑メールの送付、身体的暴力や脅迫など、ありとあらゆる行為に及ぶ。身体的接触や性関係の強要など、直接的な行為が多いと思われる。とくに、研究指導を受ける院生の場合、被害は長期にわたり深刻化することが多い。

セクシュアル・ハラスメントは「性的な不快な言動」と定義されるが、第一次被害である直接的な性的被害にとどまらない。被害者は、性的被害により精神的苦痛と身体的不調に悩まされ、加害者からの報復への恐怖や周囲の視線への恐れ、人間不信などから、キャンパスに足を運ぶことさえ苦痛となり、人間関係もうまくいかず、孤立しがちになる。被害を相談してもかえって二次被害などの不適切な大学の対応と加害者によるプライバシーの暴露や嫌がらせなどの二次加害によって、さらに精神的苦痛にさらされて心身の健康を侵害され、学習・研究上・人間関係上の損失を余儀なくされる。また、針路変更や退学など、場合によっては未来への展望を奪われるという生活全般に影響を与える被害を受けている。医療費やカウンセリング費用や転宅費用など、経済的な負担も大きい。

つまり第一次被害だけがセクシュアル・ハラスメントではないことである。学習・研究環境の侵害や心身の健康への影響、将来の人生設計の変更を強いられることまで含めて、セクシュアル・ハラスメントの全体像を見据えた対応が必要である。

(2) **大学で起きやすく隠されやすいセクシュアル・ハラスメント**

大学はセクシュアル・ハラスメントが起きやすく、被害が隠されやすい場である。研究・教育の場として、職場とは異なる特徴をもつ。

成績評価や単位認定、論文評価、就職先の紹介・推薦、学会での報告や共同研究への参加推薦、懲罰権など、教員個人の裁量が大きいこと、大学は外から介入しにくい密室性と閉鎖性を持つこと、教員相互間、学部間での不干渉主義、教員は、大学内だけでなく、研究者として学会での影響力をもつこと、大学教員がそんなことをするはずがないという社会通念、女性教員の少なさや女性差別意識の根強さなど、教員が権力関係を利用してセクシュアル・ハラスメントを行いやすく、周囲も無関心で、個人的な問題だと考えがちである。セクシュ

アル・ハラスメントの被害を訴えにくく沈黙せざるを得ない場が大学である。

企業などの職場との相違は，大学が学問研究の場であるという特質にもとづく。被害者の就労環境を守るために，職場では加害者を被害者から引き離す配置転換を行うが，教員や院生の場合は研究領域の問題があり配置転換は難しい。たとえば，指導教官から被害を受けた大学院生が同じ大学で研究を続けようとしても指導できる教員がいない，研究テーマを変更しなければならないなどの問題が生じ，他大学を受験しなおすか研究者の道をあきらめる結果となることが多い。研究職固有のアカデミック・ハラスメントの問題もある。

3　ストーカー被害

◆ 導入対話 ◆

「元彼」が多いストーカー被害

学生A：セクハラやDVと同じように，ストーカーも新しい犯罪だよね。

学生B：ストーカーという言葉は新しいけど，DVと同様，行為自体は以前からあったらしいよ。

学生A：でも法律ができたのはつい最近ですよね。

教師：2000年11月にストーカー規制法が施行された。執拗につきまとい，繰り返し電話やメールを送りつけたりして不安を与え，しだいに行為をエスカレートさせて，ついには相手方に危害を与える恐れのある行為をストーカー行為というんだ。アメリカでは1990年代初めに，イギリスでも1990年代後半にストーキング禁止法が制定されている。日本でも数年前から問題になっていたんだ。2000年には警察への相談が8,000件を超えたそうだよ。

学生A：埼玉県桶川市や静岡県沼津市のストーカー殺人事件があったし，人気歌舞伎俳優がファンのストーカー行為禁止を求めた裁判も話題になったよね。

学生B：ストーカーというのは，街で見かけた女性に交際を迫るために，つきまとうというケースが多いのでしょうか。

教師：ストーカーというと，そんなケースをすぐ思い浮かべるかもしれないね。歌舞伎俳優の事件も熱狂的なファンが，公演先やホテルに押しかけて，客席の最前列でその俳優をじっと見つめるなど異常な態度を示し，俳優が恐怖で芝居ができなくなると訴えた事件だった。でも，警察の統計を見ると，被害者と加

害者の関係では交際相手や元夫婦が多いんだ。
学生A：へー，そうですか？ 想像していたのと違いますね。
教師：ストーカー規制法施行1カ月後のデータだが，元を含む交際相手と元夫婦だけで7割を超えているよ。面識なしの加害者はたった5％しかいない。同級生や同僚など職場関係者は4分の1いるから，性暴力のときに話したように，ストーカーは顔見知りによる犯罪だといえるね。
学生B：被害者は女性が多いのですか？
教師：セクハラと同じだよ。歌舞伎俳優のケースやジョン・レノンが殺された事件でわかるように，男性の被害者もいるし，男性から男性へ，女性から女性への場合もあるけど，圧倒的に多いのは男性から女性へのストーカー行為だね。加害者の年齢も20代や30代に限らず，50歳以上も多いようだ。
学生A：さっき，前に付き合っていた男女とか別れた夫婦が多いと言ったけど，動機はなんでしょう。
教師：離婚後や別れた後に復縁を迫る例が7割近いね。ストーカー行為は典型的なDV行為だとも言われている通りだ。最近も別れた夫が妻の実家に押し入り，妻の両親と子どもを殺害して妻を拉致した事件が記憶に新しいと思うけど……。

3.1　ストーカー被害とは

(1)　ストーカー行為の実態

2000年のストーカー規制法制定後，警察への相談は急増し，2000年1年間で26,000件あまりの相談が寄せられた。相談事例では，どのような行為が行われているのだろうか。

警察庁の統計によれば，「住居，職場，学校等への押しかけ，待ち伏せまたは尾行」(47.5％)と「面会・交際の強要」(41.6％)の二つが多く，それぞれ5割近くを占める（警察庁調査平成12年11月～14年6月末）。次いで，無言電話(35.6％)や「電話，文書による粗野，虚偽の告知またはわいせつ物の送付」などが多い。行為の反復回数が多く，期間が長いことが特徴である。相談者は圧倒的に女性が多く，女性が被害者の場合，男性がストーカー行為を行っているケースが圧倒的多数を占める。行為者の年齢は20代から40代が多い。被害者と行為者との関係は，元を含む交際相手および元夫婦が多く併せて66.4％を占

め，まったく面識がない場合は9.2%と1割に満たない。つきまといの動機は，理由・動機不明を除いた相談の93%が「好意の感情」や「好意の感情が満たされなかったことへの怨恨の感情」である。

(2) **ストーカー被害の特徴**

ストーカー被害の特徴として，以下の4点があげられる（兵庫県弁護士会『「ストーカー行為等の規制等に関する法律」の研究～5年後の見直しに向けて～』2001年，8頁以下）。

第1に，反復・継続性が最大の特徴である。被害者に対して執拗に電話をかけ，面会を強要し，手紙を送る，待ち伏せをするという行為を繰り返す。第2に，ストーカー行為が徐々にエスカレートしていくことも特徴であり，最初は無言電話から始まり，家に押しかけてきた加害者が，最後には被害者を殺害するまでにいたる場合がある。最初は軽微な被害であっても，しだいにエスカレートする危険な面をもつので，早期の介入が必要となってくる。第3に，ストーカー行為を行っている者は自分が悪いことをやっているとか，相手が傷ついているという認識がなく，自己の行為を正当化しているという点である。悪いのは自分の要求を拒絶する相手であると考えるから，ストーカー行為をいつまでも継続することになる。第4に，被害者の生活を破壊することである。いつかかってくるかわからない電話におびえ，何度も反復されるストーカー行為はいつ終わるとも知れないものである。不安と恐怖の中での生活は精神的に被害者を追い詰め，名誉を奪われることもある。

ストーカー被害は，さまざまなつきまとい行為によって被害者の精神状況と生活を支配し，自己の欲求を実現しようとするものであり，被害の影響は深刻である。

3.2 ストーカー規制法の概要と特徴

2000年5月，議員立法により「ストーカー行為等の規制等に関する法律」（以下，ストーカー規制法）が成立し，同年11月から施行された。

執拗なつきまといや無言電話に対しては刑法や軽犯罪法の適用が可能だが，立法者によれば，「現実には既存の法の適用が困難な場合が大部分であり，これまで有効な対策がとりがたいもの」だったことに，立法の必要性が求められている（参議院地方行政委員会）。

ストーカー規制法の目的は，ストーカー行為を規制することによって，個人の身体，自由，名誉への危害の発生を防止して，国民の生活の安全と平穏を保持することにある（1条）。

(1) **ストーカー規制法の概要**

　ストーカー規制法では，つきまとい行為とストーカー行為とが規定されており，つきまとい行為によって相手に不安を覚えさせることを禁止し，ストーカー行為は被害届が出された場合に処罰される。

　つきまとい行為とは，ストーカー規制法2条1項1～8号に列挙されている行為で，「特定の者に対する恋愛感情その他の好意の感情又はそれが満たされなかったことに対する怨恨の感情を充足する目的」で「当該の特定の者」または配偶者や親族その他「当該特定の者と社会生活において密接な関係を有する者」に行った場合をさす。つきまとい行為はそれだけで禁止されるのではなく，相手が不安を覚えたときにはじめて規制対象となる（3条）。

　ストーカー行為とは，ストーカー規制法2条1項1～8号の列挙されているつきまとい行為を反復して行うことをいう（2条2項）。ただし，法2条1項1～4号に規定する行為については，「身体の安全，住居等の平穏若しくは名誉が害され，又は行動の自由が著しく害される不安を覚えさせるような方法」で行われた場合にのみ，ストーカー行為として処罰の対象となる。

　つきまとい行為は以下の8類型に分類されている。①つきまとい，待ち伏せ，進路への立ちふさがり，住居，勤務先，学校等の付近での見張りや押しかけ，②行動を監視していることを通知し，監視していることを知りうる状態にすること，③面会や交際などの要求，④著しく粗野または乱暴な言動，⑤無言電話や相手が拒絶しているのに連続して電話やFAXを送信すること，⑥汚物，動物の死体など著しく不快または嫌悪感情を催させるような物の送付，⑦名誉を侵害する事項を告げ，またはそれを知りうる状態にすること，⑧性的羞恥心を害する事項を告げ，またはそれを知りうる状態に置くこと。

　被害者から申し出があり，かつ，さらにつきまとい行為を反復して行う恐れがあるときは，警察から警告を出すことができる。警告が守られず，つきまとい行為を行い，さらに反復してつきまとい行為を行う恐れがあるときには，都道府県公安委員会が禁止命令を出すことができる。禁止命令に違反すると刑罰

が科される。ストーカー行為を行った場合は，被害者の告訴があれば，刑罰を科される。

(2) ストーカー規制法の特徴

第1に，ストーカー規制法は規制の対象を「恋愛感情，好意の感情およびそれらが満たされないことへの怨恨の感情の充足」目的のつきまとい行為に限定している。立法者によれば，相談等の実態では，恋愛感情が原因となっているケースが多数を占めることと，マスコミの取材活動や組合活動，近隣紛争などが警察権の規制の対象とならないようにするためと説明されている。

第2に，つきまとい行為やストーカー行為の判断が司法機関ではなく，警察や公安委員会という行政機関の判断に任せられており，国民の権利，行動の自由の制限が司法判断ではなく，警察の行政措置として出される。したがって，警告を出すかどうかは警察の判断しだいであり，警告を出さないことに対して被害者からの異議申立てはできない。

第3に，つきまとい行為が警告の対象となるのは，つきまとい行為自体があることでは不十分で，被害者が「不安を覚える」ことが要件となっていること，さらに，ストーカー行為として処罰の対象となるのは，つきまとい行為の反復が，社会通念上，不安を覚える方法で行われることが必要となっていることである。

3.3 ストーカー規制法の問題点

ストーカー規制法は複雑でわかりにくく，定義もあいまいであり，施行後5年後（2005年）には抜本的な見直しが必要である。

ストーカー行為の規制が規定され，殺人にいたる危険がある犯罪防止のために警察の介入の道を開いた点では，一定程度評価すべきであろう。しかし，ストーカー規制法については，下記のような問題点が指摘できる。

第1に，ストーカー行為およびつきまとい行為の定義が複雑でわかりにくいことである。どのような行為が行われれば，警察が介入し，処罰の対象となるのかきわめてわかりにくい上に，限定的であり，警察に相談してもなかなか介入してもらえない危惧すらある。

本法で禁止される行為は，つきまとい行為によって，相手に「不安を覚えさせる」ことである（3条）。2条に列挙されたつきまとい行為があっただけで

は，禁止の対象とならない。ただし，運用上は，行為の反復の程度により行為の悪質性を判断するとされており，社会的に非常識な行為であれば，3条違反として警告が発せられるとのことである。

　本法で処罰の対象となる行為は3種類に分かれる。第1に，ストーカー行為であり，つきまといを反復して行うことと定義される。ただし，2条で列挙されたつきまとい行為のうち，1～4号の待ち伏せ，押しかけ，行動の監視，面会・交際要求，粗野・乱暴な言動については，反復の要件とともに，「不安を覚えさせる方法」で行われることが必要とされる（運用上は3条と同じ）。ストーカー行為は被害者の告訴によって捜査が開始される親告罪であり，6月以下の懲役または50万円以下の罰金刑を科される（13条1項）。第2に，つきまとい行為禁止命令に違反してストーカー行為を行った場合であり，1年以下の懲役または100万円以下の罰金刑となる（14条）。第3に，禁止命令違反であっても，ストーカー行為でない場合は，刑罰は軽く，罰金50万円以下に過ぎない（15条）。

　問題点の2番目は，禁止されているつきまとい行為の目的が，恋愛感情等に限定されていることである。警察権の濫用を防止し，国民への規制の範囲を最小限にすること，とくにマスコミの取材活動や政治活動，組合活動への規制とならないようにという配慮から，このような限定が行われたと説明されている。

　だが，恋愛感情等という目的そのものがあいまいであり，別れるなら金を返せとか，贈った品物を返せといってつきまとうケースも多いのに，禁止の対象とはならない。また，「離婚後に復縁を迫る場合」は本法の規制対象となるが，子どもに合わせろといってつきまとい行為を行った場合は，原則として対象とならないとされる。運用上，DV防止法の保護命令が出ていれば警察は動くということであるが，離婚後は難しい。ストーカー行為はドメスティック・バイオレンスの典型的な行為類型であり，もっとも危険度の高いものである。しかし，恋愛感情等ではないと主張すれば，警察の介入は困難になり，犯罪防止の目的が果たせない。目的の限定ははずし，「悪意をもった」つきまとい行為すべてを禁止すべきである。

　なお，警察が目的を判断する際は，名目上の目的に惑わされることなく，詳細な事実認定を行うべきである（兵庫県弁護士会・前掲28頁など）。

第3に，つきまといの反復の定義があいまいである。公定解釈では，第2条各号の同じ行為が反復して行われることを意味するとされる。無言電話を反復して行った場合はストーカー行為になるが，無言電話をかけた後に，猫の死体を送りつけたり，待ち伏せした後に相手の家に押しかけてもストーカー行為にはならない。さらに，「反復して」とは，接近した時期で複数回繰り返し行われることとされ，その判断も個別のケースごとに異なるとされている。手口を変えればストーカー行為として処罰されないとなると，相手がいくら不安を覚えていようとも，安全や自由が守られないということになる。

　第4に，ストーカー行為として処罰の対象となるためには，「不安を覚えさせる方法」でつきまとい行為が行われなければならない点である。「不安を覚えさせる方法」とは，たとえば，物陰に隠れて待ち伏せするとか，通常立ち寄らないような場所にいる被害者に対して電話をかけて，監視していることを告げることなどの例があげられており，被害者が不安に思うかどうかだけではなく，社会通念上「不安を覚える方法」でなければならない。

　被害者が不安を抱いていても，保護されない恐れがあり，犯罪発生を防止できない結果を生み出しかねない。

　第5に，以上のあいまいな概念についての判断が，司法ではなく，警察および公安委員会という行政機関に委ねられていることである。ストーカー罪については親告罪だが，警告を発するか，禁止命令を出すかどうかは，警察および公安委員会の判断しだいである。しかも，警告や禁止命令の判断を行う警察が命令の執行を行うのであり，判断の公平性・中立性の確保や警察権力の適正な行使の保障という観点からいえば，禁止命令を出すかどうかは，司法機関の判断による必要がある。迅速な対応を行うためだというが，被害者の安全確保がきちんと行われるかどうか，ジェンダー・バイアスを持った警察の体質を考慮すれば不安が大きい。

　第6に，禁止命令手続きの主体として，被害者の権利が保障されていないことである。被害者にはストーカー行為として告訴する方法と警察に対して警告を求める方法の二つから選択できるというが，警告以降の手続では，被害者の当事者性が認められていない。被害者の警告を出してほしいという申し出は，行政行為のきっかけに過ぎない。被害者の申し出にもかかわらず，警察が警告

を出さないときに、警察に対して不服申立を行うことはできない。警察の相談窓口に相談するぐらいしか手段はなく、つきまといがエスカレートしてストーカー行為となったときに、ストーカー罪で告訴するか、民事上の仮処分請求を行うしかない。しかし、ストーカー行為の要件は厳しく、また、何度も反復する前に突然、凶悪事件に発展して危険にさらされる可能性もある。

第7に、法定刑が軽く、被害者の安全確保システムの規定がない点である。短い刑期を終えて出てきた加害者からの報復の危険から被害者の安全を守る方法も、加害者の再教育についても、なんらの規定がない。また、被害者の精神的ケアや援助のための関連機関やNGOとの連携・協力体制の整備も課題である。

4 ドメスティック・バイオレンス

◆ 導入対話 ◆

「法は家庭に入らず」で見て見ぬふり

学生A：最近、ドメスティック・バイオレンスという言葉をよく聞くけど、どんなことですか？

教師：略してDVとも言うね。夫や恋人など、親密な関係にある男性から女性に対してふるわれる暴力のことだ。離婚した夫や別れた恋人など、元の関係も含むんだ。大学生や高校生も当事者になりうるよ。

学生B：アル中や薬物中毒で、粗暴な男性が多いのでしょ？ 生活が大変でストレスを一杯溜め込んだ男性が暴力をふるうのではないの？

教師：DVの加害者は、職業も階層も学歴も関係ないんだ。アルコールや薬物は、暴力の誘引にはなっても、原因ではないと言われている。普段はとても真面目でおとなしそうな人が、妻や恋人には暴力をふるう。だから、DVはわかりにくい。「夫にDVを受けています」と言っても、夫は他の人には暴力をふるったりしないし、物腰もやわらかく人当たりもよいので、「まさかこの人が」って、みんな信じないんだ。

学生A：じゃあ、なぜ大事な妻や恋人に暴力をふるうんだろう？

教師：そこがポイントだね。暴力をふるうのは圧倒的に男性が多い。セクハラや児童虐待もそうだけど、どちらかが優位にたつ対等でない関係では、力のあるほうが力の弱いほうをコントロールしようとするんだよ。そのコントロールの

> 手段として暴力を選んでいるわけだ。暴力をふるっても黙っているだろう，誰かに訴えたりしないだろう，逃げられないだろう，我慢するだろうとわかっているから，暴力をふるって相手を支配しようとするんだ。
> 学生B：でも，暴力をふるわれたら，警察に110番すればよいでしょ？　隣近所だって気づくだろうし，助けを求めればいいんじゃない？
> 教師：そうだね。でも，ちょっと考えてみて。DVは家庭内や男女間というプライベートな関係でふるわれる暴力だよね。「法は家庭に入らず」といって，不介入を原則にしてきたから，警察を呼んでも「夫婦ゲンかですから」と言えばすぐ帰ってしまうことが多かったんだ。隣の人だって，余計なおせっかいと思われたくないしね。
> 学生A：今度，DV防止法ができたって聞いたけど。「法は家庭に入らず」なんていう考え方は変わるんだろうか？

4.1　ドメスティック・バイオレンスとは何か

　ドメスティック・バイオレンスとは，夫や恋人，婚約者，同棲相手，ボーイフレンドなど，個人的で親密な関係にある人からふるわれる暴力をいう。離婚後の関係や婚約解消後など元の関係も含まれる。職業，階層，学歴，年代を問わず，加害者にも被害者にも特定のタイプはないといってよい。被害者は圧倒的に女性が多い。

　ドメスティック・バイオレンスは，夫や恋人など個人的な関係で，力の優位にたつ者が暴力を使って相手を支配することである。家庭内や男女間という閉鎖的な関係で，繰り返しさまざまな暴力を振るうことによって，相手の生きる力を弱め，人間としての尊厳を奪う行為がドメスティック・バイオレンスである。

　アメリカの女性たちは，「パワーとコントロールの図」でドメスティック・バイオレンスの構造を表現した（図1参照）。車輪の一番外側にあるのが，もっとも見えやすくわかりやすい身体的暴力である。身体的暴力に隠れて見えにくいが，車軸のように外輪を支えて回りやすくしているのが，心理的暴力や経済的暴力，性的暴力などである。中心にあって車輪の動力となっているのが「パワーとコントロール」，つまり男性の権力，社会的な地位や影響力，経済力，体力などの力と男性優位の支配という社会の性差別構造である。

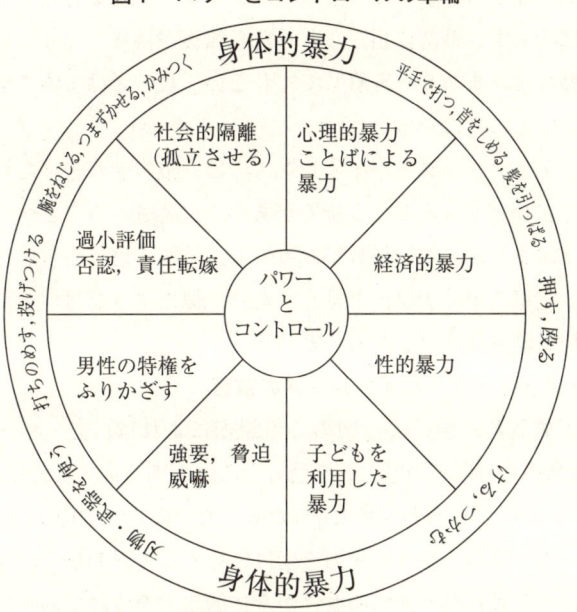

図1　パワーとコントロールの車輪

身体的暴力（外周）：平手で打つ、首をしめる、髪を引っぱる／押す、殴る／けとばす／刃物・凶器を使う／打ちのめす、投げつける／蹴ねじる、ひざまずかせる、かみつく

内側の項目：
- 社会的隔離（孤立させる）
- 心理的暴力　ことばによる暴力
- 経済的暴力
- 性的暴力
- 子どもを利用した暴力
- 強要、脅迫、威嚇
- 男性の特権をふりかざす
- 過小評価、否認、責任転嫁

中心：パワーとコントロール

出典：「夫（恋人）からの暴力」調査研究会『ドメスティック・バイオレンス』より。ミネソタ州ドゥルース市のドメスティック・バイオレンス介入プロジェクト作成のものをもとに加筆修正された。

　内側の非身体的暴力と外側の身体的暴力は相乗作用で効果を高めあう。一度殴るだけで十分威圧と恐怖を与えることができ、女性は自分の行動をコントロールして暴力を回避しようとする。他方で、言葉や行動規制などの精神的抑圧や性的暴力は女性の自尊感情を傷つけ、自信を奪って無力感を与える。
　車輪の外側にはさらに、妻や母親役割の押し付けや女性の経済的自立の困難、暴力容認意識、援助資源の不足などの社会的要因が張りめぐらされており、車輪をより円滑に動かしている。
　1993年国連が採択した「女性に対する暴力撤廃宣言」は、女性に対する暴力は女性に従属的な地位を強いる社会機構の一つだと言っている。
　「パワーとコントロールの図」でみたように、暴力は身体的暴力だけではない。さまざまな暴力が複合的に、繰り返しふるわれるのがドメスティック・バイオレンスである。また、暴力は四六時中ふるわれているわけではない。しかし、いつ暴力がふるわれるかわからない状態で、緊張と恐怖を強いられる。常

に緊張し萎縮しながら毎日を送らなければならない状況を想像してほしい。むやみに人には話せず,外部に相談などしたら報復が待っており,もっとひどい暴力がふるわれる。まわりも理解してくれない。被害者はますます孤立化し自信を喪失していくことになる。

さらに,ドメスティック・バイオレンスには,被害者が逃げたり,逃げようとすると暴力がひどくなるという特質がある。追跡されることへの恐怖が,逃げることを躊躇させる。離婚後数年たっても,追跡の恐怖から逃れることは容易ではない。電車の中でチラッと見かけたり,似たような男性を街角で見かけただけで恐怖に晒されることがあるという。

4.2 ドメスティック・バイオレンスの被害

1999年に実施された国による初めての調査によれば,夫・パートナーから「生命の危険を感じるほどの暴力」を受けたことがある成人女性は,「何度もある」「一・二度ある」をあわせて4.6%であった(表1)。20歳以上の女性のおよそ20人に一人が深刻な身体的暴力を受けていることがわかる。今までの日本の実態調査によれば,15〜20%の女性が身体的暴力を受けており,世界的傾向とも一致する。

特徴として挙げられるのは,身体的暴力だけではなく,性的暴力や精神的暴力など,さまざまな暴力をあわせて受ける複合的暴力が多いこと,繰り返し暴力がふるわれていることである。言葉や態度での蔑視,行動規制などの精神的暴力や生活費を渡さない,わざと浪費するなどの経済的暴力なども多い。もっとも表面化しにくいのが性的暴力であり,のぞまない性行為の強要,避妊の拒否,セックスを拒否すると殴るなど,女性の性的自由を侵害する行為が日常的

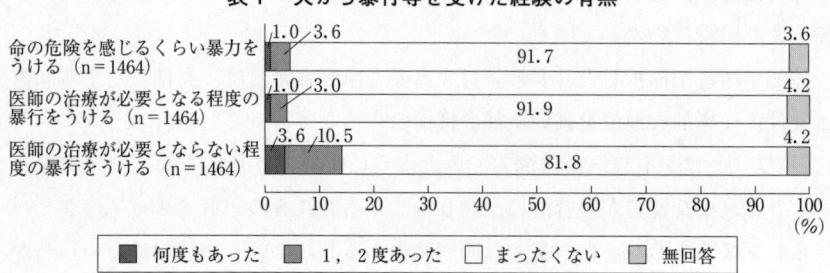

表1 夫から暴行等を受けた経験の有無

項目	何度もあった	1,2度あった	まったくない	無回答
命の危険を感じるくらい暴力をうける (n=1464)	1.0	3.6	91.7	3.6
医師の治療が必要となる程度の暴行をうける (n=1464)	1.0	3.0	91.9	4.2
医師の治療が必要とならない程度の暴行をうける (n=1464)	3.6	10.5	81.8	4.2

出典:総理府「男女間における暴力に関する調査」より。

に行われている。付き合いの制限や監視などの社会的暴力も多い。

ドメスティック・バイオレンスの影響については、日本では、まだ研究が進んでいない。数少ない調査からも、女性の心身の健康に深刻かつ長期的な影響を与えていることがわかる。自殺を試みる確率は、暴力の被害を受けていない女性と比べて30倍も高くなることが明らかにされている（WHO保健政策部「女性の健康と生活についての国際調査」日本調査プロジェクトチーム『WHO「女性の健康と生活についての国際調査」日本調査結果の報告』2002年）。また、被害を受けた女性の喫煙率も高くなっている。さらに、人間不信になり人間関係を作りにくくなることや職場へも夫が押しかけてきて居ずらくなる、けがのために休みがちになり退職に追いやられるなど、経済的影響も大きい。

今後明らかにしなければならないのは、子どもへの影響である。目撃者としてだけではなく、直接親から暴力の被害を受ける場合も多く、長期的な影響が危惧される。

4.3 ドメスティック・バイオレンスの歴史

ドメスティック・バイオレンスの歴史はローマ時代にまでさかのぼると言われる。妻は奴隷と同じように夫の支配権の対象であり、妻に対して懲罰を与え、遺棄し殺害する権利を夫に認めていた。19世紀後半までのイギリスでは、親指より太くない鞭だったら妻を叩いてもよいとする「親指の原則」が使われていた。「親指の原則」とは経験則を意味する言葉であるが、原則として夫の暴力は懲戒権思想により容認されており、一定の限度を超えたときに初めて法的責任を問われたに過ぎない。

夫の妻に対する懲戒権は、イギリスのコモン・ローの夫による妻所有思想にもとづく。「夫婦は一体であり、その一体とは夫である」という有名な言葉（ブラックストーン）があるとおり、女性は結婚すると法的独立性を失い、夫の支配に服するとされた。夫の妻支配の手段として暴力が認められてきたのである。

懲戒権規定そのものは19世紀後半に削除されるが、事実上夫の暴力が処罰されないことで、懲戒権思想は残った。ドメスティック・バイオレンスが女性の人権侵害として社会問題とされるのは、20世紀後半以降である。

日本ではつい最近、社会問題として取り上げられるようになったばかりだが、北米やヨーロッパでは、1970年代前半に取組みが始められた。各地に安全な駆

け込み場所（シェルター）が次々つくられ，実態調査や研究も進んで，70年代後半にはイギリスやアメリカではDV防止法が成立した。1980年代以降は，国連が女性の人権問題として取り上げるようになり，1993年「女性に対する暴力撤廃宣言」では，家庭内や男女間で起きるドメスティック・バイオレンスも「ジェンダーに基づく暴力」であり，女性の人権侵害として国や国際機関は責任を持って防止につとめ，被害者の安全を守らなければならないと規定した。

日本では，1996年「男女共同参画2000年プラン」で初めて，ドメスティック・バイオレンスを女性の人権課題ととらえ，防止策を検討するようになり，2001年ようやくDV防止法が成立したのである。ドメスティック・バイオレンスは長年にわたり潜在化してきた問題である。夫や恋人の暴力を容認し続けてきた歴史を考えれば，いかに根の深い問題であるかが理解できるであろう。

4.4　DV防止法

2001年4月，「配偶者からの暴力の防止および被害者の保護に関する法律」（以下，DV防止法）が成立し，同年10月の保護命令などの一部施行を経て，2002年4月全面施行となった。

日本でもようやく，「ドメスティック・バイオレンスは許されない」ことを宣言した法律が制定され，女性に対する暴力撤廃へ向けた歩みが始まろうとしている。

DV防止法制定・施行後の変化はめざましい。警察の対応がすばやくなった，行政がきちんと動くようになったなど，従来，「法は家庭に入らず」の原則の下，110番しても出動しなかった警察や，「うちはドメスティック・バイオレンスの専門機関ではありませんし，特別扱いはできません」と被害者をたらい回ししてきた行政の姿勢に，変化がみられる。

(1)　DV防止法の意義

DV防止法制定の意義として，次の6点があげられる。

第1に，ドメスティック・バイオレンスを文字通り「暴力」であると認め，社会が許容しないことを示した法律がつくられたこと自体，画期的なパラダイム転換である。夫や妻の間の個人的問題であり，たかが「夫婦げんか」と軽視されてきた行為が，相手の意思に反する力の行使を意味する「暴力」と公的に承認されたことの意味は大きい。

第2に，国および地方公共団体のドメスティック・バイオレンス防止と被害者の安全確保の責務が明記されたことである。日本では，1980年代後半以降，女性NGOが夫や恋人からの暴力の被害を受けた女性の援助を行い，ドメスティック・バイオレンスを女性の人権侵害として問題化してきた。だが，暴力防止と被害者の安全確保について，本来，第一義的に責任を持つべきは，市町村を含む自治体や国である。

第3に，前文で，ドメスティック・バイオレンスが「犯罪となる行為」と位置づけたことである。DV防止法は，参議院の超党派の女性議員による議員立法である。議員立法だったから実現したといえる半面，議員立法であるがゆえの限界もある。国の賛成が得られず，立法にあたった女性議員たちの思いは，法内容には不十分にしか反映されなかった。DV防止法では，立法者意思を示すべく，個別法では異例なことであるが前文が置かれた。そこで示された「犯罪」としての認識こそ，暴力防止への出発点である。

第4に，同じく前文で，ドメスティック・バイオレンスが女性の人権侵害としての「女性に対する暴力」であると述べられている点である。DV防止法は，対象を内縁・事実婚を含む「配偶者」に限定しており，しかも，夫も妻も被害者にも加害者にもなりうるという立場を取っている。しかし，前文は，被害者の多くが女性であり，経済的自立の困難など社会経済的な背景のもとで，女性が暴力を受けやすいことを指摘している。

第5に，ドメスティック・バイオレンス対応の法的しくみを制度化したことである。今までは，売春防止法を拡大解釈した通達などによって，婦人相談所や婦人相談員，婦人保護施設が事実上の対応を行ってきた。配偶者暴力相談支援センター機能の設置を都道府県に義務づけ，ドメスティック・バイオレンスへの対応に法的根拠を与えた。民間シェルターについても，一時保護の委託先および行政の援助の対象として，初めて法律に規定された。さらに，配偶者暴力相談支援センターと警察，社会福祉事務所などの関係諸機関との連携・協力を努力義務とすることで，ドメスティック・バイオレンス問題解決に不可欠な機関協働型の被害者支援のしくみづくりへ向けて，足がかりが用意されたことになる。

第6に，命令に違反した場合に刑事罰を科される民事保護命令制度が新設さ

れたことである。せめて安心して避難できるように導入されたのが，刑事罰つきの保護命令である。

(2) DV防止法の評価

諸外国のDV防止立法は1970年代後半からスタートし，1990年代に入っていっそう活発化している。1976年にはイギリスとアメリカ・ペンシルバニア州でDV防止法が制定された。アジアにおいても，韓国，台湾，マレーシア，香港などで1990年代後半にDV防止法が立て続けに制定された。

諸外国の立法を類型化してみると，ドメスティック・バイオレンスへの対応を直接の法目的とした英米型のDV特別法タイプと大陸法系の刑法改正タイプとに大別できる。2001年の日本のDV防止法はDV特別法タイプの形式を取っているが，ドメスティック・バイオレンス問題解決のための特別な法的枠組みを新たに用意したものとはいえない。

国連人権委員会「女性に対する暴力に関する特別報告者」ラディカ・クマラスワミは，その報告書の中で，暴力をさらに受けないことの保障，女性や同伴家族と財産の安全確保およびその後の安全な生活への支援を柱とした，DV特別法の有効性を指摘している。しかし，日本のDV防止法は緊急事態における保護までしか射程に入れていない。そのことは，法律のタイトルを「被害者保護」としたこと，緊急時の安全確保を目的とした保護命令が中心であること，配偶者暴力相談支援センター機能が被害者の保護に特化しており，自立支援については情報提供にとどまり消極的なことなどから説明できる。

さらに言えば，DV防止法とは，刑法，警察法，警察官職務執行法，売春防止法，民事保全法，ストーカー規制法などの既存の法律とは抵触しない範囲内で，いわば，現行法にできるだけ手を加えずに，「配偶者暴力」の被害者保護と暴力防止を行おうとする省エネ立法である。つまり，1995年北京世界女性会議以降の，女性に対する暴力防止へ向けての国際社会の取組みを受けて，DV防止法の立法化は進めるが，既存の法体系を変えてまで法制化を行うほどの問題ではないという，国の認識が表われている。

ドメスティック・バイオレンスは，まさに古くて新しい問題である。私的領域の暴力に対しては不介入を原則としてきた従来の法体系では，ドメスティック・バイオレンスは法の隙間からこぼれ落ちる問題であった。法におけるドメ

スティック・バイオレンス概念の欠落が被害の潜在化の構造を支え続けてきたといえる。だからこそ，諸外国では伝統的な法の考え方から脱却した新たな発想でDV防止立法に取り組んだのである。

ドメスティック・バイオレンスの本質は，家庭内や男女間というプライバシー領域で，継続的・常習的に繰り返される暴力と恐怖や緊張の連続によって女性の力を弱め，その生活と精神状況を支配することにある。ドメスティック・バイオレンスは女性の人間としての尊厳の侵害である。個々のエピソードだけを切り取るだけではつかめないドメスティック・バイオレンスの全体像，つまり，暴力による日常生活と精神状況の支配という構造および追跡の恐怖や暴力の複合性，暴力のサイクルという特質を考慮した法規制が必要である。

また，緊急時に一時的に保護するだけでは問題は解決せず，自立支援までカバーした安全確保と継続的支援が必要である。緊急時の安全確保すら警察単独の対応では難しい。私たちの日常生活での経験と同様に，自立支援には，福祉，医療・保健機関，裁判所，学校，住宅，就労など，さまざまな機関の協力・連携が必要である。DV特別法の有効性が強調されるのは，DVの犯罪化とセットになった保護命令などによる安全確保のしくみと同時に，地域でのネットワークによる総合的な対応システムに法的根拠を与えることの重要性が認識されているからである。危機介入から生活再建までの一貫した支援に対して行政が責任を持つしくみが必要である。

(3) DV防止法の概要

DV防止法の目的は，被害者の保護と配偶者からの暴力の防止にある。法律の対象となるのは「配偶者からの暴力」であり，配偶者には内縁や事実婚を含む。離婚後は原則として対象外であり，離婚前に暴力を受けていて，なおかつ，引き続き暴力を受ける恐れがある場合は，センターへの相談や一時保護などの対象とはなるが，保護命令は申立できない。本法でいう「暴力」は刑法上の犯罪行為に該当するような身体的暴力に限られる。精神的暴力によりPTSD（傷害後ストレス障害）を受傷し，傷害罪にあたると判断された場合は，保護命令を申し立てることができる。

「配偶者」に限定したのは，「配偶者からの暴力」は，家庭内で行われるので外部からの発見や介入が困難であることと，他の男女関係とは異なり，暴力が

エスカレートして重大な被害が生じる恐れがあるからだと説明されている。そのような特質をもたない元夫や婚約者，同棲相手，恋人（いずれも元を含む）などからの暴力は，他人からの暴力一般と区別する必要はなく，ストーカー規制法を使えばすむとされる。

「身体的暴力」へ限定したのは，保護命令に違反すると刑事罰が科せられるからである。違反に刑事罰がつく以上，保護命令の対象となる暴力は刑法上の犯罪に該当するものでなくてはならないという考え方による。

保護命令は被害者が自分の身を守るための選択肢の一つである。保護命令には，同じ暴力について6カ月有効の接近禁止命令と2週間有効の退去命令がある。接近禁止命令が禁止する行為は，「つきまとい」と「はいかい」（周囲をうろつくこと）のみであり，ストーカー規制法に比べると，禁止される行為の範囲が著しく狭い。退去命令が2週間と極端に短いのは，それ以上長いと，財産権や居住権の侵害になる恐れがあるからだと説明されている。

保護命令は，過去に一度でも身体的暴力を受けていて，さらに身体的暴力により生命・身体に重大な危害を加えられるおそれが大きいときに，被害者が地方裁判所に申立を行う。申立要件として，事前に配偶者暴力相談支援センターか警察に相談・保護を求めた事実を記載しなければならない。警察にもセンターにも行かなかった場合は，公証人に認証を受けた「宣誓供述書」を裁判所に提出する。

保護命令は裁判官が被害申立人と相手方（加害者）を法廷に呼び出して別々に事情を聞いた上で，「迅速に」発令することになっている。急を要する場合は，裁判官の判断で相手方の事情を聞かずに保護命令を発令することができる。保護命令に違反した場合は，懲役1年以下あるいは罰金100万円以下の刑事罰が科される。

(4) **DV防止法の問題点**

DV防止法の主要な問題点として，以下の点があげられる。

第1に，すでに述べたとおり，法の対象範囲が狭く，配偶者からの身体的暴力に限定していることである。ドメスティック・バイオレンスとは，男性優位の社会構造を背景に私的領域で行われる暴力による女性支配の一形態である。夫などからの暴力はその典型例に過ぎない。恋人や婚約者，同棲相手，離婚し

た相手でも個人的な関係であるから、外からの介入は好ましくないとされ、被害が潜在化してきた。

最近実施された WHO 国際比較調査日本調査の結果によると、日本の大都市で50歳までに DV を受ける確率のある女性が約19％、そのうち30歳までに暴力を受ける累積確率は約13％と推定される（WHO 多国間調査日本調査2002）。つまり、大都市の初婚年齢は30歳前後であるから、一生の間に暴力を受ける女性のうちの３分の２は結婚前に DV 被害を経験することになる。同棲相手や恋人による DV 事件も多く、早期の介入による被害拡大・再発の防止が必要である。

また、離婚後は保護命令の対象とならないとしているが、離婚後や別れた後に暴力の危険度が高まるという DV の特質にそぐわない。

第２に、保護命令の種類が少なく、被害者にとって使いにくいものとなっている。保護命令を申立できる暴力の範囲や保護命令によって禁止される行為の範囲が狭く、退去命令の有効期限が２週間と短い上に、同じ暴力については一度しか申立できない。さらに、接近禁止命令は「相手方配偶者とともに生活の本拠とする住居」を対象から除いており、退去命令が出た後に加害者が家の周りをうろついて監視することや追跡することを禁止できない。加害者に避難先を突き止められる危惧や避難先から荷物を取りに帰ることさえ難しくなる。さらに、子どもの安全は母親に同伴しているときでなければ保護命令によっては守れないこと、保護命令発令後の被害者の安全が確実に守られないこと、保護命令審理時の裁判内での安全確保手段が規定されていないことなどが指摘できる。

第３に、被害者支援の総合的なしくみが規定されていないことである。とくに、各都道府県に設置される配偶者暴力相談支援（DV）センターは、既存の施設や機関の有効活用が前提となっており、ドメスティック・バイオレンス対応のコーディネート機能をもつ専門機関の設置が要請されているわけではない。さらには、DV センターと関係諸機関間および都道府県と市町村との連携・協力体制整備が、被害者の保護の段階での努力義務にとどまっている。民間団体や市町村を含むネットワーク型連携・協力体制は、自立支援に不可欠である。

しかし、センター機能の最低限をクリアしさえすればよく、具体的なセンター機能や業務内容、諸機関との連携・協力体制づくりについては都道府県の

自治に任される。取組みへの意欲や社会資源の有無によって，都道府県間の格差が生じる恐れがある。また，避難先まで追跡してくる夫から被害者を守るためには市町村や都道府県を超えた広域対応が必要であり，国によるセンターの統一基準が作成されなければならない。文字通り，ドメスティック・バイオレンス対応の調整機能を果たすDV専門センターの設置と地域の諸機関間のネットワーク整備を都道府県に期待したい。

(5) 施行後の変化

DV防止法施行による影響として，第1に，行政の姿勢の変化をあげなければならない。とくに，警察の対応の積極化が指摘されている。警察の姿勢の変化は，夫から妻への暴力事件検挙件数の増加にも表われており，夫から妻への傷害事件検挙件数は，2000年の838件から2001年は1,065件と2割増である。また，都道府県設置の配偶者暴力相談支援センターの一時保護件数や各相談機関・窓口への相談件数も伸びている。被害の掘り起こしが進んだといえるが，対応に伴う二次被害や不適切な対応は依然として残る。

一方，首長の積極的な姿勢が行政の取組みを加速化させている自治体もみられる。大幅な人員増と機構の整備，公的シェルターのハードの拡充，職員研修の徹底などを行い，「DV対応日本一」を目標にセンター整備を進めているところもある（千葉県）。また，DV防止法に直接規定されなかった市町村の役割は福祉や住宅など，実際には大きい。男女共同参画条例でドメスティック・バイオレンス防止を打ち出して，独自の相談所や公営シェルターを設置した市町村がある。とくに，岡山市条例では，保護命令発令後1年間市の施設で保護を行うことになっており，注目される。また，民間シェルターへの支援充実や保護命令発令を要件に，住民票の非公開を行って被害者の安全を守る姿勢を示したところ（鳥取県）や公営住宅の優先入居制度を要綱改正で行ったところ（大阪府・愛知県）など，積極的な取組みがみられる。

(6) 増えはじめた保護命令申立

2001年10月13日の一部施行により，保護命令制度がスタートした。2002年10月末までに，保護命令申立総件数は1,318，そのうち保護命令が発令されたのは1,019件である（最高裁民事局調べ。以下同じ）。発令された保護命令中，接近禁止のみが721件，退去のみが3件，接近禁止と退去の双方をあわせて発令し

たケースが295件である。審理期間は平均10.9日である。

　特徴としては，接近禁止命令単独の発令が多く，退去命令単独発令が極端に少ないことがあげられる。退去命令期間が2週間と短いことや退去命令を出した「家」に接近禁止をかけられないことなど，保護命令の使いにくさが浮き彫りになっている。また，取下げが14％を占めることや妻の側に借金や異性関係があると保護命令が却下される場合があることについては，具体的な検討が必要であろう。

　保護命令申立件数に地域間格差がすでに生じており，民間団体の活動が活発で，行政の姿勢も積極的であり社会資源が比較的整備されている地域では申立件数が多いという傾向が指摘できる。申立件数が1桁という地域も多い。保護命令自体は，本人申立を原則としているが，定型化された書式がなく，裁判官を納得させられるように事実を整理して申立書を書くことは意外に難しい。ドメスティック・バイオレンスに詳しい弁護士がいる地域や裁判所が簡便な書式を用意しているところでは，申立は多い（大阪など）。DVセンターや警察での保護命令申立に対する援助と本人が直接記入できるように書式の定型化が必要である。

　保護命令違反で逮捕されたのは10件である（2002年6月末現在）。有罪となっても執行猶予が多く，罰金刑も目立つ。罰金刑では，その間だけでも被害者の安全を守るという刑事罰の本来の意味が薄れることになり，かえって報復の危険が危惧される。

||||||||||||||||||||||||||||||||||||||||||||||||||||||||||||||||||||||||||||||||||||||||||||||||||||||||

【展開講義　17】　DV防止法改正

　2004年6月，DV防止法が改正され，同年12月施行された。今回の改正では，参議院女性議員とNGO，関係省庁との意見交換が継続的に行われ，「市民立法」とも呼ぶべき画期的な政策形成過程をたどった。とりわけ，被害当事者の積極的な政策形成への参画によって，被害当事者の自立支援の明確化，子どもへの保護命令の効力拡大，外国籍の人や障害のある人への特別な配慮など，被害当事者の視点が強化されたことは特筆すべきである。

　法改正のポイントは，①暴力の定義の拡大，②保護命令の改善，③自立支援の明確化の3点に集約できる。

① 暴力の定義の拡大

「配偶者からの暴力」の定義を，「心身に有害な影響を与える言動」まで拡大し，精神的暴力や性的暴力が含まれることになった。DV法が，DVの実態に少し追いついたといえよう。ただし，保護命令の申立ができるのは，身体的暴力があった場合に限定される。

② 保護命令の改善

第1に，離婚後も保護命令の申立が可能となった。むしろ，離婚や別居後に加害者からの追跡の恐怖が高まり，暴力の危険性が大きくなる。被害者の実質的安全確保のための改善として評価できる。第2に，同居の子どもへ接近禁止命令の効力が拡大された。DVの子どもへの影響を考慮し，DV夫による子どもの連れ去りを防止する必要がある。子どもは避難後に誘拐や連れ去りの危険に晒されており，外国人夫による国外への連れ去り事例も起きている。

今回の改正は，あくまでもDV被害者の安全を守ることを主眼としており，子どもの安全は母親の安全を守るために第二次的に保障されるに過ぎない。子どもが連れ去られると，母親が加害者に会わざるを得ないことになって，夫からの暴力の危険が高まり，DV被害者の安全を守るという法目的に反するからというのが，改正の趣旨である。対象は，同伴の子どもに限定され，15歳以上は子どもの同意が必要である。

裁判所は，母親に対する保護命令と併せて，子どもの住まい，学校やその付近の徘徊やつきまといを禁止することができる。

家庭裁判所は，子どもへの接近禁止命令が発令された場合は，子どもの成長・発達への影響を考慮して，加害者との面会を認めないことができる。子どもへの接近禁止命令が出た後に，子の福祉の観点から家裁で面会が認められ，それにしたがって行われた子との面会は，保護命令違反にならないとされているが，それには賛成しがたい。

子どもはDVの目撃者であるだけではなく，直接の被害者である場合も多く，さらにはDV被害者による虐待の被害者ともなりうる。諸外国の研究によれば，DVの子どもへの影響は，暴力行為を目撃したトラウマに限らず，自尊感情の喪失や人間不信，家族の絆の破壊という人間存在をも揺るがす根元的なものであり，影響は長期間にわたると言われている。家庭裁判所は，子の福祉や子の利益が何かを再考し，DVが子どもに与える深刻な影響を十分考慮して，親権の帰属や面会権についての判断を行うべきである。

③ 自立・生活再建支援の明確化と基本方針・基本計画の策定

　被害当事者にとって，最大の難関は，緊急一時保護後の生活再建である。緊急事態から自立への準備段階を援助する「セカンド・ステップ・ハウス」はほとんど整備されておらず，原則 2 週間の一時保護後の行く先さえままならないのが，現状である。改正前の DV 法には，国および地方公共団体の「責務」は，緊急時の保護に限られており，危機介入から生活再建までを視野に入れた総合的な支援システムが欠落していた。また，具体的な支援策は地方公共団体の裁量に任されていたため，著しい地方間格差が生じていた。今回の改正により，被害者の自立支援が国及び都道府県の「責務」として明記され，福祉事務所には自立支援の努力義務が課された。

　今回の改正では，国に対しては DV 法施行のための基本方針を，都道府県には地域における具体的な政策推進のための基本計画策定を義務づけた。ようやく，DV 防止と被害者支援へ向けて，理念や目標を明確に定めた総合的な DV 対策展開の基盤が整えられたことになる。法改正過程での議論を考慮すれば，DV 防止と被害当事者の生活再建支援を中心に DV 政策が推進されるべきであろう。

[参考文献]

奥山明良『職場のセクシュアル・ハラスメント』有斐閣，1999年

「夫（恋人）からの暴力」調査研究会『ドメスティック・バイオレンス（新版）』有斐閣，2002年

戒能民江『ドメスティック・バイオレンス』不磨書房，2002年

戒能民江編著『ドメスティック・バイオレンス防止法』尚学社，2001年

角田由紀子『性の法律学』有斐閣，1991年

角田由紀子『性差別と暴力』有斐閣，2001年

東京女性財団編『セクシュアル・ハラスメントのない世界へ　理解・対策・解決』有斐閣，2000年

沼崎一郎『キャンパス・セクシュアル・ハラスメント対応ガイド―あなたができること，あなたがすべきこと』嵯峨野書院，2001年

沼崎一郎『なぜ男は暴力を選ぶのか』かもがわ出版，2002年

福島瑞穂『裁判の女性学―女性の裁かれ方』有斐閣，1997年

第7章　刑事司法とジェンダー

1　わが国の犯罪

◆　導入対話　◆

刑務所に入るのは難しい？
学生A：今日も新聞にはたくさんの事件がのっているわ。
学生B：どれどれ，殺人，強盗，覚醒剤違反，毎日いろんな事件が起きているんだなぁ。こんなに犯罪ばっかり起こっているってことは，刑務所は犯罪者でいっぱいだなぁ，きっと。
学生A：そうねぇ……
教師：あらあら，あなたたち，犯罪を行ったからってすぐ刑務所にいくことになるわけではないのよ。
学生AB：えっ，違うのですか？
教師：犯罪を行ったからといって，すぐに刑罰が科せられるわけではありません。刑事裁判を受けずに，いきなり刑務所に入れられ刑罰が科せられることはないし，たとえ刑事裁判が開かれても，有罪か無罪かはっきりしない場合には，処罰することはできないの。
学生A：あっ，そういえば「疑わしきは被告人の有利に」っていうことばを聞いたことがあるわ。
教師：そう，よく知っているわね。だから，裁判になる前の段階では，「犯人」と呼んではいけないのよ。
学生B：でも，人を殺したら，やっぱり死刑ですよね。
教師：うーん，それがそう単純ではないの。殺人事件は毎年1,300件前後起こっているのだけれども，死刑判決の件数は毎年1ケタ程度となっているわ。犯罪白書を見ると，犯罪と認知された件数は，約300万件，検挙された人の数は約100万人。同じ年に刑務所に新しく入った人の人数は，約1万人弱。つまり，犯罪を行って捕まった人のうち刑務所に入る人は3％弱しかいないことになる

わ。司法試験に合格するより刑務所に入るほうが難しいっていうわけね。
学生B：えぇー，犯罪を行ってもほとんどの人は刑務所に入らないってことぉ？

1.1 犯罪の動向

　新聞やテレビでは，連日さまざまな犯罪が報道されている。しかし実際のところ，わが国では犯罪はどれくらい起きているのだろう。

　犯罪統計を見る限り，わが国の犯罪動向は，近年，増加傾向にある。とりわけ平成8年から連続して戦後最多を更新し続けてきた。ただし，15年は『平成16年版犯罪白書』によれば，前年と比べて減少している。刑法犯の発生率（人口10万人当り）も同様に，昭和53年以降上昇傾向にあり，平成15年は，戦後最高の2,857を記録し，一般刑法犯（交通関係業務上過失を除いた刑法犯）の発生率の場合は，昭和49年以降ほぼ一貫して上昇を続けており，平成15年は，2,187となっている。検挙人員の数は戦後最高の記録を更新している。

　なかでも，顕著に増加が認められるのは，窃盗罪と交通犯罪であり，暴力的色彩の強い強盗，傷害，強制わいせつ，器物損壊の増加も目立つ。こうした検挙件数が増加する中，かつては刑法犯全体で7割を誇っていた検挙率は平成13年には，戦後最低を記録した。14年からはやや回復の兆しを見せ，15年は刑法

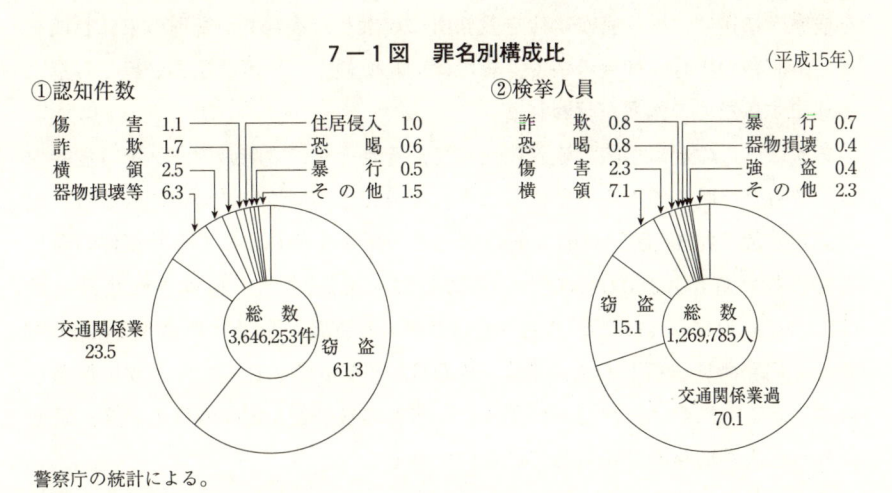

7-1図　罪名別構成比　　　　　　　　　　（平成15年）

①認知件数
- 傷害 1.1
- 詐欺 1.7
- 横領 2.5
- 器物損壊等 6.3
- 住居侵入 1.0
- 恐喝 0.6
- 暴行 0.5
- その他 1.5
- 交通関係業 23.5
- 窃盗 61.3
- 総数 3,646,253件

②検挙人員
- 詐欺 0.8
- 恐喝 0.8
- 傷害 2.3
- 横領 7.1
- 暴行 0.7
- 器物損壊 0.4
- 強盗 0.4
- その他 2.3
- 窃盗 15.1
- 交通関係業過 70.1
- 総数 1,269,785人

警察庁の統計による。
「横領」は，損失物等横領を含む。

犯全体で41.3％となっている。しかし，窃盗犯を除く一般刑法犯の検挙率は，15年も低下傾向が続いている。また，矯正施設も収容率が100％を超え，過剰収容状態を示している。

こうした検挙率の低下，暴力的色彩の強い犯罪の増加，刑務所の過剰収容状態といった状況をとらえ，「犯罪の少ない安全な国」と言われてきたわが国の安全神話にも陰りが見えはじめたとか，わが国犯罪現象がこれまでとは異なる局面を迎えつつあるといった指摘をする声もある。

しかし，そもそもこれらの犯罪統計の数字は，犯罪動向を正確に反映したものなのであろうか。

1.2 刑事司法手続

人を殺したり傷つけたり，人のものを盗んだりすることは，犯罪である。多くの人は，このことに異論はないであろう。しかし，現実には，誰の目にも犯罪を犯したことが明らかな場合であっても，常に刑罰を科せられるわけではない。

ある行為を犯罪と認定し，それに対し刑罰を科し，さらに社会復帰を行うための一連の手続を刑事司法手続という。

わが国の刑事司法手続は，大まかに述べるなら以下のようになっている。犯罪の発生により，まず警察がこれを認知して捜査をすすめ，捜査が終ると事件を検察庁に送り，検察官が事件を裁判所に起訴し，裁判所が審理の末に判決を下し，有罪の場合，社会の中で，または刑務所の中で，再び犯罪が起こらないようにするための処遇が行われる。

まずは，この刑事手続の流れに沿って，それぞれの段階のデータを『犯罪白書』をもとに眺めてみることにしよう。平成15年の刑法犯についてみると，犯罪認知件数は約364万6,000件，被疑者とその所在を明らかにできた事件の数としての検挙件数は150万4,000件，人の数にして127万人，起訴された人の数は，20万5,000人，自由刑（懲役または禁錮）の言渡しを受けた者4万4,000人，新しく刑務所に入所した人の数1万6,000人となっている。このように何重ものフィルターにかけられたかのように，当初の数がどんどん減っていき，最後に残った人が刑務所に送られているのである。

さて，ここで注意しなければならないことは，認知件数とは，警察が犯罪と

認知した数であって，現に発生した犯罪の実数ではないという点である。統計によって把握されていない犯罪の数，すなわち『暗数』はかなり多く存在すると推定される。暗数が生じるのは，犯罪が発生したことを被害者が気づかないこともあれば，被害者が犯罪が発生していることを認知しながらも，何らかの理由により警察に届けを出さない場合もある。あるいは，警察が被疑者を検挙することができない場合もある。

　犯罪が認知され，しかも被疑者が明らかにされたとしても，必ずしも事件が検察官のもとに送られるとは限らない。すなわち，警察は，被害がわずかな窃盗のように軽微な事件については，これを検察官に送致しないですますこともできる。これを微罪処分という（刑事訴訟法246条但書）。また，事件が送検されたとしても，必ず検察官が起訴するものでもない。検察官には，犯罪の嫌疑があり，起訴すれば有罪となるほどの証拠がそろっていても，「訴追の必要がない」として不起訴にして起訴猶予処分を行う権限が認められている（刑事訴訟法248条（起訴便宜主義））。

　さらに手続がすすみ，起訴され有罪判決が下されるときでも，必ずしも実際に刑務所に送る判決となるとは限らない。裁判所は，懲役や禁錮の刑を言い渡す場合でも，刑の執行を猶予し犯人を刑務所に収容することなく社会の中で立ち直るチャンスを与えることができる（刑法25条以下）。また，仮釈放といって刑期の途中で一定の条件のもと出所することも認められている（刑法28条）。

　これら微罪処分，起訴猶予，執行猶予，仮釈放という制度は，一種のダイバージョン（刑事司法制度の回避）として刑事司法制度の負担を軽減するという側面をもつ。

　しかし，別の見方をすれば，警察官，検察官，裁判官等には，刑事司法手続にのせたり回避したりすることによって，犯罪行為の「ふるいわけ」を行う権限が認められているということを意味する。問題は，これらの「ふるいわけ」は，いかなる基準でどのように行われているか，である。

━━━━━━━━━━━━━━━━━━━━━━━━━━━━━━━━━━━━━
【展開講義 18】　わが国の刑事手続の特色

　いかなる行為を犯罪とし，いかなる刑罰を科すか。刑事司法手続のあり方は，その国の文化や国民性を映す鏡である。わが国の刑事司法手続にはどのような特

徴があるのだろうか。

　その特徴としてあげられるのは，検察官の権限と影響力の強さである。捜査段階で徹底的な事実の究明が行われ，検察官は十分な証拠固めをした上で，確実に有罪判決が得られる事件のみを起訴する。それゆえ，有罪率は99％を超え，無罪率はきわめて低い。これは，見方をかえれば多くの事件は起訴されない，すなわち起訴猶予の割合が高いということを示している。起訴猶予の割合は約4割に及ぶ。

　確かに，検察官に起訴の裁量権を認めることは，刑事政策的に見れば，起訴によって犯罪者扱いされるという危険を避けるといった側面もあり，またいたずらに前科者というレッテルを貼らないという点においても，重要な役割を担ってきたといえるだろう。

　しかし，反面訴追され処罰されるべき事件が訴追・処罰されずにきたこともまた否定できない。確かに制度的にはこれを補うために，告訴をした被害者等に対する起訴・不起訴処分の通知制度，不起訴処分の当否を事後的に検討する検察審査会の制度があるものの，はたして十分機能しているかとの疑問の声もある。本来，有罪か無罪かの判断は公判によって裁判官によって決められるべきであるのに，むしろ検察官の判断を裁判官が追認するにすぎないことになってしまい，公判手続が形骸化してしまうという問題もある。また，公判を維持できるに足る十分な証拠固めを行うという検察官の姿勢は，警察の捜査段階における証拠収集のあり方にも影響を及ぼしてきた。それは，時に厳しい捜査を招いたり，時に証拠が不十分であるという理由で告訴を取り上げてもらえないといった事態も引き起こしてきたのである。

　その影響を受けてきたのは，ドメスティック・バイオレンスや強姦の被害を受けてきた女性たちであった。これらの女性の多くは，証言が信用できないと言われ，被害届を受理してもらえなかったり，あるいは事件とは関係のない個人的なことを根掘り葉掘り聞かれるといった被害を受けてきた。刑事司法手続の入り口のところで門前払いを受けてきたのである。

2　女性と犯罪

◆　　**導入対話**　　◆

女子と少年

学生A：なんかよくわからないわぁ。これどういう意味かしら？

学生B：どうしたの？

学生A：今，犯罪白書を見ているんだけど，「女子少年」という言葉が出てくるの。女の子に少年なんて変だと思わない？

学生B：ほんとうだ。そういえば，「少年院」には女の子は収容されないのかな？　あれ，こっちには「女子刑法犯」という言葉があるよ。

学生A：でも，これは，「女子」と書いてあるけど，刑法に違反した犯罪を行った成人の女性をさしているのじゃないかしら？

教師：面白いところに気がつきましたね。「女子」「男子」は，統計上，性別の分類を示す言葉として用いられているのよ。だから，大人にも子どもの場合にも使われるの。それから，あなたたちも「少年法」という言葉を知っているでしょ？　少年法では「少年とは，20歳に満たないものをいう」（2条1項）と定義しているの。つまり「少年」とは性別を表しているのではなくて，大人に対する子どもと同じように，成人に対する対概念として用いられているの。だから，20歳未満の少女が犯罪を行ったら「女子非行少年」となるわけ。

学生A・B：へぇー，なんか変……。

2.1　統計から見た女性犯罪

　刑事政策や犯罪学の教科書，犯罪白書を広げると，「女性犯罪」という項目はあるが，「男性犯罪」という項目は存在しないことに気づく。「女性と犯罪」の問題は，これまで男性とは異なる特徴を有するとして，きわめて特殊で別個な領域として扱われてきたのである。しかし，はたして女性による犯罪には，男性とは異なる特徴があるのだろうか。

(1)　犯罪発生率

　7－2図は，刑法犯全体，一般刑法犯全体，男女別に関する各の検挙人員，および女子比の推移を示したものである。これによれば，男子一般刑法犯検挙

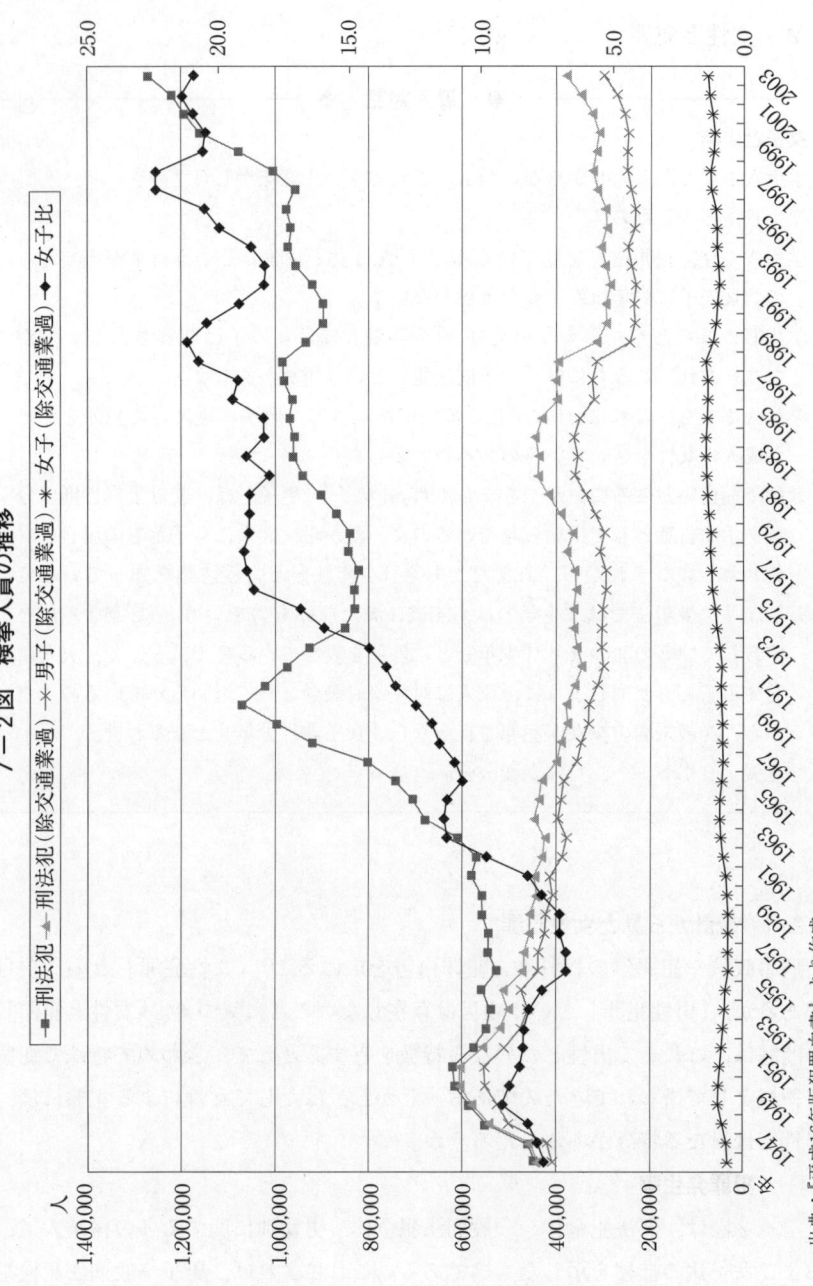

176　第7章　刑事司法とジェンダー

7－2図　検挙人員の推移

凡例：■ 刑法犯　▲ 刑法犯（除交通業過）　※ 男子（除交通業過）　× 女子（除交通業過）　◆ 女子比

出典：『平成16年版犯罪白書』より作成

2 女性と犯罪　177

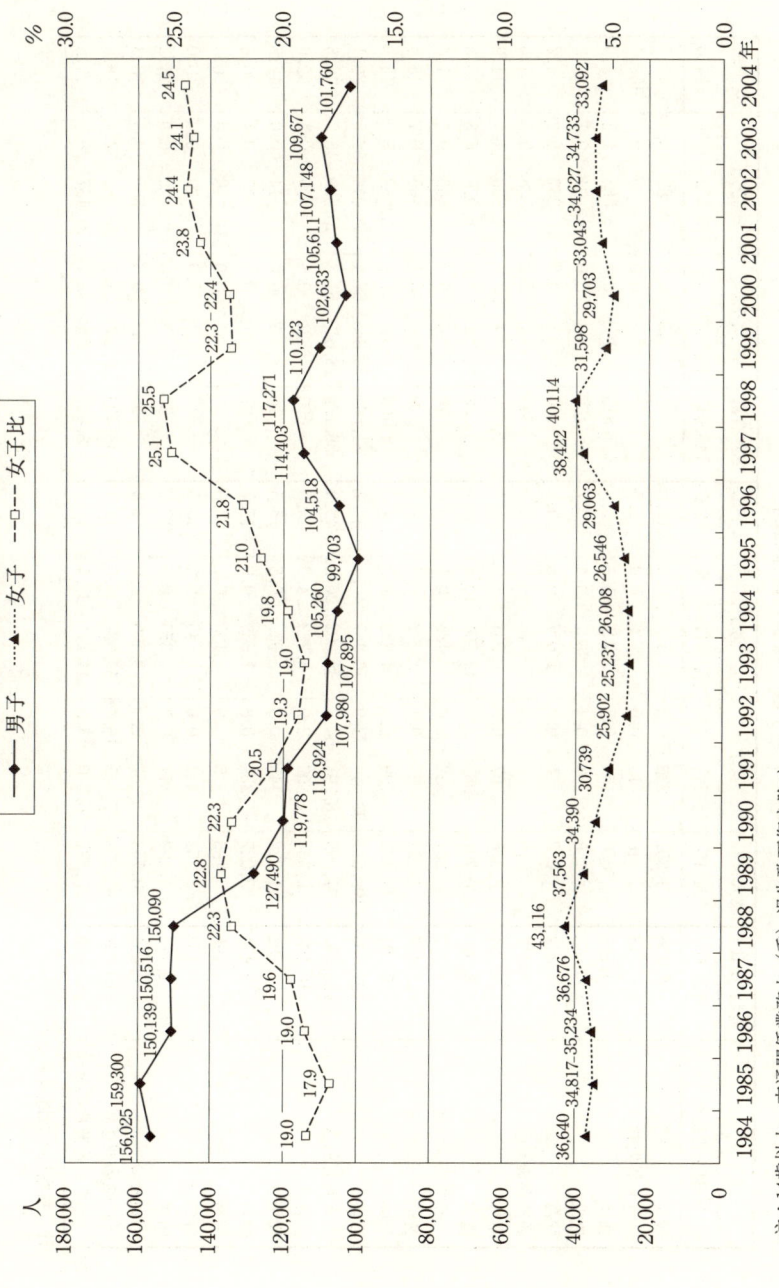

7-3図　刑法犯少年の男女別検挙人員の推移

――◆―― 男子　┄┄▲┄┄ 女子　――□―― 女子比

年	男子	女子	女子比
1984	156,025	36,640	19.0
1985	159,300	34,817	17.9
1986	150,139	35,234	19.0
1987	150,516	36,676	19.6
1988	150,090	43,116	22.3
1989	127,490	37,563	22.8
1990	119,778	34,390	22.3
1991	118,924	30,739	20.5
1992	107,980	25,902	19.3
1993	107,895	25,237	19.0
1994	105,260	26,008	19.8
1995	99,703	26,546	21.0
1996	104,518	29,063	21.8
1997	114,403	31,598	22.3
1998	117,271	38,422	22.4
1999	110,123	40,114	23.8
2000	102,633	33,043	24.4
2001	105,611	34,627	24.1
2002	107,148	34,733	24.5
2003	109,671	33,092	25.5
2004	101,760	29,703	—

注：14歳以上。交通関係業務上（重）過失致死傷を除く。
資料：警察庁生活安全局「少年非行等の概要」

178　第7章　刑事司法とジェンダー

7－1表　検挙人員罪名別
(平成15年)

	総数(全体)	成人合計	女子	%	男子	%	女子比	少年合計	女子	%	男子	%	女子比
刑法犯総数	379,602	234,184	44,743	19.1	189,441		19.1	145,418	34,846		110,572		24.0
殺人	1,456	1,361	239	0.5	1,122	0.6	17.6	95	13	0.0	82	0.1	13.7
うち嬰児殺	18	16	10	0.0	6	0.0	62.5	2	2	0.0	0	0.0	100.0
強盗	4,698	2,880	154	0.3	2,726	1.4	5.3	1,818	150	0.4	1,668	1.5	8.3
放火	866	758	157	0.4	601	0.3	20.7	108	14	0.0	94	0.1	13.0
強姦	1,342	1,082	5	0.0	1,077	0.6	0.5	260	3	0.0	257	0.2	1.2
凶器準備集合	419	76		0.0	76	0.0	0.0	343	5	0.0	338	0.3	1.5
暴行	10,124	8,398	367	0.8	8,031	4.2	4.4	1,726	206	0.6	1,520	1.4	11.9
傷害	28,999	20,791	987	2.2	19,804	10.5	4.7	8,208	1,229	3.5	6,979	6.3	15.0
うち傷害致死	277	207	22	0.0	185	0.1	10.6	70	1	0.0	69	0.1	1.4
脅迫	1,457	1,328	55	0.1	1,273	0.7	4.1	129	24	0.1	105	0.1	18.6
恐喝	8,531	4,422	199	0.4	4,223	2.2	4.5	4,109	557	1.6	3,552	3.2	13.6
窃盗	191,403	109,511	33,044	73.9	76,467	40.4	30.2	81,892	23,848	68.4	58,044	52.5	29.1
うち万引き	105,792	67,083	28,791	64.3	38,292	20.2	42.9	38,709	18,049	51.8	20,660	18.7	46.6
詐欺	10,194	9,504	1,302	2.9	8,202	4.3	13.7	690	221	0.6	469	0.4	32.0
横領	1,088	1,072	145	0.3	927	0.5	13.5	16	2	0.0	14	0.0	12.5
偽造	2,124	2,027	358	0.8	1,669	0.9	17.7	97	20	0.1	77	0.1	20.6
汚職	195	195	5	0.0	190	0.1	2.6			0.0	0	0.0	0.0
背任	52	52	7	0.0	45	0.0	13.5			0.0	0	0.0	0.0
わいせつ	1,725	1,692	317	0.7	1,375	0.7	18.7	33	8	0.0	25	0.0	24.2
賭博	4,161	3,763	57	0.1	3,706	2.0	1.5	398	13	0.0	385	0.3	3.3
その他の刑法犯	110,768	65,272	7,345	16.4	57,927	30.6	11.3	45,496	8,533	24.5	36,963	33.4	18.8
うち占有離脱物横領	89,358	50,481	6,240	13.9	44,241	23.4	12.4	38,877	7,690	22.1	31,187	28.2	19.8

注：警察庁の統計による。

人員推移と一般刑法犯全体の検挙人員の推移はほぼ平行な動きを示している。これに対し女子一般刑法犯検挙人員は，1993年以降増加傾向にあり，1998年をピークに減少しているものの，大筋においてはほぼ一定の動きを示しており，15年は前年より増加している。検挙人員における女子比（男女総数に対する）は，過去最高の数字を示した1998年においても22.4％であり，1980年代後半に20％を超えて以来，ほぼ20％前後で推移している。少年刑法犯の検挙人員の場合も成人と同様，女子比の割合はおおむね20％前後を推移している（7－3図）。

(2) 女性犯罪の罪名別特性

7－1表は，一般刑法犯主要罪名別の検挙人員の構成比と女子比を示している。成人女子の罪名別検挙人員をみると，その大半を占めるのが窃盗である。特に，窃盗の9割近くは万引きである。女子少年の罪名別検挙人員も同様に，窃盗の示す割合が圧倒的に多く約7割を占めている。

女子比が高い罪名は窃盗の30.2が最も高い。ついで放火，殺人となっている。殺人のうちの嬰児殺（満1歳以内の乳児の殺害を指す）についてはほぼ女子によるものである。児童虐待で検挙された者の中では，実母の数が最も多く58人（31.7％）となっている。

特別法犯（刑法以外の刑罰を定めた法律をまとめて特別刑法とよび，これに違反した犯罪を特別法犯という）で最も多いのが道路交通法違反等交通関係法令違反であるが，それらを除いた場合の成人女子特別法犯の数は11,182人（女子比15.2）である。このうち覚醒剤取締法違反の2,775人が最も多く，ついで入国管理法違反（2,339人），毒劇法違反（1,620人）となっている。女子比は売春防止法違反が最も高く32.4，ついで毒劇法違反29.2，となっている（いずれも平成15年の数字）。

交通関係法令を除く特別法犯は女子少年全体の数は2,091人，女子比30.9であり，そのうち毒劇物取締法違反，なかでもシンナー等の乱用事犯の数が最も多く1,223人（女子比43.1），ついで覚醒剤取締法違反が313人（女子比59.7）であり，薬物に関する犯罪だけで約8割を占めている（いずれも平成15年の数字）。

さて，少年の場合，成人の場合とは異なり，犯罪を行った場合だけでなく，虞犯と呼ばれる行為を行った場合も，国家による介入の対象となる。虞犯とは，

7-4図 虞犯による家庭裁判所終局処理人員及び女子比の推移

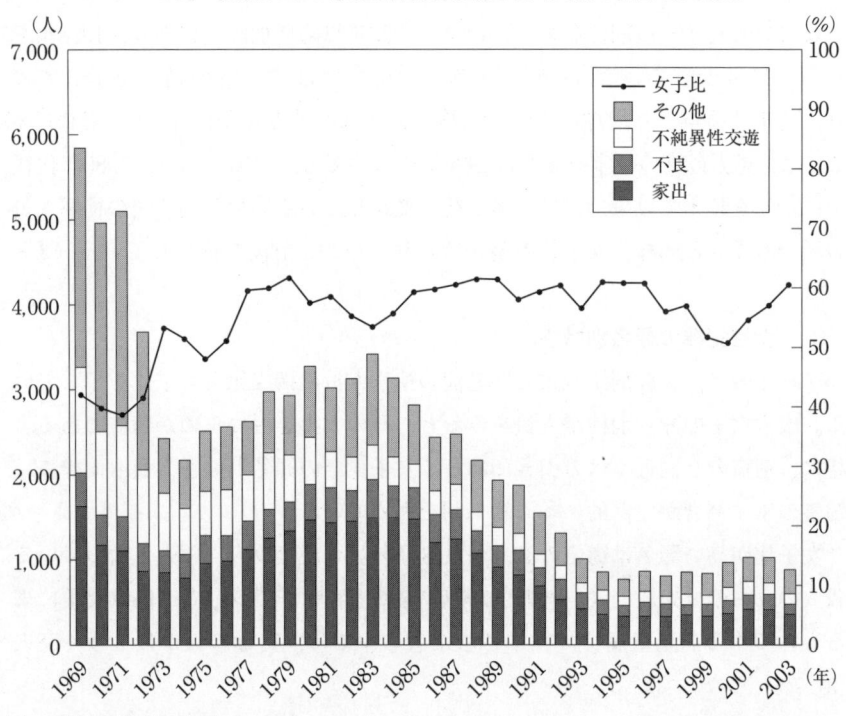

注　司法統計年報による。

将来罪を犯し，または刑罰法令に触れるおそれのある行為（少年法3条1項3号）をいう。少年たちが犯罪を犯すことのないよう，予防的な観点から行われる国家による介入である。具体的には，家出や不良交友，怠学などのほか，例えば覚醒剤などの薬物を使用しているが，証拠がつかめないといった場合も含まれる。

女子非行少年の特徴を最も示しているものは，虞犯の多さである。虞犯の家庭裁判所終局処理人員の数は，ここ数年1,000人前後で推移しており，平成15年の場合884人，そのうち女子少年の占める数は535人である。虞犯の内容としては家出，不純異性交遊などの割合が高い（7-4図）。

(3) 女性犯罪者の処遇

7-5図は，交通関係業過および道交法違反を除いた事件の起訴猶予率・仮

2 女性と犯罪　　181

7－5図　男女別起訴猶予率・仮出獄率

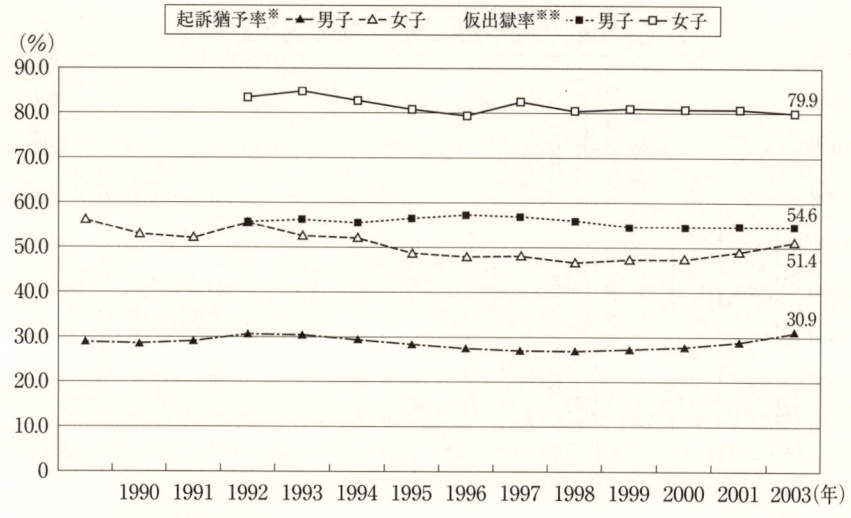

起訴猶予率※ ─▲─男子 ─△─女子　　仮出獄率※※ ┄■┄男子 ┄□┄女子

(グラフ値: 仮出獄率男子 79.9、仮出獄率女子 54.6、起訴猶予率女子 51.4、起訴猶予率男子 30.9)

注　※1　検察統計年報による。
　　　2　交通関係業過及び道交違反を除く。
　※※1　矯正統計年報による。
　　　2　「仮出獄率」
$$=\frac{\text{仮出獄人員}}{\text{仮出獄人員＋満期釈放人員}}\times 100 \text{である。}$$

7－6図　少年院入院者男女別人員の推移

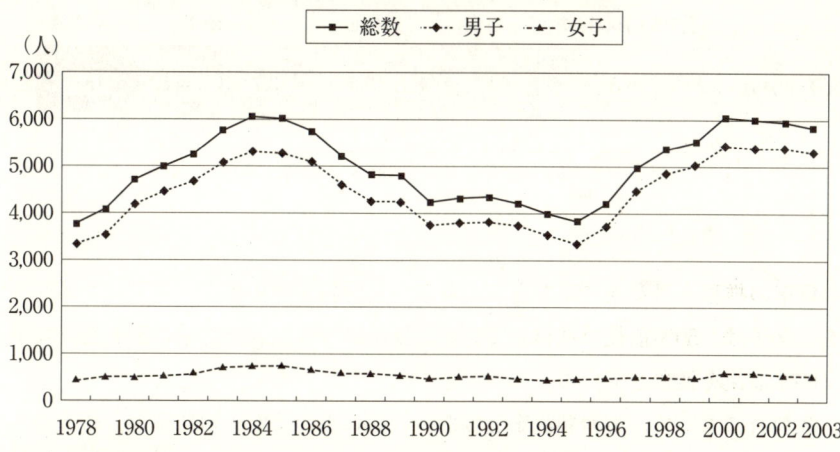

─■─総数　─◆─男子　─▲─女子

注　少年矯正保護統計，少年矯正統計年報及び矯正統計年報より作成

7−7図 少年院の男女別収容状況

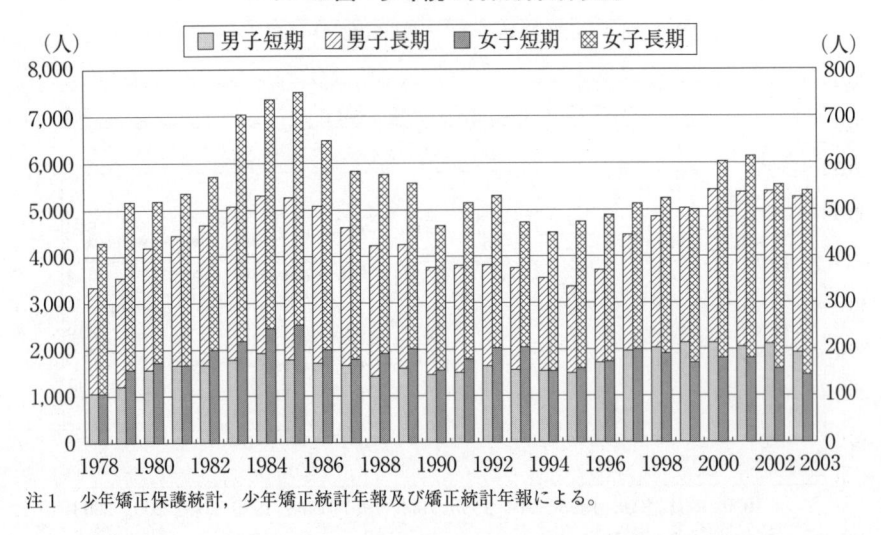

凡例: 男子短期 / 男子長期 / 女子短期 / 女子長期

注1 少年矯正保護統計，少年矯正統計年報及び矯正統計年報による。

7−8図 少年院新入所者男女別・非行別構成比

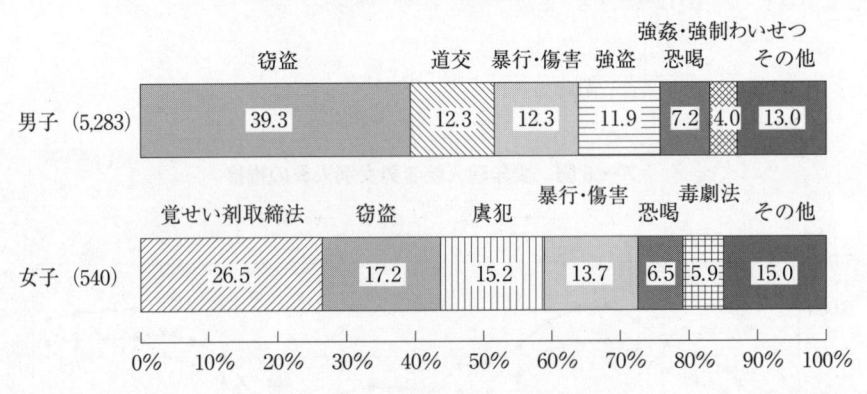

男子（5,283）: 窃盗 39.3 / 道交 12.3 / 暴行・傷害 12.3 / 強盗 11.9 / 強姦・強制わいせつ 恐喝 7.2 / 4.0 / その他 13.0

女子（540）: 覚せい剤取締法 26.5 / 窃盗 17.2 / 虞犯 15.2 / 暴行・傷害 13.7 / 恐喝 6.5 / 毒劇法 5.9 / その他 15.0

出獄率の推移を男女別に見たものである，起訴猶予率の場合，男子は30％前後を，女子は，50％前後で推移している。仮出獄率の場合，男子は50％台，女子は80％前後を推移している。

　裁判所において，有罪判決を受けた者の数に占める女子の比率は，約6％であり，そのうち初犯者の比率は，男子は30％で推移しているのに対し，女子は

70％で推移している（司法統計年報による）。

　ただし女子の起訴猶予率は高いものの，実は女子刑務所は，2003年12月末現在ですべての施設で120％を超えており，過剰収容状態にある。女子受刑者の罪名のうち最も多いのは覚醒剤事犯であり，受刑者は全体の38％を占めている。女子刑務所における過剰収容の主な原因は，この覚醒剤事犯の増加に起因するものと見られている。

　また，少年院への収容者は男子が増えているが，女子の場合は一定の割合で推移している（7－6図）。女子に関しては収容期間が長期化傾向にあることがわかる（7－7図）。非行名では男子は窃盗が最も多く，道交法違反，暴行・傷害となっている。これに対し女子の場合は，覚せい剤取締法違反，窃盗，虞犯の順となっている（7－8図）。

2.2 女性犯罪の特徴

　こうした統計に表れた数字から，これまで女性による犯罪の特徴として指摘されてきたのは以下の点である。

(1) 女性による犯罪の発生率は男性に比べきわめて低い。
(2) 女性による犯罪の大半は軽微なものである。
(3) 女性による犯罪は家庭や性に関わる犯罪が多く，女性に特有な犯罪というものがある。
(4) 女性は刑事司法過程において有利な取扱いを受けている。

　しかし，これらの数字を前提として，女性犯罪の特徴を導くことは妥当なのだろうか。

3　ジェンダー・バイアスって？

───── ◆　導入対話　◆ ─────

無罪になった強姦

学生A：ひどいわ，どうして強姦罪が認められないのかしら。

学生B：なに怒っているの？

学生A：今判例*を読んでいたの。友だちと一緒に行ったディスコで，男性とその友だちから声をかけられて，みんなで食事をしたりゲームをした後，送っていくといわれて乗った男性の車の中で事件が起こったの。女性は強姦され，そのときケガをしたと証言しているのだけど，男性は合意があったと主張し，結局，男性の主張が認められて男性は無罪になっているの。

学生B：だいたい知り合ったばかりの男性の車に一人で乗るなんて軽率だよ。

学生A：被害者である女性に落ち度があるって言うの？　それに，この裁判では，女性の職業や経歴，さらに服装が派手だとか，どんなビデオを借りているとかそんなことまで問題とされているのよ。こういうことがどうして強姦の成否と関係があるのかしら？

教師：Aさんが怒るのも当然ね。日本では強姦罪の成立を判断する際，被害者側の落ち度や抵抗したかどうかで判断されてしまうケースが多いことが問題なんですよ。今回の事例のように，初対面の人たちと夜遅くまでお酒を飲んだりゲームをして騒いだり，一人で男性の車に乗ったりしたら，女性の側に落ち度があったとみなされてしまうことが多かったりね。

学生B：でも，ほんとうに女性がいやだと抵抗したら強姦なんてできないんじゃないの？

学生A：そうかなあ……。こわくて金縛りのような状態になってしまう場合だってあるわ。被害者の女性は，ただでさえ強姦というつらい思いをしているのに，どうして裁判でもこんなにいろいろなことを根掘り葉掘り聞かれなければならないのですか？　裁判ってもっと公平なものだと思っていたのに……

教師：ちょっとこの問題については議論する必要がありそうですね。

　　　＜※東京地判平成6年12月16日判時1562号141頁＞

3.1 刑事司法におけるジェンダー・バイアスの発見

1993年6月,『女性の権利は人権である』というスローガンの下,世界人権会議がウィーンで開催された。このウィーン人権宣言は,人権の問題に,はじめてジェンダーという視点を導入したという点で画期的といわれる。

さらに,1995年の北京世界女性会議では,あらゆる政策や計画にジェンダーの視点を反映すること,すなわち,ジェンダーのメインストリーム化を明確に打ち出した「行動綱領」が採択された。とりわけ,そこでは,「女性に対する暴力」が,「人権」,「貧困」とともに最重要課題の一つとされ,国家に対する責任についても,これまでより一歩踏み込む形で,被害者への補償と加害者処罰のための立法措置をとることを各国政府に要求している。1999年に施行された男女共同参画社会基本法,2001年に施行されたDV防止法(配偶者からの暴力の防止及び被害者の保護に関する法律)は,まさにその一つの現われであるといえよう。

そして同時に,ドメスティック・バイオレンス,強姦等,女性に対する暴力の問題は,ジェンダーという視点から刑事司法を見直すきっかけとなった。その結果,公正で中立なものであると思っていた司法過程には,実は多くのジェンダーバイアスを内包しているのだという事実が明らかになったのである。

このような視点に立って,2.2で述べた女性による犯罪の特徴と指摘されてきた事柄について,2.1で取り上げた統計を踏まえながら,刑事司法におけるジェンダー・バイアスの問題について検討を加えていくことにしよう。

3.2 刑事司法にみられるジェンダー・バイアス

(1) 女性犯罪者はわき役?

成人も少年の場合も,検挙人員における女子比はほぼ20%前後で推移している。統計の数字を見る限り,女性は人口の約半数を占めるにもかかわらず,犯罪の分野では男性の水準に及ばない。なぜ女性による犯罪は少ないのか。

これについては,従来よりさまざまな角度から説明がなされてきた。たとえば生物学的な見地からは,女性は受動的であることや体力がないことがその理由であるとされ,また社会学的な見地からは社会における性役割の差に求める考えが有力である。すなわち,女性の活動の場所は家庭という比較的保護された地位にあることが犯罪を少なくしている原因だとするのである。

しかし，殺人に関していえば，必ずしも体力は必要ではない。また，女性の社会的進出と女性の犯罪の増加との関連が議論されたが，かつてに比べ女性の就労機会が増え，その活動範囲が広がった今日においても，女性による犯罪の割合は大きく変化していない。

問題とすべきは「女性による犯罪の少なさ」は，このように，「女性は弱い」「女性は受動的だ」「男は仕事，女は家庭」という考えと結びつけて説明されてきた点にある。とりわけそうした説明は，もともと人々が持っていた女性に対するステレオタイプ的イメージや偏見と結びつき，それを助長するという役目も担ってきた。

その結果，本来犯罪のイメージとはほど遠い従順で女らしいはずの女性が，犯罪を行ったということにより，女性犯罪者は例外的な女性というレッテルを貼られてしまうことになった。そればかりではない。犯罪はきわめて男性的な事象とみなされることにより，女性犯罪は例外的な事象として周縁においやられ，女性犯罪者は男性犯罪者とは異なるものとして扱われることになってしまった。女性犯罪者は，女性としても，犯罪者としても例外的な地位に置かれてしまったのである。

しかし，男性による犯罪が多いということは，犯罪者＝男性ということを意味するものではない。もし，女性による犯罪が少ないということが女性犯罪の特徴であるというならば，男性による犯罪が多いというのは，同様な意味において，男性犯罪の特徴にすぎないのである。

(2) 刑事司法過程は女性に甘い？

統計上，一般に女性は，刑事司法の諸段階において緩やかな刑罰を科せられ，検挙，起訴，公判手続における判決と刑事手続がすすむにつれ，女子比は低くなる。確かに，刑事手続の各段階において女子は男子より軽い処分を受ける傾向にあるといえよう。

有名な犯罪学者ポラック（Pollak）は，この理由を「騎士道精神の現れ」と称した。すなわち，女性の犯罪性は男性と変らず，法違反行為も男性と同様に行われているのであるが，暗数となる部分が多く，また男性は女性を非難することを嫌い，男性社会において女性はとくに寛大に扱われるため，現象的に犯罪が少なく見えるに過ぎない，と説明したのである。

これについては，すでに多くの研究者によって指摘されているように，その理由として，男性と女性の犯す犯罪の罪質による相違，すなわち，女性の犯す犯罪の大半が，悪質重大事犯ではなく財産犯に代表されるような軽微な犯罪（しかも大半が万引き）であること，また女性は犯罪の首謀者というよりも共犯者である場合が多いことが挙げられる。そして，このことから，男性による犯罪に比べ深刻ではないこと，女性による犯罪は，男性の犯罪と比べ社会秩序に対する深刻な脅威とは見なされていないがゆえに，厳しく統制されないのだという指摘が導かれることになる。

　少年審判の場合はもっと複雑な様相を呈する。家庭裁判所における少年一般保護事件の終局処理総人員において，刑事処分相当を理由とする検察官送致（いわゆる逆送）や少年院送致の割合は低いことが指摘されている。確かに，こうした数字は，女子少年は男子少年より緩やかな取扱いを受けていることを示している。

　しかし，少年院収容者の収容期間について比較してみると，長期処遇を受けている女子少年の割合の方が高い。少年院の収容期間は，6カ月を限度とする短期処遇と原則2年以内とする長期処遇とに分けられる。女子の場合，70％が長期処遇となっており，男子の場合は60％であるのに比べ，収容期間は長期化傾向にあることを示している。ところが，非行名について比較すると，男子少年は刑法犯の占める割合が圧倒的に多く，女子は覚醒剤取締法違反の占める割合が高いが，男子に比べ虞犯の割合が高い。すなわち，女子少年による非行行為は，法的には犯罪とはいえない不純異性交遊や家出等の虞犯行為であるにもかかわらず，男子少年に比べ厳しい措置が講じられていることがわかる。その理由は，こうした女子少年の多くは，家庭や学校での適応状況に問題があるため，放置すると，性産業などに取り込まれ，覚醒剤の使用等に染まっていく危険性が感じられるためと説明される。すなわち，「保護」の名の下にこうした措置が行われているのである。女子刑務所における覚醒罪事犯受刑者の多さも，こうした傾向の表れといえるだろう。

(3) **女子刑務所はみんないっしょ？**

　女子受刑者は，男子受刑者に比べその数が少ないことから，施設数が少なく，さまざまな不利益を被っている。第1に，自己の居住地からはかなり離れた場

所での刑の執行を受けている。そのため、家族の面会が容易でなく、施設職員が受刑者の社会復帰の準備をするために、帰住先である地域社会との調整を図ることに困難が生じている。第2に、男子刑務所では行われていない異級混禁状態の処遇となっている。すなわち、そこでは、男子受刑者のように、処遇分類級にもとづいた各人にふさわしい処遇と施設を与えるという配慮はなされておらず、また施設ごとの特殊・専門化も実施されておらず、A級（犯罪傾向が進んでいない者）もB級（犯罪傾向が進んでいる者）も、懲役囚も禁錮囚もいっしょに収容されていることを意味する。第3に、女子には社会復帰の橋渡しとなる中間的処遇施設がない。

　こうした実質的な不平等も看過することはできないが、それ以上に問題なのは、女子受刑者に期待されている役割像である。家庭生活の知識と技術の習得、教養と趣味を身につけさせるということが、女子刑務所において特に重視すべき重点事項として掲げられている（『平成4年版犯罪白書』302頁）。具体的に提供されているものとして、前者については調理、家事サービス、洋裁、美容、後者については、短歌・俳句、茶道、生け花、コーラスなどのクラブ活動が行われている。まさに、家事や子育てを女性の役割とする古い固定観念を前提としており、女性に対するステレオタイプをあらわすものに他ならないだろう。しかしながら、近年、男女共同参画社会の実現や福祉サービスの拡充が求められていることを背景に受け、女子受刑者に対する職業訓練の中にフォークリフト運転科、介護サービス科（ただし、これについては男子にも設けられてよいだろう。）などが設けられるようになった（『平成16年版犯罪白書』326頁）。

　いずれにせよ、重要なことは、出所後独立して生活でき、出所後の雇用に直結するような作業や訓練を行うべきである。その意味で、全体としてこうした機会が男子受刑者に比べて少ないことは、社会復帰の可能性がすでに処遇制度の中で限定されているといえるであろう。

(4) **犯罪は見知らぬ人によって、路上で起こっている？**

　多くの人は、「犯罪は見知らぬ人から行われ、路上で起こっている」という固定観念に縛られている。ところが、実際は決してそうではない。

　むろん、窃盗や強盗といった犯罪の大多数は見知らぬ人によって行われているものの、交通業過を除く刑法犯の約3割は、何らかの顔見知りによる犯行で

ある。とくに,殺人,傷害の場合,顔見知りによる犯行が多く,その割合はそれぞれ85%,53%と高い割合を示している(『平成16年版犯罪白書』176頁)。女性が被害者となる可能性が高い強姦事件やストーカー事件の場合も,顔見知りの犯行であることが少なくなく,ドメスティック・バイオレンスの場合は夫や恋人が加害者となることはいうまでもない。しかも,それらの犯罪の加害者の大半は,茂みや路上でナイフをもっていきなり現われるわけではなく,家庭や自宅など日常の生活の場で第三者の目に触れることなく行われていることが多い(宮園久栄「なぜ強姦被害者は告訴しないのか」『事例で学ぶ司法におけるジェンダー・バイアス』257〜259頁)。

しかしながら,このような固定観念に縛られているのは一般の人だけでない。警察官や裁判官も,こうした犯罪に対する理解は一般の人とほとんど同じ程度である。それゆえ,警察に通報してもかけつけてもらえず,被害を訴えても夫婦喧嘩や痴話喧嘩とみなされてしまう。強姦事件の認定においても,知人,それも信頼する人から,武器も用いずに強姦され,身体に傷も残っていないという被害者の証言を裁判官は信じることはできないのである。

4 ポルノと女性差別

4.1 女性に対する人権概念の高まり

ポルノの規制は,現行法では175条のわいせつ物頒布罪で行われている。それゆえ,刑事司法の分野においてポルノは,主に猥褻概念との関連から語られてきた。しかし,女性に対する人権概念の高まりと共に,ポルノにおける女性の描かれ方,すなわちそれが何を象徴しているか,それが社会にいかなる影響を与えるかという観点から,ポルノの問題点を指摘する声が上がってきたのである。

ポルノへの法的対応を議論すると,すぐさま「憲法の保障する表現の自由が侵害される」という反論が聞こえてきそうだ。ポルノとは何かという定義はひとまず置いておこう。ここで問題としようとしているのは,ポルノは「表現」であるかもしれないが,ときに女性に対する差別や虐待を助長する「行動」となり得るのだという点である。男女雇用機会均等法21条が,職場にヌード写真

7-9図　ビデ倫受審作品数，暴力的性犯罪指数，一般的暴力的犯罪指数の推移

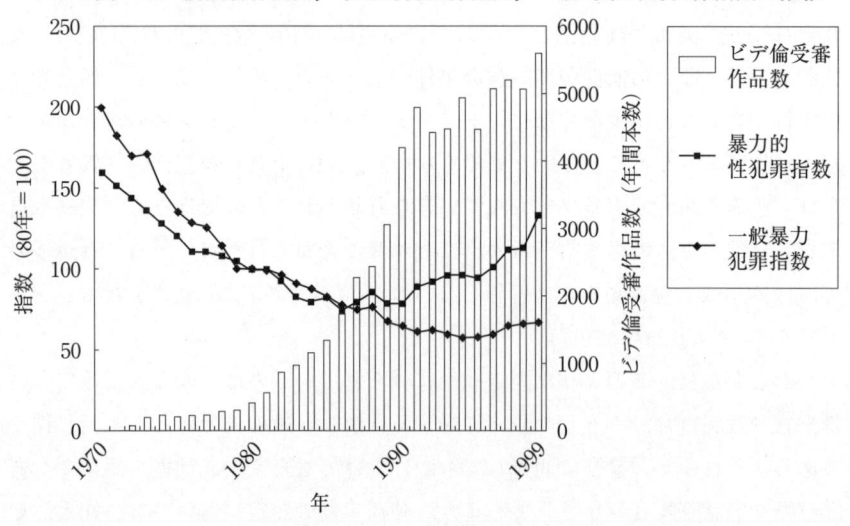

(資料出典：ポルノ・買春問題研究会論文・資料集 Vol.3，8頁より)

を飾ったりすることを，「環境型」と呼ばれるセクシュアル・ハラスメントの一つの類型と位置づけたのは，こうした視点に立ったものといえるだろう。

　また，2003年内閣府が行った「配偶者等からの暴力に関する調査」でも，「見たくないのに，ポルノビデオやポルノ雑誌を見せる」という行為を夫婦間で行われた場合に，どんな場合でも「暴力」にあたると答えた人の割合は，約半数を占めている。その割合は，1999年に実施した同調査の時より10ポイント近く増加している。

　ポルノを女性に対する暴力の一つと見なす人が増えつつあることを示唆する数字と言えるだろう。

4.2　ポルノと犯罪

　7-9図は，日本でのアダルトビデオの普及と暴力的犯罪（強制わいせつ・強姦の合計）の報告件数との関係をグラフにしたものである。これによれば，アダルトビデオの普及に伴い，暴力的性犯罪が増大傾向にあることを示している。

　最近，行われた強姦および強制わいせつ事件を対象とした被害調査の中でも，性犯罪を行った被疑者に対して，「アダルトビデオを見て自分も同じことをし

てみたかった」という意識の有無を質問した結果，全体の33.5%の者がこの意見を肯定したことが報告されている。罪種別では強姦（40.6%），少年・成人別では少年（49.2%）にこの傾向が顕著に示されたという（内山絢子「性犯罪被害の実態——性犯罪被害者調査をもとにして」警察学論集53巻6号，2000年，163頁）。

　ポルノと犯罪との関わり合いについてはこれまでも議論の対象となってきた。ある者は，ポルノはカタルシス効果をもつので性犯罪の防止に役立つと主張し，またある者は「ポルノによって犯罪を学習する」「ポルノによって性的感情が誘発され，犯罪が行われる」と主張する。それらの多くはポルノと性犯罪との因果関係に関する議論であった。この点にのみに議論が集中すると，では「犯罪を誘発しなければポルノには実害がない」という結論に短絡しやすい。

　しかし，必要なのは，「性表現の自由によって具体的にどのような個人の尊厳への侵害がもたらされるかという観点からの検討」であろう。常岡は，このような観点からポルノが女性にもたらす「実害」についてのアメリカの議論を紹介している（常岡(乗本)せつ子「ポルノ規制——表現の自由から違憲でいいか？」法学セミナー503号，1996年，54～57頁）。

　第1に，ポルノグラフィはそれ自体女性差別的な表現であり，ポルノグラフィを見ることによって，女性差別意識を形成・強化し，社会生活における女性の地位を低下させる。

　第2に，ポルノグラフィは性的暴力を悪とする感覚を麻痺させ，その結果，女性に対する性犯罪や侮辱的な性的行為を誘発する。

　第3に，ポルノグラフィが作成される過程で，モデルとなった女性に性的虐待などの精神的・肉体的苦痛が与えられる。

　第4に，ポルノグラフィは，女性を人格を備えた人間としではなく，モノとして取り扱うことにより，女性の人間性を傷つけるという心理的暴力を行使する。

　強姦，強制わいせつだけでなくドメスティック・バイオレンス，ストーカー事件の背景にもポルノがかかわっていることは少なくない。そこにおいてポルノはどんな役割をはたしたのか。こうした犯罪の認定においても，ポルノと犯罪との因果関係を問題とするだけでなく，ポルノは女性の尊厳を傷つけ，女性

に対する暴力となり得る場合もあるのだという視点が、刑事司法においても求められているのではないだろうか。

【展開講義 19】　ポルノと犯罪

　強制わいせつや強姦といった犯罪の背景に、ポルノが存在していることを認めた最近の判例には、以下のものがある。

　① 名古屋高判平成10年3月16日　強姦を目的に複数の女子中学生を襲い同女らに対し傷害を負わせ、7歳の少女に対し強制わいせつを行い、その後殺害し死体を遺棄した事件において、本件犯行は被告人の性的倒錯および分裂病型人格障害の傾向によるとし、こうした性倒錯の傾向と分裂型人格障害の度を深めていったのは、自室に引きこもりポルノ雑誌やビデオを見ていたことに起因すると認めた事例。

　② 福岡家決平成1年2月27日　路上において少女（当時16歳）をナイフで脅し強姦の目的で襲った事件において、少年が犯行前夜、友人たちとホテルで見たポルノ映画の刺激を受け犯行に及び、少女に対しポルノ映画で見たシーンを行わせたことを認めた事例。

　③ 東京高判昭和56年1月26日　路上においてわいせつ目的で女性を襲った事例において、本件犯行当日映画館で見たポルノ映画が間接的に本件犯行に影響を及ぼしたとした事例。

　④ 東京地判昭和62年12月18日判時1275号41頁、東京高判昭和63年6月9日判時1283号54頁　俗にホテトル嬢と呼ばれる職業に就いていた女性が、暴力的で異常な性行為を強要した男性客を殺害してしまった事例（ただし、男性はその行為をビデオで撮影しており、裁判所は証拠として採用された録画テープそのものをわいせつと認定し、また男性客の行為は「常軌を逸する」と認めているが、用意周到に準備され行われたそれらの行為の背景にあると思われるポルノの影響については、言及していない）。

　強姦や強制わいせつという犯罪は性的な行為であると同時に、暴力行為であり、女性の人格を著しく傷つける行為である。これらの事件において、女性は性的対象物と見られているのであり、人格をそなえた人間とみなされていないことは明らかである。そこにポルノの影響を看過することはできない。

　ポルノと犯罪の関係について、被害者である女性の視点を入れた新たな判断が求められていると言えるだろう。

5 ジェンダー・バイアスをなくすために

　ここで扱ったことは，ジェンダー・バイアスを示すほんの一つの例にすぎない。私たちが，まず，自覚しなければならないことは，現在の刑事司法には，長い間さまざまな形で積み重ねられてきたジェンダー・バイアスが細部に網のように広がっているという事実である。これを変えるにはどうしたらよいか。

5.1 司法における男女共同参画の促進

　「男性による男性のための男性の刑事司法」という事実，刑事司法過程における警察，検察，裁判，矯正の各段階，立法機能を有する国会の議員に至るまで，その大半が男性であるという事実を変えていく必要があるだろう。なぜなら，少なくとも，「男性と女性とを取り込んだ形での『人』の視点から，法について論じるべきであり，男性に偏らない『人』を前提とする法体系を構築」（紙谷雅子「ジェンダーとフェミニスト法理論」『岩波講座現代と法11巻　ジェンダーと法』岩波書店，1997年，47～48頁）していくために，女性の経験や声を反映させることを目指す必要があるからである。

5.2 リーガル・リテラシーの獲得

　何が人権侵害であり，女性の普遍的な権利として何を要求するのか，女性たちの暴力被害を通して明らかにしていく必要がある。足を踏まれた人の痛みは踏まれた人しか分からない。そのためには，女性たちがリーガル・リテラシー（法的識字）を獲得することである。リーガル・リテラシーとは，単に法的知識を身につけることを意味するのではない。それは，自分にはどんな権利があり，どう手続すればいいかを理解して，権利を実際に行使できる能力を意味する。女性自らが自分に権利があることを認識し，問題解決の方法を考えて，実際に権利を行使できる能力を身につけることは，女性のエンパワーメントのために必要不可欠である。

5.3 ジェンダー・バイアスをいかに可視化するか

　刑事司法とジェンダーという問題は，わが国では今まさに始まったばかりである。ジェンダー・バイアスは文字どおり目に見えない問題だ。

　こうした取組みの必要性はようやく一部で認識され始めたものの，なかなかそれが広がる動きは見られない。司法におけるジェンダー・バイアスをなくし，

偏向した裁判を改めるためには，早い段階で，司法に携わるすべての人にジェンダー・バイアスの存在を知らせ，その除去を訓練する必要がある。ジェンダー教育は，なにより大学における法学教育，司法研修所等において実施することが重要であるといえよう。

ジェンダー・バイアスを是正することによって，もしかすると女性による犯罪は増えるかもしれない。しかしそれでもなお，これを是正していくことが必要であろう。なぜなら，刑事司法は，これまでジェンダー・バイアスを無自覚に無批判に内在させ，その手続を通して社会における男性によるジェンダー支配の構造を強化する役目を担ってきた。

しかし他面で，それは刑事司法が変れば人々の意識も変る可能性があることを示唆している。すなわち，それはジェンダー・バイアスのない刑事司法制度の下で行われる種々の手続を通して，社会や人々の意識の中にあるジェンダー・バイアスを除去し，ひいては女性の尊厳を擁護していく力が，刑事司法にあることを意味しているといえよう。

【展開講義　20】　司法におけるジェンダー・バイアス

アメリカ合衆国では，1960年代に端を発する反強姦運動以来，強姦罪の見直しが行われ，さまざまな法改正が重ねられていった。しかし，法は改正されても，刑事司法の運用はなかなか変らなかったという。なぜなら，法律の実効性は，法律の内容そのものと同じだけ，法律を解釈し，適用し，運用する裁判官，検察官，弁護士等に依拠しているからである。それゆえ，そうした人々の意識の中に存在する性差別的な思想，そして，こうした思想によってもたらされるジェンダー・バイアスを司法から除去しなければ何の解決にもならない。このことに気が付いた女性裁判官の声がきっかけとなり，司法における男女平等を推進するための全国裁判官教育プログラム（NJEP）が開発・実施され，司法運用のジェンダー・バイアス改革がすすめられた。今ではこのプログラムが合衆国全土に広がり，これを実施するためのタスクフォースが全国の州，連邦の裁判所に設置され，ジェンダー・バイアスを取り除くためのさまざまな試みが行われている。

これについて，NJEPのディレクターであるリン・H．シャフランは，ジェンダー・バイアスに関する司法教育の必要性を示す判例や報道を収集した結果，ジェンダー・バイアスには三つの側面があることを指摘している。

第1に，職場において見られる昇給や職務などにおける男女差別のように，女性と男性の特性や役割についての固定観念に縛られた考え，第2に，社会が女性をどう評価するか，そして何が女性の仕事と考えられているか。これについては，女性に対する低い評価の現われの典型として，ドメスティック・バイオレンスに対する法廷の無関心を挙げている。第3に，女性あるいは男性の社会的・経済的生活実態に関する神話と誤解である。その例として，ドメスティック・バイオレンスや強姦事件に関する神話を挙げている。

　しかし，実際のところジェンダー・バイアスの存在を人々に認識させることは大変なことである。なぜなら，まず第1に，ジェンダー・バイアスとは，何かを定義することは難しい。たとえば，カリフォルニア州のタスクフォースでは，次のように定義している。「ジェンダーバイアスとは，司法過程に関わる者の行為や意思決定が，次のようなことに基づいているあるいは看取できる場合をいう。すなわち，①女性および男性の性質や役割についてのステレオタイプ的な態度，②男女それぞれのもつ価値観に対する文化的な理解，③男性女性という性別が直面する社会的・経済的実態に対する神話および誤解である」。これ以外にも，「一方の性に対し他方の性より重い負担を課すような行動」とか「女性だからという理由で女性を排除すること」等を定義の中に加えているものもある。

　第2に，たとえジェンダー・バイアスの存在を発見したとしても，ジェンダー・バイアスを立証することが大変困難である。なぜなら，刑事司法に携わる人々の多くは，自分が中立であり公平であると信じているからである。そして，またたとえ個人的に偏見を持っていたとしても，職務を遂行する上でそれらの影響は排除していると考えている人が多い。とりわけ，こうした偏見を持っている人は，ジェンダー・バイアスの問題を個人的な攻撃と捉えがちだ。その結果，ジェンダー・バイアスの問題そのものを毛嫌いする傾向がある。

　重要なことは，いかにしてジェンダー・バイアスの存在を目に見える形にするか，という点にあるといえるだろう。

　わが国でもまずは，こうした事例を収集し分析することを通して，わが国の刑事司法にも多くのジェンダー・バイアスが存在することを顕在化していくことが急務の課題といえるであろう。

[参考文献]

井田良『基礎から学ぶ刑事法』有斐閣，1995年

角田由紀子『性差別と暴力』有斐閣，2001年

福島瑞穂『裁判の女性学―女性の裁かれかた』有斐閣，1997年

宮園久栄「刑事司法とジェンダー」国立婦人教育会館研究紀要4巻　2000年

第2東京弁護士会司法改革推進二弁本部ジェンダー部会司法におけるジェンダー問題諮問会議編『事例で学司法におけるジェンダー・バイアス』明石書店　2003年

第8章 からだ

1 リプロダクティブ・ヘルス／ライツ

──────── ◆ 導入対話 ◆ ────────

リプロダクティブ・ヘルス／ライツとは

学生：先生，最近，リプロダクティブ・ヘルス／ライツという言葉を雑誌のある論文で見たのですが，どういう意味ですか。

教師：ようやく，学生のみなさんも関心を持ってくれるようになってきたようです。この言葉は，1994年にエジプトのカイロで開催された，国連の国際人口開発会議（カイロ会議）で脚光を浴びるようになった言葉です。

学生：女性の権利と関係がありますか。

教師：非常に大きな関係があります。リプロダクティブ・ヘルス／ライツは，女性が自分の性と身体に自信と誇りを持つという，女性の権利の出発点です。ただ，その主体は必ずしも女性だけではありません。WHOやカイロ会議で採択された定義では，その主語は，個人およびカップルとなっています。

学生：でも，カップルの権利というのはあまり聞き慣れませんが。

教師：カップルというと，たいていは男女のカップルを思い浮かべるかもしれませんが，同性のカップル（ゲイ／レズビアン）もいます。

　　　ただ，バチカンなどのカトリックの国やイスラム教の国などの伝統的な価値観を重視する保守派勢力は，カップルは男女のカップルのみしか認めないので，リプロダクティブ・ヘルス／ライツの定義も，「生命の再生産」，妊娠と出産というたいへん狭いものにしようとしました。

学生：先生，英和辞書にはその意味だけしか載っていないんですが……。

1.1 リプロダクティブ・ヘルス／ライツの概念

リプロダクティブ・ヘルス／ライツは「性と生殖に関する健康／権利」と日

本語に訳され，前述の1994年のカイロでの国際人口開発会議（カイロ会議）において政府間会議でコミットメントされたカイロ文書の日本政府の公定訳ともなっている。カイロ文書のドラフト（草案）の段階では，セクシュアル・アンド・リプロダクティブ・ヘルス／ライツであったが，バチカンやイスラム諸国の反対で，セクシュアル・アンドが削除された。カイロ会議において，この考え方がはじめて提唱され，今日の女性の人権の重要なひとつとして認識されるようになった。

WHO（世界保健機関）の定義では，リプロダクティブ・ヘルスとは，女性の全生涯において，単に病気がない，あるいは病的状態にないということではなく，そのプロセスが身体的，精神的，社会的に完全に良好な状態（well-being）であることをいう。具体的には以下のことが含まれる。①人々が子を生む可能性，②安全な妊娠・出産，③子の健全な教育，④安全な出生調節（人工妊娠中絶を含む），⑤安全なセックス。なかでも，安全な出生調節は，リプロダクティブ・ヘルス／ライツの中心課題である。また，女性の国際NGO，例えば，日本の「女性と健康ネットワーク」や家族計画連盟などの定義としては，妊娠・出産に限定されない，女性の生涯を通した，女性自身のからだと性の健康が提案されている。具体的には，月経，人工妊娠中絶，避妊および家族計画，不妊，思春期，更年期，性暴力，STD（性感染症），HIV／エイズ，買売春，セクシュアリティなどが幅広く含まれる。

長らく女性自身が性に関して語ることはタブーとされてきたが，1960年代後半から70年代にかけて工業先進国を中心に展開されたウィメンズ・リブ運動の中で，「女性は自分の性器に自信を持とう」といったスローガンが提起され，リプロダクティブ・フリーダム（性と生殖の自由）が叫ばれるようになったことがルーツといわれている。女性解放運動の中では，社会的参加である女性の参政権や職業選択の自由など，公的な分野が取り上げられてきたが，ウイメンズ・リブ運動では，もっと個人的なことである，からだと性の問題にも光が当てられるようになった。

(1) 「ヘルス」の概念……障害者を排除しない

リプロダクティブ・ヘルスという言葉の日本語訳では，「ヘルス」を「健康」と訳す。この場合，「健康」という言葉には「障害者」を排除する意味が

含まれているとして，障害者のNGOを中心に異議が唱えられている。しかし，先にも述べたようにWHOの定義では，この場合の「ヘルス」は単に病気がない，障害がないということではなく，well-beingという当事者（本人）にとって良好な状態をいうのである。リプロダクティブ・ヘルス／ライツを考えるとき，障害者の排除につながるような優生思想には常に注意しなければならない。

(2) **主体　個人とカップル**

リプロダクティブ・ヘルスのWHOの定義の中で主語が，個人およびカップルとなっていて，個人の男女と共にカップルも含むと解されているが，男女のカップルのみなのか，男女のカップルの場合，女性の自己決定権と相反しないかどうか，同性のカップルも含むのか，等で議論がある。これはセクシュアル・オリエンテーション（性的指向）とも関連する。同性愛をどうとらえるか（肯定するか否定するかなど）で議論があり，WHOやカイロ会議でもリプロダクティブ・ライツの定義にはなかなか踏み込めなかった。それはバチカンを中心とするカトリックの国々やイスラムの国々が同性愛を認めたがらないからである。しかし，後掲（1.4）でもふれるように，セクシュアル・ライツ（性的権利）には性的指向も含めて考えるべきであり，めざすべき方向性は明らかだといえよう。

(3) **女性とHIV／エイズ**

リプロダクティブ・ヘルス／ライツの重要な構成要素にはHIV／エイズやFGM（女性性器切除）廃絶などのジェンダー問題が幅広く含まれる。実際，サハラ以南やアジアではHIV／エイズの蔓延が問題になっている。アフリカやアジアのイスラム圏での女性に対する慣習であるFGMもHIV感染の原因である。FGMは女性の健康を破壊するが，それだけではなく，HIVにも感染しやすくするのである。消毒もない不潔な刃物で女性の性器の粘膜を傷つけたり，切り取ったりすることにより，HIV感染は加速される。FGMは慣習であって，否定すべきでないという主張が各々の国からは主張されることがある。多文化主義のもとで各国の文化・宗教を尊重することは当然ともいえるが，一方，FGMは女性の心身を直接的な死の危険にもさらすものであり，廃絶すべきことは間違いない。アメリカではFGMを逃れてきた女性を「政治的難民」と認めるようにさえなった（ファウジーヤ・カッシンジャ『ファウジーヤの叫び』CBS

ソニー出版)。

1.2 人工妊娠中絶

日本では明治以来，堕胎（人工妊娠中絶）が堕胎罪により禁止されていた。一方，明治時代からの「富国強兵策」のもとで「徴兵」が行われており，その後の侵略戦争での強い兵士（男性）とその強い兵士を生む「健康な」母（女性）を大量に確保するために「生めよ，増やせよ」が国家スローガンとなった。その流れの中で1940年に，ナチス・ドイツの断種法を参考にした，国民優生法が制定された。ナチス・ドイツの断種法も，日本の国民優生法も優生思想の影響を色濃く反映していた。ナチス・ドイツで行われたホロコースト（ユダヤ人絶滅計画）は，ユダヤ人に対する人種・民族差別であるが，ジプシーといわれるロマも絶滅の対象であったし，同性愛者もその対象であった。収容所に入れられたとき，ユダヤ人は黄色い星を胸に付けさせられたが，同性愛者はピンク色の星を胸に付けさせられ，収容所の中でも差別された。ただし，この場合の同性愛者は男性のみ（ゲイだけ）であり，女性の同性愛者（レズビアン）は対象にされもせずに無視されていた。ただし，絶滅計画が最初に実行されたのは，精神障害者に対してであった。ナチス・ドイツの優生政策は，障害，病気，人種，民族，性的指向に対する差別であった。

日本の国民優生法は，国の戦争遂行において頑健な兵士を確保するため，「不健全素因」として障害者を優生手術（不妊手術／断種手術）の対象とする一方で，女性の意思による中絶を認めず，母子保健政策を強化し，優良多子家庭の表彰を行い，妊産婦手帳による妊娠の届出制度を開始し，国家による妊産婦の把握を行った。現在の母子健康手帳の原形は戦時体制に見られたものであるが，「母子保健」というように「母子」を一体化してとらえることに対しては，リプロダクティブ・ヘルス／ライツ，女性の自己決定権から疑問が投げかけられている。ある意味では，母子は利益相反者でもあるからである。例えば，妊娠中に夫が死亡した場合，母子間の夫（父）の財産の相続権については，母子は利益相反者となり，子どもの代理人には検察官がなる。というのは，夫（胎児の父）の財産を妻（胎児の母）がひとり占めしてしまうかもしれないし，他の夫婦の間の子や，夫の母違いの子がいた場合，より相続関係が複雑化し，生まれてきた子の相続権を守るためである。

女性の自己決定権に立っても、中絶の是非についてはなかなか割り切れないものがあるかもしれない。しかしもっとも中絶を認めやすい場合は、民族浄化のために「強制妊娠」がもたらされたときだろう。たとえば、旧ユーゴやアフリカでの内戦においては、戦略として、女性に対する暴力が利用された。旧ユーゴでの強制収容所では、女性の尊厳を奪うためにレイプ（強姦）をするだけではなく、その強姦の結果としての「強制妊娠」が目的であった。他民族の女性を強姦して強制的に妊娠させることにより、自民族の血を半分受け継いだ子が生まれるわけであり、その結果、半血の自民族を増やすことになる。他民族の男性は殺害する。これが「民族浄化」であり、これも自民族優位主義という優生思想の反映である。戦時下の女性は「強制妊娠」という望まない妊娠をしても、安全な中絶を受けられる保障はない。命と引き換えになるかもしれない「自己堕胎」をするか、出産して子どもを育てるかの、どちらかの選択肢しかない。これこそ、究極の女性に対する暴力である。

1.3 優生保護法と母体保護法——女性障害者の人権

1940年に国民優生法が制定されたが、第二次大戦後、日本は外地から引き上げてきた人々や空襲による家族の死亡や家屋の消失などにより、深刻な食料難・住宅難などの生活苦があった。ベビーブームや、生きていくために売春などをして、望まない妊娠をする女性が多かったため、中絶を合法化してほしいという要望が強く、1948年に優生保護法が成立した。優生保護法は刑法の堕胎罪を存続させたまま、その第1条に「不良な子孫の出生を防止するため」という、色濃く優生思想を反映させた人権侵害の内容をもった条文に、人工妊娠中絶を許可できる条項をつなぎ合わせたものである。優生保護法は翌1949年に一部改正され、「経済的理由により母体の健康を著しく害するおそれがあるもの」が中絶許可条項として追加された。これがいわゆる「経済条項」である。

(1) 優生条項

「優生条項」部分では、優生手術の対象となる遺伝病の病名が列挙され、その中には血友病も含まれていたし、遺伝病ではないハンセン病もあった。ハンセン病はこれまた人権侵害の法律である、らい予防法により、無理矢理患者を施設に隔離した。この施設隔離の中でハンセン病の患者同士が結婚する場合、優生保護法を拡大解釈して、優生手術（不妊手術）を有無を言わせず受けさせ

た。ところが，優生手術を医師ではない者が行っていたこともあり，優生手術が不完全であり，妊娠した女性患者は不妊手術を受けている夫から不貞があったのではないかと疑われ，思い悩んで自殺したこともあった。これも女性に対する暴力である。しかし，このような事実はなかなか一般の人には知らされなかった。

　同様のことは，女性障害者にも行われていた。とくに施設に入所している女性障害者に対して，月経の介助がたいへんだなどという理由により，病気ではない正常な子宮の摘出手術が行われていた。優生保護法では「生殖線の除去なしに」と優生手術を規定しているので，明らかに優生保護法違反である。嫌々優生手術を受けさせられたある女性障害者の話では，正常な子宮をとられてしまったので，その後ずっと体の調子が悪いとのことだった。

　人のからだの器官が必要かどうかは本人が決めればよいことである。これが自己決定である。女性障害者の人権および自己決定権の実態を知るべきである。

(2) **経済条項**

　一方，「経済条項」をめぐって，日本は豊かになったのだからもう必要がないと主張する保守派と，同条項は守り，同法の優生部分を削除しようとする女性や障害者たちの運動があったが，改正はなかなか実現しなかった。ところが，カイロ会議をきっかけに国内外から優生保護法の優生部分への批判が強まり，1996年にようやく優生部分が削除され，母体保護法となった。けれども，依然として，刑法堕胎罪は存在し，中絶や不妊手術に配偶者（男性）の同意が必要という女性の自己決定権は保障されていない。しかも，男性の不妊手術まで規定しているのに母体保護法という名称であることには整合性がない。母体保護法は，まだまだ改正の必要がある。1995年第4回世界女性会議での北京行動綱領106項kの「妊娠中絶を受けた女性に対する懲罰措置を含んでいる法律の再検討を考慮する」という文言と，国連の女性差別撤廃条約2条(g)「女性に対する差別となる自国のすべての刑罰法規を廃止すること」とを熟考して，早急に刑法堕胎罪を廃止すべきである。

1.4 性をめぐる問題

(1) **セクシュアル・ライツ（性的権利）**

　セクシュアル・ライツとは，セクシュアリティ（性的な事柄）に関して，個

人が自由に決定し，責任を負う権利のことをいう。セクシュアル・ライツは，個人の身体の保全と性と生殖の自己決定の権利を保障し，とくに，女性の人権を守る立場から，性暴力，望まない性的関係，医学的干渉，安全でない避妊法などによる女性の権利侵害をなくしていくことでもある。また，セクシュアル・ライツは，セクシュアル・オリエンテーション（性的指向）も含む。性的指向とは，性意識の向かう相手として，異性を選ぶ（異性愛／ヘテロセクシュアル），同性を選ぶ（同性愛／ホモセクシュアル）・男性同士の同性愛／ゲイ・女性同士の同性愛／レズビアン，異性か同性かのどちらかを選ぶ両性愛（バイセクシュアル）がある。異性愛が自然・当然であり，異性愛以外は異常であり，認めない，閉鎖的・差別的考え方をヘテロ・セクシズムと呼ぶ。セクシズムとは性差別主義のことである。しかし，ヘテロセクシュアルだけでなく，ホモセクシュアルからも，バイセクシュアルはなかなか理解・受容されないようである。この問題に関しては，アメリカの人気テレビ・シリーズの「アリー・マイ・ラブ」の中でも「曇りのない目で」というエピソードの中で描かれている。セクシュアル・ライツとは，別の言葉でいうと「性の多様性・多元性」を認めるということである。世界の中で理想的な憲法，「虹の憲法」といわれている南アフリカ共和国の憲法では，性と並んで性的指向における差別も禁止している。また，EU諸国では，オランダ，ベルギーは同性のカップルの婚姻を認め，フランスはパックス法を制定して，同性カップルの権利を契約の形で認めている。

(2) 性同一性障害

長らくタブーとされてきた性再判定手術（SRS）が日本で1999年に行われたときに新聞等が報じた際に，「性同一性障害」という言葉が認知された。「性同一性障害」とは，生物学的には男性だが精神的には女性（MTF/MALE to FEMALE），あるいはその逆（FTM/FEMALE to MALE）のように，自分の生物学的性（セックス）と自分自身が受け入れている心理学的性（性自認）が一致しない人を医学的な疾患ととらえていう。日常生活や社会上の性役割を生物学的な性とは異なる性で実行したり，身体的に性を変えようとホルモン投与や性再判定手術まで行おうとする場合もある。

また，トランス・セクシュアリズム（TS）は1950年代に確立された概念で，性同一性障害とほぼ同じ意味だが，狭義には手術療法を必要とする者のみを指

す。トランス・ジェンダリズム（TG）は，狭義にはSRSを望まない者をいうが，広義にはTS・TG・TVすべてを含む。TVとは，トランス・ヴェスタイトのことであり，異性装（異性の服装を身に付ける）のことである。服装倒錯という呼び方は差別的である。

　ただし，性再判定手術を受けても必ずしも自分の望み通りの身体となるわけではないので，手術前はもとより手術後のカウンセリング体制等の充実が必要である。ホルモン療法の副作用などについての十分なインフォームド・コンセントも求められる。日本でピル（経口避妊薬）がなかなか解禁されなかったときの理由の一つが，ホルモン薬であることによる副作用であったが，他の治療（不妊治療や更年期のホルモン補充療法，花粉症等アレルギーの治療薬など）の副作用はあまり問題にされていないようだが，留意するべきである。また，手術のみが最善の方法かどうかを自己決定するためにも，精神医学や心理学のサポートが必要である。

　2002年，競艇選手が女性から男性への（FTM）性再判定手術を受けたことを「カミングアウト」し，今後は男性選手として活動すると表明している。自らのセクシュアリティを公表することをカミングアウトといい，自分のセクシュアリティを内に秘めたままにしておくことをクローゼットという。カミングアウトには，クローゼットによる自己抑制からの解放と性的少数者（セクシュアル・マイノリティ）の存在を目に見える形にするという二つの「効果」があるといわれている。

　日本でも徐々に「性同一性障害」が社会的に認知されているようであるが，一方では，美容整形外科で「性転換手術」を受けた人が死亡する事件も起きている。SRSを受けるためには，健康保険が適用されず，高額の医療費がかかることも，医療としての対応の今後の課題である。

(3) **インターセックス**

　人の性（性別）には，生物学的性（セックス）と文化的・社会的性（ジェンダー）がある。ジェンダーは男女の二つだけだが，セックスは多様である。日本では，出生届・戸籍の性別は男女（記載は長男，長女など）のみだが，母子手帳では男・女・不明の三つである。人のセックスは出生時の外性器の形状で判断されるが，必ずしも男か女か判定できない場合がある。この人をインター

セックス（間性）という。インターセックスは外性器の形状だけではなく，医学的原因も多種多様である。

人の生物学的性は多様である。生物学的性の決定（判定）は，①染色体の性（XX＝女性型，XY＝男性型），②性腺の性（卵巣，精巣），③ホルモンの性（女性ホルモン，男性ホルモン），④内性器の性（子宮，前立腺），⑤外性器の性（クリトリス，ペニス），⑥脳の性（女性的構造に近いか，男性的構造に近いか）という6つの要素の組み合わせである。

日本では，生物学的に性別判定困難あるいは不可能な人にさえ，国民として男か女かを決定して戸籍に登録することを義務づけているが，これこそ究極の人権侵害かもしれない。人は社会の中で生きていくために，ジェンダーとしての性別を表明しなければならないが，インターセックスの人は生物学的に男女どちらの性でもないのである。それを出生時，つまり乳児で自分の意思表明・自己決定ができないときに，医師と両親などにより「性別」を男女のどちらかに決定され，そのための外性器の手術やホルモン療法などをされてしまうのである。インターセックスの人は2千人に一人生まれると言われている。日本の現在の人口が1億2千万人とするならば，6万人はいると考えられる。その数は果たして少ないのであろうか。マイノリティの人権の問題としても考えていくべき課題である。

性同一性障害やインターセックスの人にとって，戸籍の性別表記は大きな問題である。性同一性障害の場合には，戸籍の性別表記の訂正である。戸籍上の性別表記を訂正するには，家庭裁判所の許可が必要であるが，現在 SRS を終えた人の性別表記の訂正を許可したのが1例，許可しなかったのが11例である。許可した，あるいはしなかった理由を開示し，戸籍訂正への道を開くことが，性同一性障害者の人権保障のために必要であるため，ようやく戸籍法等の改正が行われた。まず，厚生労働省の管轄である「性同一性障害者の性別の取扱いの特例に関する法律」（以下，性同一性障害者特例法と略す）が，2003年7月16日に制定・公布され，2004年7月16日に施行された。同法の制定で，一定の範囲で戸籍変更の道が開かれたが，この一定の範囲に関して問題がある。これに関しては，展開講義21で触れる。また，戸籍法も2004年12月1日に改正され，20条の4（性同一性障害者の性別変更）が新設された。他方，インターセッ

クスの人は，生物学上，男女のどちらでもないのだから，外科手術やホルモン療法には限界があると，当事者でカミングアウトしているＡさんは述べている。戸籍や戸籍に連動している住民票，パスポート，健康保険証，選挙人名簿などの性別表記は本当に必要なのだろうか。これこそ，身分登録上のジェンダーの強制ではないのか。運転免許証には，顔写真はあるが，性別欄はない。

【展開講義　21】　性同一性障害者特例法

1　性別変更条件の問題点

　性同一性障害者の戸籍上の性別変更が，ようやく日本でも認められるようになったが，制定された性同一性障害者特例法は，変更に関して5つの条件を満たすことが課されていることに批判がある。

　まず，同法の適用の前提条件として，ここでいう「性同一性障害者」とは，専門的な知識を有する医師2名以上によって，「性同一性障害」であるとの診断を受けている者とする。そして，①20歳以上であること，②現に婚姻をしていないこと，③現に子がいないこと，④生殖腺がないこと又は生殖腺の機能を永続的に欠く状態にあること，⑤その身体について他の性別に係る部分に近似する外観を備えていること，という5つの条件がある。④，⑤の条件は，性別適合手術を既に受けていることになるが，これについて，手術を受けない選択をした人，健康上，身体上，経済上の理由などで手術を受けられない人を排除することになる。①の条件の年齢に関しても，なぜ20歳を適当と判断するのかという批判があるが，より大きな批判があるのが，②，③の条件である。②の条件に関して，「同性婚の成立している状態を排除するため」といわれている。性同一性障害者の性別変更を認めることが，現行の異性同士の婚姻，つまり，ヘテロセクシュアル中心の社会構造が揺らがないので認めたという姿勢は消極的過ぎる。また，③の条件は欧米の立法例には見られない。生殖技術が発達した現在，精子の採取だけではなく，卵子の採取も可能であり，「ドナー」としての親の可能性は皆無ではない，ということを除外した立法であるし，あらゆる親子関係の法的地位の確定が事実上，困難であるため，このような条件設定はナンセンスである。

2　法改正への元受刑者等の影響

　元国会議員の山本譲司が秘書費用詐取で有罪判決を受け，刑務所に入った経験を，外の世界に知らせることにより，刑務所内での受刑障害者の実態が明らかに

なってきた。

また，性同一性障害者の法改正は，タレントのカルーセル麻紀が2001年に大麻所持で逮捕された際，警察の留置場の男性房に入れられて，騒動になったことが，まったく無関係とはいえないだろう。もちろん，大麻所持は犯罪であるし，法改正において，性同一性障害者の運動が効果があったということはあろう。しかし，テレビ等で活躍するタレントの影響力も否定しにくい。カルーセル麻紀自信も同法の適用により，2004年10月3日に認可され，戸籍上の性別が「女」となり，本名も「平原徹男（ひらはらてつお）」から「平原麻紀」になり，恐らく新しいパスポートをもって，アメリカ合衆国に堂々と入国できるようになったであろう。アメリカは，パスポート上の性別・写真と本人の性別・服装等の確認を厳重に行っている。そのため，カルーセル麻紀は，本名が平原徹男だったときには入国できなかった。これも，人権侵害に当たらないだろうか。

【展開講義 22】 中絶とセクシュアリティ

1 プロ・チョイスとプロ・ライフ

プロ・チョイスとは，中絶容認派，選択の自由派のことをいい，プロ・ライフとは，生命尊重派，つまり中絶反対派のことをいう。アメリカでは，中絶問題が政治問題化してきた。1973年のアメリカ連邦最高裁判所判決（ロウ判決）は，「胎児の生命尊重」と「女性の権利」をめぐる画期的な裁判であり，中絶を女性のプライバシー権とみなし，中絶を禁止・規制する州法を違法とした。

しかし，プロ・ライフ派が中絶の規制を強めようという動きもある。これが，いわゆる「バックラッシュ」（巻き返し）である。1994年には中絶を施行した医師がプロ・ライフ派に射殺された事件もあり，カトリックやプロテスタントの原理主義者（ファンダメンタリスト）が中絶クリニックを襲撃するという暴力的な「ツアー」（全米の各地を回っている）も行われている。

もっとも，アメリカの中絶に反対する人びとの立場は多様である。例えば，中絶そのものに反対するのではなく，州立病院などでの公費負担による中絶手術に反対する立場の人もいる。

2 堕 胎 罪

日本では現在でも，刑法で堕胎罪が規定されていることを知っているだろうか。母体保護法で「経済的理由」により，人工妊娠中絶が可能なので，多くの人は堕胎罪はないか，すでに廃止されていると思い込んでいる。けれども，いまだに堕

胎罪は存在している。このことを，はからずもクローズアップさせたのが，1994年のカイロ会議であった。カイロ会議では多くの時間を人工妊娠中絶の是非の議論に費やした。バチカンを中心とするカトリック教諸国およびイスラム圏の国々が中絶に反対していた。先進諸国は中絶を認める方向で議論を進めていたが，日本政府は沈黙していた。なぜなら，日本には堕胎罪があったからである。日本の刑法は明治時代に制定され，欧米諸国の法制度を参考にしてつくられた。刑法は当時カトリックの影響の強かったフランスの刑法を参考にして制定されたため，堕胎罪が規定された。江戸時代までの日本では「間引き」などの風習があり，必ずしも堕胎を犯罪とするような感覚はなかった。しかし，1880年に規定された旧刑法で堕胎罪を制定し，1907年の改正刑法では法定刑が重禁固刑から懲役刑へと重くされた。堕胎罪の適用により実際に刑務所に入れられた人がいることは事実であり，堕胎を自分自身で行った女性本人（自己堕胎），他人に依頼して堕胎した女性本人（堕胎罪刑法212条），および女性本人の同意を得て堕胎を行った（業務上堕胎及び堕胎罪刑法214条）者（例えば医師など）も対象であり，また，避妊具の提供や研究すらその対象であった。堕胎（中絶）の禁止とは避妊の禁止，という側面もあった。したがって，「オギノ式」の発見が重要だった。日本の法律では，胎児の段階では法の主体あるいは対象となるには民法と刑法とで異なる。民法では胎児は「全部露出」，つまり胎児が完全に母体外に出た状態が人であり，刑法では胎児は「一部露出」，つまり胎児の一部が母体外に出た状態で人と認めている。このように一口に法律といっても，刑法と民法では，人の規定の仕方が異なる。

3　ブルーボーイ事件

　ブルーボーイ事件（東京地判1969（昭和44）年2月15日，東京高判1970（昭和45）年11月11日）は，優生保護法28条違反が争われた初の裁判である。ブルーボーイと呼ばれるゲイ・バーで働く3名の男性に対する被告人医師の睾丸摘出手術が，当時の優生保護法（現在の母体保護法）28条が禁止する「故なく生殖を不能にする手術」をしたとして，有罪判決を受けた。同医師がトランスセクシュアル（判決文では性転向症）に対する性別再指定手術（判決文では性転換手術）として男性性器の摘出手術を行ったことが優生保護法違反となった事例である。優生保護法違反では，刑事事件として日本で初めての事案であり，この判決以降，産婦人科医などが性別再指定手術を行うことは闇以外ではできなくなって，長年タブーとされてきた。この判決で裁判官が，アメリカでは「手術前に精神医学ないし心理学的な検査と一定期間にわたる観察を行うべきである」と述べていることだけ

は一応評価できる。当事者へのカウンセリングの必要性を不十分ながら認めているからである。性別再判定手術を受けたからといって,「性別異和」感が完全に払拭されるわけでもない場合もあるからである(アメリカ映画「ロバート・イーズ」参照)。

2　生 殖 技 術

── ◆　導入対話　◆ ──

「不妊」は病気？
学生:以前,新聞記事で,「クローン人間誕生か？」と出ていました(2001年)。「クローン人間」は許されることなのでしょうか。
教師:日本では,2000年にクローン禁止法が制定されていますが,イタリアではすでに実験が行われているようですね。
学生:また,夫婦以外の卵子や精子,受精卵を用いて行う不妊治療のルール作りを検討している厚生科学審議会の「生殖補助医療部会」の議論についての記事も出ています。
教師:そうですね,今までは,生殖医療とか,先端生殖医療とか呼んでいましたが,厚生労働省では「生殖補助医療」というようになりました。おそらく,現在の生殖医療は,生殖技術として完全に確立されたものではなく,まだまだ実験途上,開発途上であり,生殖医療が「不妊」のあくまでも補助的は存在だからで「不妊治療」を受ければ誰でも子どもができるというわけではありません。
学生:でも,「不妊」は病気なんですか。このまえテレビの人生相談を見たときに,結婚3年目の30代の女性が「子どもはまだか」と夫の母親に激しく責められて辛い,と涙声で相談していました。そのうえ,早く病院に行け,行けと言われるとも訴えていました。
教師:悩んでいる人は深刻な問題ですね。でも,ちょっと,考えてみてください。なぜ,「不妊」に悩むのでしょうか。
学生:そうか,「不妊」に悩む前に,なぜ,子どもがほしいのか,女性ならば,産みたいのかを考えてみる必要がありますね。
教師:「不妊」だからといって,検査をしたり,治療をしたりしなければならないことなのでしょうか。生殖補助医療は,完璧な医療技術ではないのに,「不

妊治療」を受ければだれでも子どもを持つことができるという，メディアなどによるメッセージのほうが独り歩きをしているのかもしれませんね。
学生：えっ，「不妊治療」を受ければ，みんな子どもを持てるのではないのですか。
教師：実は，必ずしも持てるわけではないのです。だからこそ，究極の「不妊治療」の手段として，クローンが登場したのでしょうから。

2.1 生殖医療

生殖医療は，出生前診断，受精卵の遺伝子診断，人工授精，体外受精，代理母，男女産み分け，胎児減数手術などをいう。胎児の出生前診断，受精卵の遺伝子診断など，「生命の選別」をして，「より完全な赤ちゃん（パーフェクト・ベビー）」を得ようとするところに，現代の生殖医療の歪みがあり，障害や難病の人への差別や人権侵害にもなってしまうということに気づくべきである。

また，日本では産まれた子どもの福祉のためという理由で，法律婚をしている夫婦にしか生殖医療を認めないことを，産婦人科医の職能集団である日本産科婦人科医会（日産婦）が独自のガイドラインで定めている。日本の問題は生殖技術に対する法律が制定されていないことである。先進国を見ると，生殖技術，生殖医療の法律は多様である。自国で禁止しても，外国で行う場合，自国の禁止は意味がなくなってしまう。今後，生殖技術に関する国際的な条約化が求められていくだろう。

(1) 人工授精

生命操作は，人工授精から始まった。最初に行われた人工授精は1782年に犬を用いて行われ成功し，その8年後の1790年には夫の精子を用いて，1884年には夫以外の精子を用いて行われた。夫の精子を用いる AIH (artificial insemination by husband)，夫以外の精子を用いる AID (artificial insemination by donor) とがある。人工授精は，精液を子宮に注入するだけの，とても技術と呼べるものではなく，それを受ける女性は「治療（不妊治療）」という名の下にレイプに等しい屈辱を医療機関において味わうことになる。生殖技術は畜産技術からの応用の面があり，「良質の精子」を用いることが提案され，「精子銀

行」が登場してくる。「優秀な男性」の精子を収集保存して人類の改良に役立てようという，遺伝学者ハーマン・マラーの考えは今も受け継がれているが，これこそ優生思想そのものである。

1978年，イギリスでルイーズ・ブラウンが誕生したのが，体外受精の始まりである。

体外受精のために，女性は排卵誘発を促すホルモン剤を投与され，卵排出の瞬間を待って，採卵する。このときには麻酔はしないので，女性には非常に痛みが伴う。その卵と精子を混ぜて，培養した胚を子宮内に移植し，着床が起こるのを待つ。採卵と胚移植には入院が必要で，1回の治療費が30～50万円かかる。1回で成功することはまれで，長い年月がかかることもあり，検査や治療の苦痛，ホルモン剤による副作用，流産など，女性の身体への負担とストレスも大きい。健康保険が適用されないので，費用負担が大きく途中で断念したり，生活がすべて治療優先になり，そのために仕事をやめざるを得ないのも女性である。それでも実際に子どもを出産できるのは，せいぜい15％程度といわれている。体外受精を行う病院と出産する病院とは別のことが多く，妊産婦の経過を一貫して診察しないリスクも大きいのである。

体外受精の場合，受精卵の着床率，妊娠率を上げるため，複数の受精卵を子宮に入れる。複数の受精卵が着床した場合，胎児と妊婦双方に危険があると判断され，薬品による中絶が行われる。これを減数中絶という。中絶の方法が薬品により胎児を溶かして，子宮壁に吸収させるため，いわゆる中絶には当たらないという見解もある。しかし，「家族計画」として子どもを何人生むかという選択とは，減数中絶は根本的に異なる。

(2) 「不　妊」

「不妊」は，病気か否かという議論がある。ただし，不妊は10人に1人という割合であるため，「病気」と認定し，多額の治療費を援助するため，「不妊治療」に健康保険を適用するかどうか，という議論もある。

「不妊」の原因は，さまざまである。まず，STD（性感染症）である。ヘルペスやクラミジアは卵管を癒着させるなどで不妊となりやすい。男性と比べて女性はSTDに感染しても自分で気づきにくいし，気づいた時には症状がかなり進行している場合もあり，治療には長い時間がかかる。避妊だけではなく，

不妊を回避するためにも，コンドームの使用は大切である。また，環境問題では，いわゆる「環境ホルモン」といわれる内分泌攪乱物質が指摘されている。男性の精子の数の減少が指摘されているが，10代の女性の月経の長期化も出てきている。年間200日以上月経のある少女もいるという。そして，見落としがちなのが，栄養である。ダイエットやファストフードによる栄養の片寄りが指摘されているが，とくに微量金属の摂取が少ない。味覚異常の原因である亜鉛の不足であるが，亜鉛は別名「性ミネラル」と呼ばれている。セックスレスの原因かもしれない。男性のED障害（勃起不全）はマグネシウムの不足からも生ずる。現代の日本では「少子化」が問題になっているが，育児支援などの社会構造だけではなく，環境問題や食が関連していることにも配慮したい。

不妊治療としての生殖技術を受ける際，医師は女性の身体を妊娠しやすくするための女性ホルモン薬の投与の副作用（がんの発症率が使用しない場合の100倍）等のリスクや情報，治療の痛み（子宮から卵子を採取する際，麻酔はしないので非常に苦痛）などについて，きちんと説明する義務がある。

また，医療機関に不妊相談に来た人に，単に不妊治療のみを勧めるだけではなく，不妊のままでいるという選択肢も提示すべきである。不妊の受容は不妊の当事者だけでなく，障害や性的指向などで子を生めない，生まない，持てない，持たない人への差別をなくすための理解の助けとなろう。また，不妊の当事者の自助グループもある。

2.2 代理母

(1) 現　状

代理母とは，子どもを望む女性が自身では妊娠，出産できない場合に，第三者に妊娠，出産の代理を以来することをいう。生まれた子は依頼人が「実子」として引き取る。従来の生殖技術では子どもをもつことができないカップルが選択する「不妊治療」の一つともなっている。

現在，3種類の方法がある。①代理母（サロゲート・マザー）——代理の女性に，依頼人カップルの男性の精子を人工授精して，代理の女性が自分の卵で妊娠・出産する。②代理出産母（ホスト・マザー）——依頼人カップルの体外受精した受精卵を，代理の女性の子宮に戻して，代理の女性が妊娠・出産する。代理の女性と生まれてくる子どもの間に遺伝的つながりはない。③借り卵型出

産――依頼人カップルの男性の精子と第三者の女性の卵を体外受精して，依頼人カップルの女性が妊娠・出産する。

　代理母と代理出産の依頼人とが，生まれた子どもの親権を争ったり（1984年アメリカ・ベビーM事件），生まれた子どもが障害があるなどで，逆にどちらも引き取りを拒否したケースもある。最近では代理母とのつながりを薄くするために，卵の提供者の女性と子宮を貸す女性とが異なるケースもある。目や髪の毛の色，身長・体重，IQ（知能指数）の高さなどで選び，卵子を高額で売買するなど，自分の思い通りの子ども（デザイナー・ベビー）を手に入れようとする場合もある。また，血縁を重視するため，母や姉妹との間での子どもの代理出産もある。

　代理母は2000年に日本でも行っていることを長野県の医師が公表して，大きく取り上げられるようになった。このケースでは，実の姉妹間での代理母出産であり，より近親者間での子どもに対する愛情の問題などが年月が経過するほど複雑化する可能性もある。10年以上前（1991年）から，日本で海外での代理母出産を斡旋する業者がいる。代理母による出産を望む日本人がアメリカや韓国に渡航している。もうひとつの代理母の問題は女性の搾取である。代理で出産する女性が子どもを持てない人やカップルを助けたいという善意のボランティアで行っていても，謝礼／報酬（約1万〜2万ドル）の妥当性や，場合によっては生命に関わるリスクをどうするのかなどで問題は多い。報酬は奇しくも日本の税制の「100万円の壁」に近く，スキルがなく経済力のない女性，奨学金がわりの学生や留学生の女性を利用・搾取しているようにもみえる。しかも，金銭が介在するため，子どもの売買の可能性もある。

(2) 法的諸問題

　日本の民法では「分娩した者を母とす」という規定はない。出産した者が母であることを当然の前提としているが，前頁における代理母の三つのケースについて，①，②法が想定している母子関係とはとても考えられない。また，③の場合も，出産はしているが，出産した子と血縁はなく，同様といえよう。

　代理母出産で生まれた子どもを戸籍に実子として記載することは脱法行為である。法務省も脱法行為であると認めているが，数が少ないという理由で黙認している。これは法の下の平等に反する上，法的安定性・公平性を害している。

代理母での母子関係は生みの母と血縁の母と母が二人いるという複雑な関係となる。一方，父子関係も婚姻内での「嫡出推定」を働かることが妥当なのだろうか。日本民法での父の決定は嫡出推定か認知しかないという問題点も代理母が浮かび上がらせた。

代理母だけの問題ではないが，夫婦以外の卵子や精子，受精卵を用いる場合の提供者（ドナー）をすべての子どもに特定できる情報まで「知る権利」を認めるか，提供者が知らせることを承認した範囲の情報だけを子どもに知らせるか，という子どもの「出自（親）を知る権利」をどこまで知らせるかが現在の日本での議論の分れ目である。フランスでは従来，女性（母）に匿名出産の権利を保障していたが，子どもの出自を知る権利を認めるようになっている。また，国によっては，ドナーが誰であるかを明示しなければならないと法規制するようになりつつある。子どもの権利条約の趣旨からは子どもを主体とした権利の考え方が世界の主流となりつつある現在，子どもの権利とドナーの権利とをどう折り合いをつけるかが焦点である。

【展開講義　23】　男女産み分け

日本でも子どもが生まれたとき，男の子が生まれると「でかした」などということがあった。武士社会や明治以降の「家」制度の中で，男の子（長男）が家の跡取りという役割があったからであろう。いまだに，アジアやアフリカなどでは，男の子の出生を望む傾向が強い。これを「男児選考」という。いわゆる日本など先進国は女性のほうが平均寿命が長く，女性の人口のほうが多いが，世界全体では男性の人口のほうが多い。インドや韓国などでは若年層で男性の人口が多く，人口の男女の不均衡が今後社会問題に発展するかもしれない。東南アジアでは，胎児の性別を判定する超音波検査ビジネスが堂々と広告を出し，その隣に中絶クリニックがある。検査の結果が女の子だとわかると中絶するからだ。理由はさまざまだが，ヒンズー教では女の子は結婚の時にダウリー（持参金）が必要になり，親の経済状態を圧迫することから，女の子は敬遠されがちである。ダウリーが少ないとの理由で焼き殺されてしまう「花嫁」もいる。

このような男児選好は女性嫌悪ともいえる。

男女産み分け（生まれてくる子どもの性別を選ぶことができるということ）を認めてよいのだろうか。生殖技術の進展により，羊水穿刺や絨毛採取での胎児の

性染色体の診断や，超音波（エコー）検査で簡単に胎児の性別を出生前に調べることができる。また，パーコール法によるＸ精子，Ｙ精子の選別といった生殖技術を用いて「男女産み分け」も可能である。また，男児に遺伝する疾患を避けるため，性別と特定するという場合もあるかもしれない。が，家族形成権をもとに，「家族のバランス」から，子どもの数だけではなく，子どもの性別の数のバランスを求める要望もある。しかし，社会の中での自然な性比のバランスを無視してもいいのか。子どもの性別を親が選択することは究極の男女差別ではないだろうか。男女平等を原点に立ち戻り，考えてみよう。

3　買　売　春

◆　**導入対話**　◆

援助交際

学生：「援助交際」では，女の子のほうだけが問題にされているのは，おかしいと思います。

教師：本当にその通りです。援助交際といっても，本質は「買売春」ですね。売る側は未成年の少女なのに，買う側は成人男性です。
　　　これでは，まるで，戦前の女の子の「身売り」と中味は同じかもしれません。

学生：ただ，ケータイのメールやインターネットを介するので，「買売春」らしくないと思われるのかもしれませんよね。「援助交際」という言葉が出てきた最初のころは，売春する少女の非行であるとの見方がありましたが，援助交際は立派な犯罪ですよ。子ども買春（児童買春）は子どもに対する性虐待です。

3.1　売春と買春

(1)　売春防止法以前

　1956年に売春防止法が施行される以前，売春が公認されていた地域を赤線，それ以外の地域を青線，白線と呼んでいた。なぜ，赤線かというと，警察の地図にその地域のところに赤い線が引かれていたからだった。警察公認，つまり国家が公認した売春を公娼制度という。芸娼妓は置屋の女将を「おかあさん」と呼んでいたが，実際に売られてきた後，その女将の養女となっている例が多

かった。そのため，その置屋から逃げ出しても，警察は女将から家出人捜索願いが出されると，合法的に捜すので，なかなか「前借金」に縛られて芸娼妓の女性は自由になることができなかった。これは人身売買であり，売春による女性に対する性搾取である。「旧日本軍」従軍慰安婦制度もこの公娼制度のもとで行われ，「商行為」などと肯定する意見もあるが，それは実態から目を背けている。植民地の女性たちに対する犯罪であり，性奴隷制であるが，日本人で慰安婦にされた女性も公娼制度の被害者である。

昭和20年代の後半にあった家事審判事件では，10歳の小学生の女の子を芸者置屋の養子にすることを許可するかどうかという，「銀しゃり事件」と呼ばれるケースがあった。当時は売春防止法も施行されておらず，芸者置屋の養子になれば「銀しゃり」（白米）をお腹いっぱい食べられるけれども，成長した後には芸者にならなければならない，という貧しかった頃の日本の状況を反映した事件があった。

(2) **売春防止法**

1956年5月24日に売春防止法が制定された。この法律はいわゆる「ザル法」といわれるもので，売春を行った女性と，組織的に売春を行わせた業者のみが処罰の対象であり，買った側の男性はお咎めなしである。なんという不公平な法律であろうか。

日本には長らく売春という言葉はあったが，買う側の男性を指す言葉がなかった。しかし，ようやく買春（かいしゅん）という言葉が使われるようになった。なぜ長い間，買う側を指す言葉がなかったのだろうか。これは，角田由紀子弁護士が指摘するように，女性には，「売春婦」と「一般婦女子」という2種類があるが，男性にはこの二分法が作用しないのである。だから，女性にのみ「性の二重基準（性規範のダブル・スタンダード）」がある。多くの社会では，男性の性関係に対しては許容的であり，女性にはより厳しい。「浮気は男の甲斐性」などといい，離婚の調停などで女性の不貞がことさら厳しく取り上げられたり，女性に対しては親元からの通勤者のみを採用する会社などもみられた。

また，売春という言葉には，売春をする側の女性にのみ焦点を当て，処罰されるべき対象，問題化されるべき対象とみなし，そこに女性に対する差別や蔑

視が見られる。それは，廃娼運動や売春防止法制定当時の女性の言葉からさえも見えてくる。「私（女性）は売春婦ではないけれど，売春をしているかわいそうな女性を助けなくては」というのは，善意といえば善意だが，自分は一段高いところにいるのだという，売春の当事者への差別や偏見がある。

　世界では，買売春が合法化されている国もある。オランダや，アメリカのいくつかの州では合法である。日本でも，一対一のいわゆる「単純売春」は，売春防止法の規定外である。

3.2　セックス・ワーク論

　セックス・ワークとは，個人売春や，ソープランド，ファッションヘルスなどにおける性的サービスを金銭と交換する労働のことをいう。「セックス・ワーク」という言葉には，奴隷労働（性奴隷）ではない，売る側の自己決定にもとづく主体的な労働という意味が含まれている。セックス・ワーカーはこの職業についている人々を指し，男性やトランスジェンダーなど，女性以外のワーカーも指す。セックス・ワーカーの労働者としての権利獲得を目指す理論と実践の総体をセックス・ワーク論と呼ぶ。

(1)　人権派と権利派

　買売春に対して，人権派と権利派という立場がある。人権派は，売春を否定するが，売春する女性よりも，買春する男性のほうが問題であり，買春は女性に対する暴力である。また，男女の賃金格差が非常に大きい現状で，高賃金が得られる売春を選択しても果たして「自由意思」によるものといえるのか，という立場である。権利派は，セックス・ワーク論にもとづき，組織的，搾取的売春は否定するが，売春は個人の自由であり，権利であるとの立場である。売春は女性に対する暴力ではなく，性的サービスの提供により労働の対価として金銭を受け取るのであり，「セックスが労働ではない」という一種の思い込みは「家事労働と性的サービスは無償で提供されるもの」という家父長的な通念に通じるという痛烈な批判でもある。また，対価の金銭を受けられなかったり，約束以上のサービスを強要されたり，暴力を振るわれたり，妊娠，STDやHIV／エイズに感染することなどから，守られる権利があると主張する。性的サービスを売るだけであって，人格まで売り渡したわけではないのである。

(2) 「強制売春」

　強制売春ときくと，何やら強制的に売春させられることと考えるが，これもあながちまちがってはいないが，旧ユーゴ出身のドニア・パスッティチィ博士の話では，旧ユーゴの内戦時では，町中で酒や煙草などの供出に応じない女性に対して，物品の代わりに売春を強要したことを「強制売春」というとのことである。戦時下における「強制売春」とは何かを考えてみよう。

　日本では，「前借金」などを含む人身売買は禁止されているはずだが，アジアなどの外国から，「借金」を背負わされて，いい仕事があるなどという甘い言葉に騙されて，日本に連れてこられて，性産業等で働かされているアジアなどからの女性がいる。彼女たちは人身売買の犠牲者であり，不本意ながら犯罪に巻き込まれたり，死亡したりしたケースもある。日本では，HELP などの女性の NGO がサポートしている。ただ，外国から女性を連れてくるリクルーターと呼ばれる組織は，日本の暴力団などともつながりがあり，摘発は困難である。他方，日本人でも，最近，闇金融などと呼ばれる不法な高利で金を貸す非合法金融業者が，返済不能となった債務者である女性に風俗産業などで働くことを強要することもあり，これも人身売買である。

　刑法204条で被害者の同意を傷害罪の阻却事由として認めている。どのような性的な行為も（相手が子どもを除く），合意さえあれば，正当な，正常な行為であるという主張がある。サド・マゾ行為が性行為として正常かどうか，相手の望みでむちで打ち続けていたら，相手が死亡してしまった，というケースはどうだろうか。被害者の承諾があるから，無罪だろうか。また，「池袋事件」のように，買売春にはひどいことをされるかもしれないというリスクを売春する側の女性が承諾しているから，という論理に使われかねない。

　この危険性は買売春のみならず，愛情が介在する，夫婦や恋人関係でもありうることである。

　自分の身体を自分で決めて，どのように使おうが自分の自由であるという，考え方がある。身体の処分権といわれる。セックス・ワーク論もこの考え方にもとづいている。しかし，際限もなく，なんでも自由でなんでもありとも思われないのである。

3.3 子どもと買売春
(1) 法制度の現状

　日本でもようやく1999年5月に児童買春・ポルノ禁止法ができた。1997年にスウェーデンのストックホルムで開催された第1回エクパット（子どもの商業的性搾取を禁止する会議）において，世界の子ども買春および子どもポルノを禁止することを国連が中心になって各国が話し合った。この国際会議の特長はNGO（非政府組織）が中心である画期的な会議であった。この会議を受けて，日本でも児童買春・ポルノ禁止法ができた。意外に知られていないことであるが，日本は世界でも有数の子どもポルノの生産国であり，送り出し国（輸出国）である。表現の自由は尊重すべきであるが，インターネットやメールなどを通じた子どもに対する性搾取は根絶しなければならない。

　性交に同意する年齢を法的に何歳にすることが妥当かということである。子どもの権利条約で保障している，子どもの意見表明権とともに子どもの性的自己決定権も尊重すべきではある。しかし，子どもの身体，とくに，十分に成熟していない性器は，性交によって傷つきやすく，STDやHIV／エイズに感染するリスクは非常に高い。アジアではHIV／エイズが蔓延しているので，処女と性交するとエイズが治るという迷信が流行し，回春願望と複合して，より若い，幼い，少女や女児が性的な対象とされている現状があり，ますます若年層にエイズが広がっている。

　日本の刑法では第17条の強姦罪の規定で，暴行または脅迫を用いなくても，つまりたとえ合意であっても，13歳未満の女性に対して姦淫（性交）を行うと強姦罪となる。

　アメリカでは，合意年齢は，州によって違うが，一般に18歳から16歳。成人が一定年齢（多くは15歳あるいは14歳）以下の子どもと性行為をすると，たとえ表向きの合意があったとしても「法定強姦」を犯したとみなされる。

　日本の場合，刑法の強姦罪と児童買春・ポルノ禁止法との年齢規定の差が存在し，その差をどうとらえるのかという問題が残っている。

　ペドファイルといわれる，合意年齢に達していない子どもを性の対象とする者をいう。日本語訳では「小児性愛者」となっている場合があるが，「子ども性犯罪者」あるいは「子ども性虐待者」が妥当である。幼児の場合，ペドフィ

リアという。

(2) ミーガン法（Megan's law）

　ミーガン法の名称は，1994年にアメリカのニュージャージー州で起きた，7歳の少女ミーガンに対する強姦と絞殺の事件から由来する。ミーガンの隣に住んでいた犯人に幼女強姦の逮捕歴が二つもあったことがきっかけで，この犯罪防止法ができた。法律の内容は，常習的性犯罪者から子どもを守るため，そういう危険人物の住所，犯罪歴，郡検事長が判定する再犯の可能性の大きさ等の情報を，州当局（具体的には警察署）が住民に伝えて，地域ぐるみで監視していくことを目指している。1994年にニュージャージー州で初めてミーガン法ができたあと，99年までに50州のすべてで何らかの地域への警告制度を持つようになった。犯罪被害者，とくに性犯罪被害者の側から，未成年の被害者を，これ以上増加させないために，被害者の人権の視点からのミーガン法のような法律の制定が求められる。このように，加害者の人権よりも，未成年であり，子どもである被害者の人権をより保障すべきである。

[参考文献]

アエラムック『ジェンダーがわかる』朝日新聞社，2002年
安藤大将『スカートをはいた少年～こうして私はボクになった～』ブックマン社，2002年
伊藤悟＝虎井まさ衛編著『多様な「性」がわかる本～性同一性障害，ゲイ，レズビアン～』，高文研，2002年
国際女性の地位協会編『女性関連法データブック』有斐閣，1998年
生命操作事典編集委員会編『生命操作事典』緑風出版，1998年
角田由紀子『性の法律学』有斐閣，1991年
角田由紀子『性差別と暴力』有斐閣，2001年
飛田茂雄『英米法律情報辞典』研究社，2002年
矢澤澄子監修，横浜市女性協会編『女性問題キーワード111』ドメス出版，1997年
ロジャー・ゴスデン，堤理華訳『デザイナー・ベビー』原書房，2002年

第9章 参　　画

1　男女共同参画社会基本法

───── ◆ 導入対話 ◆ ─────

男女共同参画
教師：今日は，男女共同参画社会基本法について考えてみましょう。
学生A：共同サンカク？　三角？？　四角？？？もあるんですか？？
学生B：共同「参画」だよ。社会に「参加」するだけじゃなくって，計画をつくったり，全体の方針を決めたりすることにも「参加」する。他人が決めたことに従うっていう，受け身の社会「参加」じゃなくて，もっと積極的に政策や方針の決定に「参加」していこう，っていう意味だよ。
学生A：ふうん。よく知ってんね。それで，「男女共同参画」だから，男も女も平等に参画しましょう，ってことか。
学生B：政治は男の世界，男が決める。経済活動や企業も男社会，トップはみんな男。それに対して「子育てや高齢者介護は女房に任せています」っていう性別役割分業が激しいからね。
学生A：性別役割分業は，「効率がいい」と思われていたし，「自然だ」と思われていたけれど，21世紀は，そういう時代ではないね。ジェンダーを学んできたぼくにはよくわかる。でも，それならどうして，「男女平等社会基本法」じゃないんだ？　それに，「基本法」って何？
教師：いいところに気が付いたね。何で「男女共同参画社会基本法」なのか，学んでいきましょう。

1.1　ジェンダー主流化

男女共同参画社会基本法は，日本国憲法のもとで第17番目の基本法として

1999年に制定された。法律の英語表記は，The Basic Law for Gender Equal Societyである。ジェンダー（社会的文化的な性別）ではなく個性で活躍する社会，ジェンダー平等な社会のための，あらゆる領域を対象とする法律である。法律の構成は，近時量産されている基本法の標準的構成にならっている。

(1) 基本法の概要

　法律の趣旨・目的は，第1に，日本国憲法の保障する男女の人権の確立，男女平等の実現であり，第2に，日本の社会経済情勢の急速な変化への対応である（前文）。基本法の前提とする社会経済情勢の変化とは，1996年の男女共同参画審議会答申「男女共同参画ビジョン」で列挙された，少子高齢化，国内経済活動の成熟化と国際化，情報通信の高度化，家族形態の多様化，地域社会の変化を意味する。基本法は，男女共同参画社会の形成を「21世紀の我が国社会を決定する最重要課題」と位置付け，施策の推進をはかることを目的とする（1条）。

　基本法の基本理念は5点ある。第1は，男女が性別による差別的取扱いを受けないこと等，男女の人権の尊重（3条），第2は，社会における制度・慣行のジェンダーに中立でない影響をできる限り中立なものとする配慮（4条），第3に，政策等の立案および決定への共同参画（5条），第4に，家庭生活における活動と他の活動の両立（6条），第5に，国際的協調（7条）である。

　法律の中心部分は，国および地方公共団体の責務規定であり，加えて国民の責務規定がある。国は，男女共同参画社会の形成の促進に関する施策（積極的改善措置を含む）の総合的な策定・実施の責務を有し（8条），地方公共団体は，国の施策に準じた施策および区域の特性に応じた施策の策定・実施の責務を有する（9条）。国民は，男女共同参画社会の形成に寄与するように努める責務を有する（10条）。

　こうした国や地方公共団体の責務は，政府に対する，男女共同参画基本計画（積極的改善措置を含む）策定の義務づけ（13条），都道府県に対する，男女共同参画計画（積極的改善措置を含む）策定の義務づけ（14条1項），市町村に対する，男女共同参画計画（積極的改善措置を含む）策定の努力義務（14条3項）によって，具体化されている。基本法にもとづく，男女共同参画にかかわる，初めての法定計画として，また，男女共同参画2000年プランに代わる，新たな国

内行動計画として，男女共同参画基本計画が2000年12月12日閣議決定された。11の重点目標について，2010年までの長期的な政策の方向性を示す「施策の基本的方向」と，2005年までの「具体的施策」が決定された。

(2) **国際的な要請にこたえて**

基本法は，女性差別撤廃条約を履行する包括的なジェンダー（男女）平等法である。日本国憲法の両性の平等規定（14条）と，それを具体化する戦後改革における民法などの大規模な法律改正によって，国家の責務は終了しており，そのあとも女性が事実上平等でないのは，女性の努力，意識，能力の問題であるという見解が70年代まで支配的であった。このような日本の状況に根本的な変革を迫ったのが，1979年の国連の女性差別撤廃条約であった。この条約によれば，意識や習慣にまで及ぶ構造的な差別を撤廃する締約国の義務を果たすために，立法は基本的な方法である（条約2条(a)(b)）。包括的な差別禁止規定はなくても，内容に不十分な点があっても，あらゆる領域を対象とする立法の意義は明らかである。

基本法が目指すのは，ジェンダーの主流化である。国会の審議のなかで，直接差別だけでなく間接差別も性別による差別であることが，繰り返し確認された（3条）。基本法15条は，「国及び地方公共団体は，男女共同参画社会の形成に影響を及ぼすと認められる施策を策定し，及び実施するに当たっては，男女共同参画社会の形成に配慮しなければならない」と規定した。国および地方公共団体が行うあらゆる施策が，男女に異なった影響を与えていないか，つまり，男性女性の固定的役割を助長する効果をもっていないか，吟味することを求められる。女性対象の政策だけでなく，今まで女性の人権にかかわるとは考えられてこなかったあらゆる分野の政策が，ジェンダーの視点から検討されるべきことを意味する。

1.2 基本法ができるまで

1975年以来の，国際社会の女性の地位向上，女性の人権保障のための取組みが，日本における基本法の成立を後押しした。国際女性（日本政府訳は婦人。以下同じ）年の1975年，メキシコ・シティーで開かれた第1回の国連の女性会議は「世界行動計画」を採択し，これにもとづき77年日本政府によって「国内行動計画」がつくられた。日本は，1985年には前述の女性差別撤廃条約を批准，

その後の世界レベルの計画の進展に対応して，87年「西暦2000年に向けての新国内行動計画」，91年「新国内行動計画（第一次改定）」，96年「男女共同参画社会2000年プラン」を作成した。

基本法の成立への直接の経緯は，1996年7月，男女共同参画審議会の答申「男女共同参画ビジョン」が，男女共同参画社会の実現を促進するための基本的な法律の検討を提起したことから始まる。基本法の制定は，同年10月，自民党橋本龍太郎，社民党土井たか子，さきがけ堂本暁子の三党首が率いる与党3党の合意事項となり，同年12月，「男女共同参画2000年プラン」に盛り込まれた。その後，男女共同参画審議会で検討され，98年11月の審議会答申「男女共同参画社会基本法について」を受けて，99年2月，男女共同参画社会基本法案が閣議決定され，国会へ提出された。国会では，各党とも，法案の早期成立を支持する点では一致していた。野党から修正案は出されたが，いずれも政府案をより前進させたいとする趣旨の提案であった。参議院で法律の趣旨・目的を明確にするための前文が追加修正された上で，両院とも全会一致で99年6月15日可決成立，同23日施行された（法78号）。参議院総務委員会および衆議院内閣委員会で，それぞれ附帯決議が議決された。

日本国憲法が保障する男女平等は，憲法施行後50年を経過しても十分に実現されてはいなかった。女性差別撤廃条約を始めとする国際的基準の実現も不十分であった。国際社会では，1990年5月，国連経済社会理事会で採択されたナイロビ将来戦略勧告が，「意思決定レベルの地位における女性比率を1995年までに30％にする」ことを掲げていた。しかし日本では，国際的な比較のなかでみると，女性の能力は開発されているにもかかわらず，政治経済活動における政策，方針の立案および決定への参加，すなわち「参画」が不十分であるという特徴があった（国連開発計画（UNDP）の発表する，GEMジェンダー・エンパワーメント指数は，2003年現在44位である）。こうした日本の特徴に対応したジェンダー平等法が男女共同参画社会基本法であるとされる。

1.3　積極的改善措置

基本法は，2条で積極的改善措置を「前号【男女共同参画社会の形成】に規定する機会に係る男女間の格差を改善するため必要な範囲内において，男女のいずれか一方に対し，当該機会を積極的に提供すること」と定義する。ポジ

ティブ・アクションである。そして，この積極的改善措置を実施して，事実上の平等の達成に努力することを，国，地方自治体，企業を含む国民の責務と規定した（8条以下）。女性差別撤廃条約のもとで，国は，積極的な差別解消策を行っていくことが求められていた（女性差別撤廃委員会一般的勧告第5（1988年））。1997年成立の改正男女雇用機会均等法20条は，ポジティブ・アクションについて，単に，企業の「自発的」ポジティブ・アクションの実施に対する国の援助を規定するにとどまっていた。しかし基本法によって，企業も国民として，男女共同参画社会の形成に努力しなければならないことになった（浅倉むつ子「男女共同参画社会基本法と条例──労働法へのインプリケーション」労働法律旬報1487号（2000年）12頁）。

　ポジティブ・アクションは，形式的平等には反する。しかし，過去に構造的差別を受けてきた女性に，形式的平等を保障するだけでは，過去の差別の結果ついてしまったハンディを乗り越えることはできない。暫定的な特別措置として，性別による差別にはならない（女性差別撤廃条約4条1項）。

　ポジティブ・アクションには，さまざまな形態があるが，目標年次における数値目標を掲げて，目標へ向けて計画的な取組みを進めていくゴール・アンド・タイムテーブル方式は有効である。

【展開講義 24】 クォータ制

　　ポジティブ・アクションの一つに，一定割合をどちらかの性に優先的に割り当てるクォータ制がある。男女共同参画審議会は，40％のクォータを定めていた（改正前基本法22条2項）。現在の男女共同参画会議の学識者委員についても，同様の定めがある（1999年法102号改正後基本法25条3項）。「男女のいずれか一方」に40％割り当てるというのは，ここでは男性のことである。クォータ制については，逆差別だという批判も強く，他の審議会ではもっと緩やかな方法が取られているのに，なぜ，男女共同参画に関しては正当化されるのかは，そう明確ではないと思われる。ジェンダー平等に関する専門家を，能力や実績で選んだら，男性がほとんど選ばれなくても仕方がないかもしれない。

　　先進国のなかで日本と同様女性の政治参画が進まなかったフランスで，2000年，公選職への女性と男性の平等なアクセスを促進する法律（パリテ【男女同数】選挙法）が制定された。比例代表制の欧州議会選挙などでは男女交互名簿とし，市

町村議会選挙では6人グループごとのパリテ，小選挙区制の国民議会選挙では，政党は候補者の男女差を2％以内とすることが義務づけられた。2001年の市町村議会選挙では，女性議員が激増したが，2002年の国民議会選挙では，大政党が，法に従うことより，違反して政党補助金を減額される道を選んだため，ほとんど効果はなかった。

日本でクォータ制を法律で義務づける場合，関わる権利の性質（選挙権，労働権など）と，憲法14条1項後段列挙事由である「性別」による差別であることから，審査基準を確定し，合憲性が判断されることになるが，定説はないように思われる。

1.4 苦情処理機関

基本法17条は，国が，政府の施策に対する苦情の処理および，人権侵害された被害者の救済のための必要な措置をとるべきことを規定する。国会審議において，第三者機関の設置を求める野党との間で最大の論点になったが，結局上記のような具体性のない文言になった。措置の具体化は，男女共同参画会議に設置されている苦情処理・監視専門調査会において，各国の制度や地方自治体の先行事例などを参考に検討され，男女共同参画会議は，2002年10月に「男女共同参画に関する施策についての苦情処理及び人権侵害における被害者の救済に関するシステムの充実・強化について」を発表した。しかしここでも「オンブズ・パーソン的機能を果たす新しい体制」は，将来の調査・研究課題とされるにとどまった。

近年，国際的に，国内人権機関の重要性が強調されている。救済，政策提言，啓発を行う独立の行政機関の設置である。北京行動綱領においても，人権委員会またはオンブズパーソンのような人権に関する国内機関が，女性の人権侵害に十分な注意を払うことを求めている（「北京行動綱領」戦略目標Ⅰ2「法の下及び実際の平等及び非差別を保障すること」パラグラフ232(e)）。しかし，日本政府は，国内人権機関一般に対して従来きわめて消極的であった。総務庁の行政相談，行政監察，法務省の人権擁護委員など既存の制度が，すでにオンブズパーソンの機能を果たしているとする。しかし，これら既存の制度は，女性の人権に対する敏感さという意味ではきわめて問題がある。また，独立性や権限の面でも

不十分であることは、1998年国連規約人権委員会によっても指摘されている。2002年通常国会に、政府は人権擁護法案を提出し、人権救済機関の設置を目指したが、法案には問題が大きく、成立しなかった。

1.5 ナショナル・マシナリー

男女共同参画行政を推進するためには、強力な推進体制が必要である。国際女性年の1975年に、内閣総理大臣を本部長とする婦人問題企画推進本部が設置された。日本のジェンダー平等施策の推進のためのナショナル・マシナリー（国内本部機構）設置の最初である。1994年には、婦人問題企画推進本部が男女共同参画推進本部に昇格し、総理府男女共同参画室、男女共同参画審議会が設置されたが、その権限の及ぶ範囲はあいまいであった。基本法によって、国内本部機構の役割が、法律上明確に位置づけられた。2001年1月実施の中央省庁等改革によって、内閣府に四つの重要政策会議の一つとして男女共同参画会議が置かれ、男女共同参画審議会は発展的に継承され（1999年法102号）、男女共同参画室は、内閣府男女共同参画局となった。関係行政機関との総合調整を行い、NGO、国際機関、地方自治体等と連携協力しながら、施策が進められている。

男女共同参画会議は、国務大臣12名と学識経験者12名から構成される。(1)男女共同参画基本計画の策定にあたり、内閣総理大臣に意見を言うこと、(2)内閣総理大臣または関係各大臣の諮問に応じて、男女共同参画社会の形成の促進に関する基本的な方針、基本的な政策および重要事項を調査審議すること、(3)前2項に関して、調査審議し、必要があると認めるときは内閣総理大臣または関係各大臣に意見を述べること、(4)男女共同参画社会の形成の促進に関する施策の実施状況の監視、政府の施策が男女共同参画社会の形成に及ぼす影響についての調査、および、必要があると認めるときは、内閣総理大臣または関係各大臣に意見を述べることができる（22条）。(4)の前半について、苦情処理・監視専門調査会が設置され、「国際規範・基準の国内への取り入れ・浸透について」（2004年7月）などの監視結果を公表している。後半については、影響調査専門調査会が設置され、2002年12月に「ライフスタイルの選択と税制・社会保障制度・雇用システム」に関する報告を、2004年7月には「ライフスタイルの選択と雇用・就業に関する制度・慣行」についての報告を公表している。2つ

の調査会は，2004年7月で活動を終了し，監視・影響調査専門調査会に統合された。

2　自治体の参画条例

──────── ◆　導入対話　◆ ────────

審議会の公募委員

学生A：市役所のホームページ見てたら，男女平等参画を進める審議会の委員を公募してるって，出てた。20歳以上で市内在住，在勤，在学者が対象だって。

教師：応募したらどうですか？　せっかくジェンダー法学勉強してるんだし。市の男女共同参画行政に参画できるなんて，これは，チャンスですよ！

学生A：えーっ！　まじですか!?　一応，20歳以上の市内在住・在学者ですね。でも，何するんですか？　審議会の委員って。

学生B：市役所の会議室で，会議するんじゃないの。「女は，門限10時」「女なんだから家の手伝いしなさい」っていう親父やおふくろの意識をどう変えるか，市として作戦考えるんじゃない？　バイト先の店長にも「女子バイトにセクハラをしてはいけません」ってちゃんと教えてほしいよ。

学生A：でも，何で委員を公募するのかな。審議会の委員って，会社の社長とか団体役員とか学者とか文化人とか，そういう人でしょう？　普通。学生でいいのかな？

教師：「会社」の社長とか「団体」役員とか，「大学」の教師とか，みんな男性支配が厳しいから，従来と同じ選び方をしていると，男性委員ばっかりになってしまう可能性がありますね。それに，君たち若者が，21世紀に「男女共同参画社会」が実現するかどうかのカギを握っているんですよ。教室で学んだことを，審議会で実践してみる。その先には，議員を目指す人も出るといいですね。

2.1　男女共同参画条例

　基本法によって定められた男女共同参画行政を進める責務（9条）を果たすために，条例を制定する自治体が急速に増えている。その数は，2004年4月1日現在，46都道府県，232市区町村，合計278自治体にのぼる。3,170を数える自治体全体のなかでの割合は高くないが，今後さらに増えることが予想される。

条例制定の動きは，すでに基本法制定に先行もしくは並行する形であった。埼玉県では，2000年3月21日，埼玉県男女共同参画推進条例が成立した。東京都では1996年以来，男女平等推進基本条例(仮称)というかたちで議論され，2000年3月30日，東京都男女平等参画条例が成立した。その後，制定，検討する自治体が続いている。

(1) **基本法をこえる条例**

条例の制定過程においては，国会審議で問題になりながらも国の基本法では盛り込まれず，国会の附帯決議に委ねられた基本法の残された課題の実現が各地で試みられている。一つは，条例の名称に端的に現れる，条例の基本理念の問題である。基本法の英文名称には明記されているジェンダー（両性の）「平等」を，日本語で明確に表現する試みである。東京都条例の名称は一つの例である。

第2に，条例のなかにドメスティック・バイオレンスやセクシュアル・ハラスメントに関する住民や地方自治体の責務を定める例が多い。これら女性に対する暴力が，男女共同参画社会の実現を妨げる重大な問題であることは，国会審議でも確認されていた。しかし，これらの事項を基本法に盛り込むべきであるという主張は採用されなかった。埼玉県条例は，7条で，「何人も，家庭，職場，学校，地域社会において，女性に対する暴力を行ってはならない」（1項)，「何人も，家庭，職場，学校，地域社会において，セクシュアル・ハラスメントを行ってはならない」（2項）と定める。石川県羽咋市男女が共に輝く21世紀のまちづくり条例は，まちづくりの四つの基本理念の一つとして，DVなどの暴力がない社会であることを掲げた上で，9条1項で，市は，DVを含むあらゆる暴力の防止および被害者の保護のために相談所を設置すること，2項で，前項の目的を達成するため，市内外の行政機関や民間団体と積極的に連携することを定める。

第3に，事業主の責務を明示するものがある。企業が男女共同参画社会の形成に対して負う責務は，一般国民の負う責務とは比べることのできない，大きなものである。しかし基本法では，事業主の責務は，国民の責務（10条）のなかに含められてしまった。東京都条例は，日本企業の本社が集中する東京における，企業活動のジェンダー平等の実現，雇用差別の撤廃は，東京の地域特性

からきわめて重要と考え，事業主の責務を定め（6条・13条1項），「男女平等参画の促進に必要と認める場合，事業者に対して雇用の分野における男女の参画状況についての報告を求めることができる」(13条2項）と定めた。

第4に，基本法17条があいまいにしか規定できなかった，オンブズパーソンや人権委員会のような苦情の処理機関の設置を規定することである。埼玉県条例13条は，(1)県の男女共同参画の推進に関する施策もしくは推進に影響を及ぼすと認められる施策についての苦情，(2)男女共同参画の推進を阻害する要因によって人権が侵害された場合の事案についての申出，の両者を適切かつ迅速に処理するための機関を設置することを定め，2000年10月から施行された。行政から独立した第三者機関の設置である。弁護士（男女各1名），学識経験者（女性1名）の計3名が任命された。2000年度は15件の苦情申立があり，うち3件が(1)の県の施策に関する苦情，12件が(2)の個人の人権救済の申立だった。前者は，県立高校の共学に関して2件，男女混合名簿に関して1件であり，名簿に関しては，合議による意見表明（13条3項）が行われた（木村勇「男女共同参画に関する苦情処理について②地方自治体の対応」法律のひろば2002年2月号。問題点を指摘するものとして，「動き出す『苦情受け付け』」日本経済新聞（夕刊）2002年3月6日。）。福井県武生市男女共同参画推進条例（2002年）は，男女平等オンブッドを置く（18条）。市の施策に対する苦情および人権救済の申立に対しては，市に意見表明し，従えない場合は理由を提出させ，結果を公表することができる（施行規則10条以下）。苦情がなくても自らの発意で調査し，市長に意見を述べることもできる（同規則9条1項3号）。

その他，埼玉県条例8条では，「何人も，公衆に表示する情報において，性別による固定的な役割分担及び女性に対する暴力等を助長し，及び連想させる表現並びに過度の性的な表現を行わないように努めなければならない」と，ポルノグラフィーその他の表現について規定している。各自治体の意欲的な規定が，新しい施策の実験室になる。効果を証明すれば，各地の条例が先例となって，国の基本法のもとでの個別立法や基本法の改正につながっていくことが期待される。

(2) バックラッシュ

他方，「男女共同参画」という基本法の名称に，「男女平等」を隠すあるいは

消す意図があったことからも明らかなように，ジェンダー平等の理念は，決してまだ日本社会全体では理解を得ていない。むしろ，これを否定する意見が強いなかで，否定意見を変えるための施策が，基本法の求める施策である。したがって，自治体によっては，条例制定過程のなかで，基本法の基本理念を無効にするような文言が入り込むことがある。東京都条例は，前文で，「男女は，互いの違いを認めつつ，個人の人権を尊重しなければならない」と規定する。山口県宇部市男女共同参画推進条例（2002年）3条は，基本理念として，基本法の五つの基本理念に，「男女が，男らしさ女らしさを一方的に否定することなく男女の特性を認め合い」（1号），「専業主婦を否定することなく，現実に家庭を支えている主婦を男女が互いに協力し，支援するよう配慮に努めること」（5号）を追加した。これらの文言は，男女共同参画社会を，「異なった特性をもった男女がそれぞれの役割を果たすことでうまくいく社会」と考える，性別役割分業論にたつものである。

【展開講義 25】 行政と契約する事業主に対する施策

　福岡県福間町男女がともに歩むまちづくり基本条例（2001年）は，事業主等の責務として，「男女が家庭と就業や活動を両立できる環境の整備に努めなければならない」（6条2項）と定めるとともに，「事業主等が町と工事請負などの契約を希望し業者登録をする場合は，男女共同参画の進捗状況を届け出なければならない。」（3項）とする規定をおいた。これによって，福間町における指名競争入札等に参加を希望する事業者は，指名競争入札等参加資格審査申請にあたって，「男女共同参画推進状況報告書」を提出しなければならない。報告された内容は，指名基準の要件には含まれないので，男女共同参画が進んでいない事業者でも，契約の成否には関係ない。しかし，大きな啓発効果が期待される。
　福間町のような制度をめぐっては，現行の会計法や地方自治法のもとで認められるのか，議論がある。しかし，女性を排除することで経営効率を高めた企業に，安い価格だからと公共事業を入札させ，税金を「効率的に」使いながら，男女共同参画事業や貧困化した女性に対する施策に税金を費やすなら，多少価格は高くても，男女共同参画を実践する企業に公共事業を任せることにした方が，結局税金は「効率的に」使えるともいえる。実効性の高い制度を導入していくためには，前提として，政策評価の手法の確立が求められる。

内閣府の男女共同参画会議基本問題専門調査会は，入札参加登録の新たな審査項目として男女共同参画を加えることは可能という見解を示している（「女性のチャレンジ支援策について　中間まとめ」2002年10月）。

福間町の女性議員は20名中7名の35％，条例について答申した女性問題審議会，事務局（同町企画調整課）の「日本一の条例をつくりたい」という一致した思いがこの制度を生んだ，と報道されている（「公共事業登録や補助金交付：自治体，女性の活躍条件に」日本経済新聞（夕刊）2002年4月22日）。男女共同参画社会を実現するシステムの成功パターンを示しているのではないだろうか。

2.2 男女共同参画計画

1975年以降，国の行動計画と歩みを同じくして，先進的な自治体では行動計画がつくられた。基本法成立時には，都道府県レベルではすべて行動計画が策定されていた。基本法によって，地方公共団体の責務が定められ（9条），都道府県については男女共同参画計画を定める義務が課された（14条1項）ことは，国にとってと同様，ある意味で確認的なことであった。しかし，市町村レベルでは，都市部では取り組まれていても，ジェンダー平等は全国的にはほとんど政策課題として取り組まれてはいなかった。3,200にのぼる自治体の男女共同参画に関する施策には，きわめて大きな格差があった。基本法によって，地方公共団体の責務が定められ（9条），市町村についても男女共同参画計画を定める努力義務が課された（14条3項）ことが，日本社会の改革にとってもつ意味は大きい。2004年4月1日現在，47都道府県および3,123市区町村中1,061市区町村で男女共同参画計画がつくられている。

地方自治体の施策は，国の施策に準じたものであるとともに，その地域の特性に対応したものでなければならない（9条）。都道府県の計画は，国の基本計画を，市町村の計画は，国の基本計画と都道府県の計画を踏まえたものでなければならない（14条1項・3項）。

計画は自治体職員が主体となってつくる。自治体のあらゆる施策，あらゆる部局の男女共同参画が問われているのだから，地方政府全体で取り組む体制が必要である。その過程で，首長が審議会や懇談会などを設置して，市民や有識者，関係団体の意見を聞くのが通常である。市民に積極的に審議を公開し，中

間段階の案を公表して市民の意見を聞く必要もある（パブリック・コメント）。市民の側も，公募委員への応募，審議会の傍聴，意見書の提出，議員による議会での質問と傍聴等，計画の策定に参画することが求められる。男女共同参画に関する NPO が，従来業者委託されていた計画策定に関わる業務を請け負うというかたちで，計画づくりに参画することもできる。

　計画では，施策の内容だけでなく，施策の推進体制も重要である（14条2項2号）。担当部署を設け，十分な人員と予算を配置し，そこが総合的な企画調整を行って全庁で取り組む体制をつくる。さらに，行政の施策を監視，評価するのは，議会の仕事でもあるが，行政自身の取組みも必要である。行政の外部機関も必要である。苦情処理機関は，具体的な苦情処理を通じて構造的な問題点を把握できるので，政策提言にもつながる。

2.3　男女共同参画センター

　男女共同参画社会を形成するための拠点施設は，1975年の国際女性年以降要求が高まり，80年代90年代と，自治体の女性センターとして広がった。2004年4月1日現在，40都道府県，251市区町村に設置されている。公設公営と公設民営のタイプがある。国の施設としては，1977年，文部省所轄の国立婦人教育会館がつくられた（現在は独立行政法人・国立女性教育会館）。

　女性センターは，本庁の男女共同参画行政担当部署と連携しながら，実際に事業をすすめる。女性センターは，まず，女性のエンパワーメントのための施設である。果たすべき機能としては，情報の収集・提供，学習・研修・能力開発，女性団体の活動の援助，ネットワークの拠点，相談，調査・研究などがある。センターの相談が機能すれば，自治体の施策についての苦情処理や人権侵害における被害者の救済の窓口になる。相談機能が，調査・研究機能と結びついて，市民のニーズにもとづく政策提案機能も果たしうる。これを政策化するのは，本庁の担当部署である。

　男女共同参画社会基本法のもとで，男性や企業，学校，行政機関その他社会のあらゆる組織と連携した事業展開が期待される。

3　参画の領域

──　◆　導入対話　◆　──

女性議員50％

教師：なぜ議員の半分は女性の必要があるのでしょう？

学生A：男だけだと，男に都合のいい法律を作ってしまうから。女の利益を無視する。

教師：女なら女の利益がわかるかな？　男だと女の利益は分からないかな？

学生B：今はとにかく女性と男性の置かれてる状況は全然違うから，女性政治家がいないと女性の経験が政治に反映されないと思う。

学生A：それにしても「女性議員が50％，男性議員が50％」の社会なんて，実現するかな？

学生B：「なせばなる。なさねばならぬ，何事も。」

学生A：「なせばなる」って言ってても，どうにもならないよ。だいたい立候補者からして，女性は圧倒的に少ないんだよ。それに，選挙に勝つって，大変なことだよ。

教師：一足飛びに，女性政治家を増やそうとしても限界があるかもしれませんね。でも，政党，政治家の後援会，学校，PTA，役所，民間企業，労働組合，同業者団体，町内会，NGO・NPOといったあらゆる場所で，女性が政策や方針の決定に参画していったら，将来はどうでしょうか？

3.1　政治の世界に生きる

　日本国憲法は近代立憲主義の憲法である。人間一人ひとりがかけがえのない尊い存在だという考え（個人の尊厳）を基礎に，人間が人間であることによって当然にもっている，侵すことのできない権利，すなわち人権の保障を政治の目的としている。この目的を実現するために，国民主権や権力分立，地方自治といった原則にもとづいて統治のしくみを作っている。中央政府の権限は，立法権を担う国会，内閣以下の行政府，司法権を担う裁判所がそれぞれ分担し，中央政府と地方政府（自治体）の間でも権限が分配されている。権力の担当者は，国民に委託されて日常の職務を行っており，国の政治のあり方の最終的な

決定権は，国民にある（国民主権）。国民が積極的に政治に参加してはじめて，人権が保障される。したがって，女性も男性とともに政治に参画してはじめて，男性とともに女性の人権が保障される。

　国民の政治参加は，毎日の政治活動（憲法21条）や請願（憲法16条），地方公共団体の住民による住民投票や直接請求（地方自治法74条以下）によっても行うことができる。しかし，議会制民主主義を採用する憲法のもとでは，選挙権・被選挙権の行使がもっとも重要である。

(1) 今でも政治は男の世界

　日本で女性参政権が実現したのは，第二次世界大戦後の1945年，占領軍マッカーサー司令官の五大改革の指令による。1925年，大日本帝国憲法のもとで，男子普通選挙権は実現していたが，その「普通」（制限のない）選挙制度から女性が排除されるのは，当然と考えられていた。「女らしさ」は政治には向かないし，女の本分は家庭だとされたからである。第二次世界大戦に至る侵略戦争を遂行した明治憲法体制を支えたのは，「家」制度である。この「家」制度を解体し，日本を民主主義国家に改革するためには，「家」制度を支えた（男性に対する）女性の従属を改革することが不可欠だと考えられたのである。

　日本女性が最初に投票したのは，1946年4月の総選挙だった。女性の投票率は，その後しばらく男性より低かったが，1960年代後半に逆転して以降，女性の方が高い。

　これに対して，被選挙権については，女性の参画はきわめて乏しい。女性衆議院議員は，1946年第1回当選の39人（8.4％）が最高である。このときは，大選挙区連記制であった。その後，中選挙区単記制に変更されて大幅に減少した。1996年総選挙から，小選挙区比例代表並立制が導入され，比例部分で伸びているが，7.1％（2004年）にとどまる。参議院は，1989年7月，いわゆるマドンナブームのなかで，前回選挙の当選者の7.9％から17.5％に跳ね上がった。しかし女性比率は14.6％（2004年）である。地方議会は，7.9％（2003年）。地方議会でも，特別区議会は21.5％，政令指定都市の市議会は16.0％であり，都市部では高い傾向にある。大阪府島本町議会では，定数18のうち8人が女性だ。しかし，女性議員が一人もいない「女性ゼロ議会」が，町村では45.9％（2003年）ある。女性首長は，都道府県知事4名，市長6名，特別区長1，町村長7

名の合計18名（2003年），女性の総理大臣はいまだかつて一人もおらず，女性大臣は2001年小泉内閣の5名が最高である。

世界的にみても，女性の第一院の国会議員の平均は15.2％（2004年）という状態である。しかし，ルワンダの48.8％スウェーデンの45.3％を筆頭に，30％を超えている国が，デンマーク，フィンランド，オランダ，ノルウェー，キューバ，スペイン，コスタ・リカ，ベルギー，オーストリア，アルゼンチン，ドイツ，南アフリカ，アイスランド，モザンビークの16カ国ある。日本は，先進国中では最低で，世界ランキング136位（2004年）である（列国議会同盟（IPU）[http://www.ipu.org/wmn-e/classif.htm]）。

(2) **女性議員を増やす**

女性議員を増やす運動は，国際女性年以降，1970年代後半から始った。生活クラブ生協の「代理人運動」が知られている。1986年には土井たか子社会党委員長が誕生し，80年代後半には，マドンナブームが起こった。90年代には，既存の政党のもつ選挙ノウハウをもたない無党派の女性が選挙のやり方や議会活動のやり方を学ぶ講座や，女性候補者に選挙資金を提供する運動も広がった。「女性ゼロ議会」をゼロにするという目標も掲げられるようになった。

女性議員が少ないことは，なぜ問題なのだろうか。戦前のように女性参政権が認められない，あるいは，権利はあっても，実際投票には行けないという状況があれば，それが問題であることは，争いがない。日本の女性の投票率は男性より高い。その女性が男性議員を選んでいるなら，それでいいではないか，という意見もある。

しかし，議員が男性ばかりということは，社会や文化が性別役割分業を受け入れているということである。男性ばかりの議会は，ジェンダーを再生産する法律や政策を推進するだろう。性別役割分業のもとで女性が担ってきた領域，関心をもってきた領域――子育て，介護，福祉のまちづくり活動，食の安全，女性に対する暴力，女性の身体など――は，政治の場で軽視されることになるだろう。女性と男性の経験していることがジェンダーに縛られていない社会ならば，国民の代表者，議員の性別はあまり気にならないだろうが，そのときには，自然と議員の半分は女性になっているだろう。

女性議員の増加は，日本の政策課題を確実に変えている。1999年児童買春・

児童ポルノ処罰法，2000年ストーカー行為等規制法，2001年DV防止法が成立した。2001年「戦時性的強制被害者問題解決促進法」が野党3党によって国会提出されたことも，画期的である。戦時性的強制被害者とは，旧日本軍の従軍慰安婦のことである。しかし，まだ変化は小さい。

現代の民主政国家においては，政党の役割が重要だとされる。日本においても，1995年から，国会議員数と投票率に応じた政党助成金制度が導入された。立候補の権利や選挙運動の権利においても，政党に所属する者としない者には格差がつけられている。政権交代可能な二大政党制をつくるとして，94年，小選挙区中心の選挙制度に改められた。政治の男女共同参画には，立候補者の半数を女性とする政党を増やす必要がある。政党の自主性にまかせるのではなく，候補者の一定割合以上が女性になるように法律で定め，違反した政党には，政党助成金を減らすなどの制裁を課す，というクォータ制も検討の余地がある。また，現在の選挙制度や選挙運動制度が，新人として戦うことになる割合が高い女性に対して不利な影響をもたないか，という視点からの検討も必要だろう。

3.2 公務員として働く
(1) 公務員にもある女性差別

公務員として働く権利も，広い意味での参政権，政治参加の一つの方法である。平等条項のなかった大日本帝国憲法でさえ，臣民が天皇の官吏として働く権利の平等だけは定めていた。ただし，性別による差別は当然だった。日本国憲法のもとでは，公務員の男女平等が保障されている（憲法14条1項，国家公務員法27条，地方公務員法13条）。公務職場は，民間企業に比べて，女性差別がなく，女性が働きやすい職場だと昔から信じられてきた。実際は，採用配置昇進から退職まで，女性差別はあたりまえに存在してきた。しかし，公務員には，労働者の人間らしい労働条件を守るための労働基本権（憲法27条）も，公務職場にかかわる政治的要求を行う政治活動の自由（憲法21条）も制限され，女性差別は放置されてきた。

国家公務員行政職において，定型的な業務を行う職務では，女性の割合は増加している。しかし，職務の級が上がると女性は減少し，本省係長級の4級から6級では10％台，本省準課長・課長相当級である9級から11級では，約1％である。Ⅰ種の採用も2002年度で15.9％，90年代後半からほぼ横ばいで，増加

傾向にはあるものの，変化は小さい。地方公務員の管理職も，都道府県で4.9％，政令指定都市で6.4％（2004年）である。総務庁のまとめでは，一般行政職係長以上の女性比率は，緩やかに増加している都道府県や政令指定都市とは異なり，一般の市や町村では1996年から2001年にかけて低下している（「女性公務員昇任に二の足」日本経済新聞（夕刊）2002年8月13日）。女性管理職が1人もいない自治体も1,169自治体ある（2004年）。戦時下の女性に対する暴力との関係で議論があるのが，軍隊への女性の参画であるが，自衛官の女性比率は，1990年度の2.4％から2000年度には4.2％になり（DATAアイ「女性自衛官比率上昇続く」日本経済新聞（夕刊）2001年6月15日），2004年には4.57％に上昇している（『平成16年版日本の防衛―防衛白書―』）。

(2) **男女共同参画への取組み**

　1996年の「男女共同参画2000年プラン」では，行政の分野では，「施策の対象の半数を女性が占め，また，同様に施策の影響も受けることから，とりわけ積極的に（男女共同参画を）進める必要がある」として，「女性国家公務員の採用・登用等の促進」を位置づけた。確かに，現代国家においては，行政府の政策形成過程における役割は大きく，日本では，国会で成立する法案のほとんどは，議員ではなく，官僚によってつくられる。しかし，2000年になるまで，具体的な取組みは見られなかった。ようやく2001年，2000年の男女共同参画基本計画において早期の策定が求められた，人事院「女性国家公務員の採用・登用の拡大に関する指針」が策定された。これを受けて，男女共同参画推進本部は，「女性国家公務員の採用・登用等の促進について」決定を行った。これらを受けて，全31府省が，2005年度までの目標を設定した「女性職員の採用・登用拡大計画」を策定して，女性国家公務員の男女共同参画をめざした取組みをはじめた。ただし，数値目標をかかげたのは，2割に満たない。2000年から人事院は，幹部候補の女性を増やそうと，初めて女子学生向きの就職セミナーを開き，ポジティブ・アクションに務めている。しかし，専業主婦がいてはじめて家庭生活と両立するような職場の働き方を見直さない限り，女性のキャリア志望者は増えない，という意見もある。

　国際化のなかで，国連システムにおける男女共同参画も，重要性を増してきた。日本女性の国際機関専門職への参画状況は，分野別の偏りはかなりあるも

のの，日本人職員中の女性比率は年々改善されていることが指摘されている（井上輝子＝江原由美子編『女性のデータブック（第3版）』174～175頁）。ただし，国連システム全体として，女性は専門職の下位のレベルに集中しており，国連にとっても女性の参画がなお深刻な課題であることが，指摘されている（H. チャールズワース，C.チンキン『フェミニズム国際法─国際法の境界を問い直す─』尚学社，2004年，第6章）。

3.3 審議会委員になる

国の行政機関である府や省，あるいは，地方自治体の執行機関である長などには，多数の審議会が設けられている（内閣府設置法37条，国家行政組織法8条，地方自治法138条の4）。審議会は，行政課題や行政の方向性から，具体的な行政行為まで，専門的知識を持つ者や利害関係を有する者など国民の意見を幅広く取り入れることを目的としている。しかし，審議会の実態は，事務方を務める官僚の作った政策にお墨付きを与えるものだ，本来公開の議会で国民の代表によって行われるべき議論や調整を密室化するものだ，という批判もある。また，法令上の根拠をもつ審議会ではなく，「私的諮問機関」と言われる首相や大臣等の「懇談会」「研究会」などのほうが実際の政策には影響力をもつ，とも言われる。審議会には，このように，いろいろ問題もあるが，現代行政において果たしている役割は大きく，女性の参画が不可欠である。

審議会委員の女性比率の拡大について，国も地方も継続的に取り組んできた。国は，6.3％であった1987年に2000年までに15％とする目標をたて，91年に95年度末までに期限を前倒しした。次に96年，2000年度末までのできるだけ早い時期に20％とする目標をたて，2000年には，2005年度末までのできるだけ早い時期に30％とする目標をたてている。2003年現在26.8％まで拡大している。各都道府県も数値目標をたてており，都道府県の女性委員は28.3％，政令指定都市は27.2％である（2004年）。

審議会の委員は，職務指定による者，団体推薦による者，その他の者から構成されており，前二者の女性比率が低い。公務員から民間まであらゆる領域の男女共同参画が進まなければ，女性委員の増加には限界がある。数値目標をたてることで，委員構成や選任基準の見直し，公募委員の拡大，同一人がかけもちできる審議会数を制限して新しい人材を発掘するなど，根本的に審議会のあ

り方を考え直す必要が生まれている。

3.4　司法関係で働く
(1) 現　　状
　司法関係の女性比率は，徐々に増加し，裁判官12.6％，検察官8.4％，弁護士11.7％（2003年）である。司法試験合格者の割合も1970年代後半は10％以下であったのが，最近では25％前後になっており（2003年は23.5％），今後も司法関係者の女性比率は増加が期待される。しかし，司法界が，圧倒的な男性支配であることは，変わりがない。憲法の番人である最高裁判所の裁判官は15人中女性が1人いるかゼロかの状態である。判事補の女性任官差別の存在はかつてたびたび指摘されてきたが，近時は，判事補の女性任官比率は女性司法修習生の比率にほぼ見合っている。しかし，検事任官については，2000年に，女性修習生の割合が25％なのに，検事任官は13.5％と極端に低く，女性差別の存在が指摘された。法務省は，適性による採用の結果と説明しているが，男性社会の警察を指揮しなければならない検事は，判事や弁護士とは同じに考えられないという意見が，検察内部にあるようだ（「『検事任官女性枠は差別』司法修習生有志近く改善を要請」朝日新聞（名古屋本社版）夕刊2000年10月3日）。

(2) 司法のジェンダー・バイアスを克服する
　従来，司法関係者が男性ばかりであることは，問題とはみなされてこなかった。判事も検事も弁護士も，法に従って職務を遂行するのであり，法は万人に平等で，男性が解釈適用しようが女性が行おうが，変わりがあるはずがないのだから，司法関係者が全て男性でも，そのこと自体が問題なはずはないと考えられてきた。
　しかし，法や法をとりまく制度も社会の一部であり，法をつくる立法者のみならず，法にもとづいて裁判を行う場合にも，その担い手のジェンダーが，司法のジェンダー・バイアスとして，法による正義の実現，人権の保障に歪みをもたらす。
　なぜ法学部学生の男女比，司法試験合格者の男女比が半々にならないのか，なぜ司法修習のなかで女性が検事の「適性」があるとみなされにくいのか，試験・評価の方法やカリキュラムの点検を含む，ポジティブ・アクションが必要だ。警察との関係で検察の男女共同参画が推進できないなら，警察のあり方を

見直さなければならない。公務員の男女共同参画については，一般職以外の職種ごとの格差に注目する必要がある。警察と検察の男性支配の問題は，女性に対する性暴力の問題と関連して，緊急課題である。さらに，今後，女性の司法関係者が増えれば，裁判所，検察庁，弁護士業界内部における女性差別，ジェンダー・ヒエラルキーの問題が注目されていくことになろう。

3.5 企業・各種団体・NPO・NGO で活躍する

労働力人口に占める女性の割合は，1988年以降40％を超えている。雇用者全体に占める女性割合も増加し，2001年には40％を超えた。しかし，女性の民間企業の部長相当職3.1％，課長相当職4.6％，係長相当職9.4％（2003年）である。政界に影響力をもつ財界トップは男性だ。ロビー活動や審議会などで政策・方針決定に影響力をもつ各種団体・機関においても，女性会員は少なく，さらに女性役員は少ない。労働組合も例外ではない。

1999年施行された改正男女雇用機会均等法は，国が，ポジティブ・アクションを実施しようとする企業に相談その他の援助をすることができることを定めた（20条）。雇用分野におけるポジティブ・アクションの必要性をはじめて国内法にもりこんだ意義は大きいが，さらに実効性のある規定に改正していくことが求められる。

21世紀は国家の役割を小さくして，従来国や地方公共団体の機関であったものを民営化する方向，あるいは，国家の関与から排除されて個人や家族に委ねられていたものを担うNGO・NPO・市場を育てていく方向が有力に主張されている（「21世紀日本の構想」懇談会河合隼雄監修『日本のフロンティアは日本の中にある―自立と協治で築く新世紀』講談社，2000年）。何を国家の役割とするかについては，ジェンダーの視点から検討する必要があるが，社会のあらゆる領域の男女共同参画をすすめることが不可欠であることは間違いない。

【展開講義 26】 大学の男女共同参画

第二次世界大戦後，日本国憲法および教育基本法のもとで，教育における男女平等が実現した。高等教育への進学率も，男女ともに著しく向上した。しかし，男子は四年制大学，女子は短期大学という性別分離が著しかった。女子の四大進学率が短大進学率を上回ったのは，1996年以降のことである。女子学生の割合は，

2004年で，学部40.1％，大学院29.3％である。1980年には，学部22.1％，大学院11.6％に過ぎなかった。

　学部学生・大学院生に女性がいなければ，大学が圧倒的な男性支配になるのは，必然である。2003年に女性は，学長の8.3％，教授の9.2％，助教授の15.2％，教員総数の15.3％であった。小学校教員の62.7％，中学校の40.9％，高等学校の21.3％，短期大学の46.1％が女性教員であるのと比べれば，高位の教育機関であることは，男性支配が強まることを意味する。大学における女性の不在は，女性研究者の雇用差別問題だけでなく，日本の学問研究の内容上の偏り，女子学生に対する「将来のなりたい自分」のイメージを提供するロール・モデルの欠如といった問題をもたらす。

　こうした状況に対して，1994年，第15期日本学術会議は「女性科学研究者の研究環境の改善の緊急性に関する提言」（声明）において，女性差別に対する不服申立制度，オンブズマン制度等の確立を訴えた。これを受けて，日本女性科学研究者の環境改善に関する懇談会（JAICOWS）が発足し，日本学術会議と連絡をとりながらのNGO活動も始まった。

　男女共同参画社会基本法の成立後，2000年には，国立大学協会が，国立大学における女性教員（助手を除く）の比率を当時の6.6％から2010年までに20％に引き上げるという数値目標を提案した。これを受けて，国立大学における，男女共同参画を推進するための取組みが始まった。まず，ジェンダー統計を整備して実状を把握し，それをもとに教員公募制を確立する，ポジティブ・アクションを採用する，カリキュラムをジェンダーの視点からつくる，などの取組みが求められる。大学評価において，「男女共同参画度」は不可欠の項目である。

　日本学術会議も，2000年，2010年までに女性会員を10％にする目標を設定した。日本学術会議は，日本の学者の国会といわれる，学術領域の日本の最高意思決定機関である。構成員は男性210名，女性13名（第19期，2005年），女性会員比率は，6.2％である。この数字は，学術会議に加盟している各学会の研究者集団における男性支配を反映している。

　1994年に京都大学セクシュアル・ハラスメント事件が一般に知られるようになって以来，大学キャンパスにおける，男性教員による女性の大学院生・学部学生・助手・非常勤職員等に対するセクシュアル・ハラスメント被害が多数発生していることが知られている。1999年4月の，改正男女雇用機会均等法，文部省（当時）セクシュアル・ハラスメント防止等に関する規程の施行後，多くの大学で相談窓口や苦情処理システムが整備されたが，未整備の大学も多い。被害の発

生防止には，大学の教員・管理職における男女共同参画を進め，ジェンダーの視点から教育カリキュラムや研究内容を見直すことも必要である。また，同じ分野の研究者（とその卵）間の被害の場合，被害者が学会で生き延び，研究を続けていくためには，学会や学術会議の被害救済システムの整備が不可欠である（第6章参照）。

[参考文献]
井上輝子＝江原由美子編『女性のデータブック（第4版）』有斐閣，2005年
大沢真理編集代表『21世紀の女性政策と男女共同参画社会基本法』ぎょうせい，2000年（改訂版2002年）
大西祥世＝江橋崇「自治体女性行政の比較研究」法学志林98巻3号，2001年
広岡守穂＝広岡立美『よくわかる自治体の男女共同参画政策——施策のポイントと課題』学陽書房，2001年
藤枝澪子＝グループみこし『[実践事例] どう進めるか，自治体の男女共同参画政策——その取り組み方・創り方』学陽書房，2001年
内閣府『平成16年版男女共同参画白書』
内閣府男女共同参画局 http://www.gender.go.jp/

ジェンダー関連法・政策年表

年代	国連, 国際機関, 諸外国の動き	国内の主な動き
1945	・国連憲章採択	・閣議で女性参政権決定 ・衆議院議員選挙法改正 〈8月 ポツダム宣言受諾, 敗戦〉
1946	・国連女性の地位委員会設置	・日本国憲法（47.5.3施行）
1947		・教育基本法 ・学校教育法 ・労働基準法 ・国家公務員法 ・刑法改正（姦通罪の廃止） ・家事審判法（48.1.1施行） ・民法改正 ・戸籍法（48.1.1施行） ・労働省婦人少年局設置
1948	・世界人権宣言採択	・優生保護法 ・風俗営業法等取締法
1950	・ヨーロッパ人権条約署名 ・人身売買禁止条約採択	・公職選挙法 ・国籍法 〈6月 朝鮮戦争勃発〉
1951	・男女同一報酬条約（ILO100号）採択	
1952	・母性保護条約（ILO103号）採択 ・女性参政権条約採択	・国際労働機関（ILO）憲章発効
1953		〈第1回日本婦人大会（のち「母親大会」に）開催〉
1954	・無国籍者地位条約採択	
1955	〈世界母親大会（ローザンヌ, 参加国68ヵ国）〉	・女性参政権条約発効 〈第1回日本母親大会〉
1956	・第1回世界女性労働者会議（ブダペスト）	・国連加盟 ・売春防止法（57.4.1施行）
1957	・既婚女性国籍条約採択	
1958	・雇用・職業差別禁止条約（ILO111号）採択	・人身売買禁止条約発効
1959	・子どもの権利宣言採択	
1960	・教育差別禁止条約採択	
1961	・無国籍削減条約採択	・児童扶養手当法（62.1.1施行） ・文部省社会教育局婦人教育課設置
1962	・婚姻の同意・最低年齢・登録条約採択	
1963	・人種差別撤廃宣言採択	

年		
1964		・母子福祉法（66.1.1施行） 〈10月　東京オリンピック〉
1965	・人種差別撤廃条約採択	・母子保健法
1966	・社会権規約採択 ・自由権規約採択 ・国際人権規約第一選択議定書採択	
1967	・女性差別撤廃宣言採択	・男女同一報酬条約発効
1968	・国際人権会議（テヘラン），「テヘラン宣言」採択	
1970		・家内労働法 〈日本初のウーマン・リブ討論会「性差別への告発」開催〉
1971		・児童手当法（72.1.1施行）
1972	・人間環境宣言採択	・勤労婦人福祉法
1974	・世界人口会議（ブカレスト）	
1975	・第1回世界女性会議（メキシコシティ），「メキシコ宣言」および「世界行動計画」採択 ・国連総会，1976～85年「国連女性の10年——平等・開発・平和」を宣言	・労働省婦人少年問題審議会「職場における男女平等の促進に関する建議」検討開始 ・総理府に「婦人問題企画推進本部」（本部長・内閣総理大臣），「婦人問題企画推進会議」，「婦人問題担当室」を設置 〈国際婦人年日本大会実行委員会発足（41団体）〉
1976		・民法一部改正（離婚後の氏） ・労働省婦人少年問題審議会「雇用における男女の機会均等と平等の促進に関する建議」検討開始 〈日弁連「女性の権利に関する特別委員会」発足〉
1977		・児童福祉法施行令一部改正（男性の保母資格取得が可能に） ・「国内行動計画」策定 ・「国立婦人教育会館」開館
1979	・女性差別撤廃条約採択	・社会権規約発効 ・自由権規約発効 〈1月　第2次石油危機〉
1980	・第2回世界女性会議（コペンハーゲン），「国連女性の10年後半期行動プログラム」採択 ・女性差別撤廃条約の署名式（コペンハーゲン）	・民法一部改正（配偶者の相続分） ・総理府婦人問題企画推進本部「国連婦人の10年中間年全国会議」開催 〈国連婦人の10年中間年日本大会実行委員会，女性差別撤廃条約署名を外務省・総理府に申入れ〉

1981	・女性差別撤廃条約発効 ・家族的責任平等条約（ILO156号）採択	・母子福祉法,「母子及び寡婦福祉法」に改正 ・「婦人に関する施策の推進のための『国内行動計画』後期重点目標」策定
1982	・女性差別撤廃委員会（CEDAW）発足	〈国連婦人の10年推進議員連盟, 女性差別撤廃条約批准のため国内法改正, 女性関係行政改善などを首相に要望〉
1983		・労働省婦人少年局に「男女平等法制化準備室」設置
1984	・ヨーロッパ人権条約第7議定書署名 ・拷問等禁止条約採択 ・国際人口会議（メキシコシティ）	・男女雇用機会均等法案国会提出 ・国籍法, 戸籍法改正（父母両系血統主義を採用） ・労働省婦人少年局廃止,「婦人局」設置
1985	・第3回世界女性会議（ナイロビ）,「ナイロビ将来戦略」採択	・国民年金法改正 ・男女雇用機会均等法（86.4.1施行） ・労働者派遣事業法（86.7.1施行） ・女性差別撤廃条約発効 ・生活保護基準額の男女差別解消 〈働く主婦1,500万人突破（専業主婦を上回る）〉
1986	・発展の権利宣言採択	・女性労働基準規則 ・労働省, 第1回男女雇用機会均等月間実施
1987	・米連邦最高裁, 差別撤廃のための優先的昇進を認める判決（アメリカ）	・「西暦2000年に向けての新国内行動計画」策定 〈有責配偶者からの離婚請求を認める（最高裁）〉
1989	・子どもの権利条約採択	・すべての国家公務員試験で女性の受験制限撤廃 ・新学習指導要領で, 高校家庭科の男女必修化, 中学技術・家庭科における男女同一履修が告示（93年度実施） 〈1月 昭和天皇死去（新元号「平成」）〉
1990	・夜業に関する条約（ILO171号）採択 ・移住労働者権利条約採択 ・国連経社理,「ナイロビ将来戦略勧告」採択	〈セクハラ賠償命令判決（静岡地裁）〉
1991		・育児休業法 ・「西暦2000年に向けての新国内行動計画（第1次改定）」策定
1992	・環境開発会議（リオ・デ・ジャネイロ）,「環境と開発に関するリオ宣言」および「ア	・PKO法 ・看護人確保法

	ジェンダ21」等採択	・婦人問題担当大臣を設置(官房長官が兼務) 〈セクハラ事件で会社と元上司に賠償金支払い命令（福岡地裁）〉
1993	・世界人権会議(ウイーン)，「ウイーン宣言」および「行動計画」採択 ・女性に対する暴力の撤廃に関する宣言採択 ・国内人権機関の地位に関する原則（パリ原則）採択	・パート労働法 ・政府，「慰安婦」問題で強制連行の存在を認める。 〈婚外子の相続差別を違憲と判断（東京高裁）〉
1994	・パートタイム労働条約（ILO 第175号）採択 ・国際人口・開発会議（カイロ），「カイロ宣言」および「行動計画」採択 ・女性に対する暴力に関する特別報告者任命（国連人権委員会）	・子どもの権利条約発効 ・婦人問題企画推進本部を「男女共同参画推進本部」に改称 ・総理府婦人問題担当室を，政令設置の「男女共同参画室」に改編
1995	・第4回世界女性会議（北京），「北京宣言」および「行動綱領」採択	・育児休業法，「育児・介護休業法」に改正 ・家族の責任平等条約発効 ・人種差別撤廃条約発効 ・(財)アジア女性基金発足 〈1月　阪神淡路大震災発生〉 〈婚外子相続差別を合憲と判断（最高裁大法廷）〉
1996	・第2回国連人間居住会議（イスタンブール），「ハビタット・アジェンダ」採択 ・国連人権委・女性に対する暴力に関する特別報告者が「慰安婦」問題についての調査結果発表 ・第1回子どもの商業的性的搾取に反対する世界会議（ストックホルム）	・優生保護法，「母体保護法」に改正 ・「婦人週間」が「女性週間」に改称 ・「男女共同参画2000年プラン——男女共同参画社会の形成の促進に関する西暦2000年度までの国内行動計画」策定 ・法制審議会，民法改正要綱（選択的夫婦別氏制度導入等）を答申
1997		・男女共同参画審議会設置法 ・男女雇用機会均等法改正（99.4.1施行） ・労働基準法一部改正 ・育児・介護休業法一部改正 ・介護保険法（00.4.1施行） ・労働省婦人局が「女性局」に，都道府県婦人少年室が「女性少年室」に改称
1998	・国際刑事裁判所規程採択 ・国際自治体連合（IULA），「自治体における女性に関する世界宣言」採択	・特定非営利活動促進法 ・人事院規則10-10（99.4.1施行） ・総理府男女共同参画審議会「男女共同参画社会基本法について」答申 ・文部省生涯学習局婦人教育課を「男女共同参画学習課」に改称 〈「キャンパス・セクシュアル・ハラスメント全国ネットワーク」全国集会〉
1999	・最悪の形態の児童労働の廃絶に関する条約	・児童買春・ポルノ禁止法

	・（ILO第182号）採択 ・女性差別撤廃条約選択議定書採択 ・国際人口会議（ハーグ）	・男女共同参画社会基本法 ・食料・農業・農村基本法 ・拷問等禁止条約発効 ・女性・子どもを守る施策実施要綱 〈「働く女性のための全国ホットライン」開設〉
2000	・国連特別総会女性2000年会議（ニューヨーク），「政治宣言」および「成果文書」採択 ・2000年の世界人口白書「男女共生と見えない格差／変革の時」発表，ジェンダーによる差別の克服を最優先課題とする ・子どもの売買・買春・ポルノに関する子どもの権利条約選択議定書採択 ・武力紛争における子どもの権利条約選択議定書採択 ・紛争の防止・解決にジェンダーの視点の導入を求める国連安保理決議1325採択 ・フランスで「パリテ法」制定 〈女性国際戦犯法廷開廷（最終判決01.12）〉	・犯罪被害者保護法 ・ストーカー規制法 ・児童虐待防止法 ・社会福祉事業法，「社会福祉法」に改正 ・男女共同参画審議会「男女共同参画基本計画策定にあたっての基本的な考え方――21世紀の最重要課題」答申 ・「男女共同参画基本計画」策定 ・女性少年室，都道府県労働局に統合，「雇用均等室」に改編 ・「女性と仕事の未来館」開館 ・埼玉県男女共同参画推進条例制定，「男女共同参画苦情処理委員」設置
2001	・韓国で女性省設置 ・第2回子どもの商業的性的搾取に反対する世界会議（横浜）	・配偶者からの暴力の防止及び被害者の保護に関する法律（DV防止法） ・水産基本法 ・個別労働関係紛争解決促進法 ・育児・介護休業法一部改正 ・保健婦助産婦看護婦法，「保健師助産師看護師法」に改正 ・最悪の形態の児童労働の廃絶に関する条約発効 ・中央省庁改革により，「男女共同参画会議」，内閣府に「男女共同参画局」，厚生労働省に「雇用均等・児童家庭局」設置
2002	・持続可能な開発に関する世界首脳会議（ヨハネスブルグ），「持続可能な開発に関するヨハネスブルグ宣言」および「実施計画」採択	・母子・寡婦福祉法一部改正（03.4.1施行）
2003	・女性差別撤廃委員会，第29会期で日本政府第4次・第5次報告書審議，「最終コメント」公表	・性同一性障害者の性別の取扱いの特例に関する法（04.7.16施行） ・次世代育成支援対策推進法 ・少子化社会対策基本法（04.9.1施行） ・戸籍法一部改正（性同一性障害者の性別変更） ・子どもの売買・買春・ポルノに関する子どもの権利条約選択議定書署名 ・「女性に対するチャレンジ支援策の推進に

		ついて」決定 〈ジェンダー法学会設立〉
2004		・DV防止法改正 ・育児・介護休業法一部改正 ・武力紛争における子どもの権利条約選択議定書発効 ・配偶者特別控除の廃止 ・「人身取引対策行動計画」策定 ・日本・フィリピン経済連携協定合意

索引

あ

暗　数	173
アンペイド・ワーク	86

い

慰安婦	35
「家」制度	40, 235
イギリスの性差別禁止法	66
育児・介護休業法	80
遺族基礎年金	120
遺族年金	120
一般女性保護規定	68, 73
インターセックス	204

う

ウィメンズ・リブ運動	198

え

エイズ	199
NGO	21, 35, 37
エンパワーメント	193

お

応能負担	103
夫から妻への傷害事件	166
夫の強姦	134, 139
夫の強姦免責条項	139
親指の原則	159

か

介　護	44
外国人配偶者の姓	58
介護保険制度	100
買　春	215, 216
開発格差	58
カイロ会議 → 国際人口開発会議	
家計の主宰者	105
過剰収容状態	172
家族介護	101
カップル	199
寡父控除	114
寡婦控除	114
家父長制思想	137
カミングアウト	204
仮釈放	173
環境ホルモン	212
間接差別	64

き

起訴猶予	173
起訴猶予処分	173
キャンパスにおけるセクシュアル・ハラスメント	146
休業請求権	81
給与所得控除額	117
協議離婚	45
強制妊娠	201
強制売春	218
強制わいせつ	132
寄与分	45
銀シャリ事件	216
禁止命令	151
近親姦	134

く

クォータ制	225
苦情処理機関	230, 233
虞　犯	180
クローゼット	204

け

経済条項 …………………………… 201, 202
経済のグローバル化 ………………… 28, 89
刑事司法手続 ……………………………… 172
激変緩和措置 ………………………………… 75
結婚退職制度 ………………………………… 65
検挙人員 …………………………………… 171
検挙率 ……………………………………… 172
現金給付 …………………………………… 101
減数中絶 …………………………………… 211
現物給付 …………………………………… 101

こ

公営シェルター …………………………… 166
強　姦 ……………………………………… 131
強姦神話 …………………………… 130, 132
公娼制度 …………………………………… 215
厚生年金 …………………………………… 119
公的扶助 ……………………………………… 93
公的扶助制度 ………………………………… 94
公　平 ……………………………………… 110
公民権法第7編（タイトルセブン）…… 142
高齢者介護 ………………………………… 100
国際刑事裁判所 ……………………………… 34
国際人権法 …………………………………… 23
国際人口開発会議（カイロ会議）… 198, 208
国際人道法 …………………………… 31, 32, 36
国際通貨基金（IMF）……………………… 28
国際法 ………………………………………… 17
告訴期間 …………………………………… 134
国内行動計画 ……………………………… 222
国内人権機関 ……………………………… 226
国民年金 …………………………………… 119
国連システム ……………………………… 238
個人通報 ……………………………………… 26
個人の尊厳 ………………………………… 234
戸籍制度 ……………………………………… 42

戸籍の性別表記 …………………………… 205
国家の要件 …………………………………… 20
固定的な被害者像 ………………………… 144
個別労働関係紛争解決促進法 ……………… 69
婚姻適齢 ……………………………………… 42
婚外子差別 ………………………… 53, 104
婚氏続称 ……………………………………… 49

さ

再婚禁止期間 ………………………………… 42
裁判離婚 ……………………………………… 46
差別禁止規定 ………………………………… 68
三陽物産事件 ………………………………… 66
三六協定 ……………………………………… 76

し

ジェノサイド ………………………………… 34
ジェンダー ………………………………… 100
　——に基づく暴力 ……………………… 159
　——の主流化 …………………………… 223
　——のメインストリーム ……………… 185
時間外・休日労働 …………………………… 76
時間外労働 …………………………………… 77
時間外労働制限規定 ………………………… 81
始業・終業時刻の繰上げ・繰下げ ………… 83
事業主の努力義務 …………………………… 68
自己決定権 ………………………………… 201
自己堕胎 …………………………………… 208
資産の活用 ………………………………… 95
自主申告と年末調整方式 ………………… 117
執行猶予 …………………………………… 173
私的扶養 ……………………………………… 44
児童買春 …………………………………… 219
児童買春・児童ポルノ規制法 …… 219, 236
児童虐待 …………………………………… 179
児童手当制度 ……………………………… 104
児童扶養手当制度 ……………… 104, 106, 107
司法のジェンダー・バイアス …………… 240

索引 253

社会権規約 …………………… 23, 24
社会福祉援護サービス ………… 93
社会福祉の給付方式 …………… 102
社会保険 ………………………… 91
社会保障 ………………………… 90
　──法とジェンダー ………… 90
若年定年制度 …………………… 65
従軍慰安婦 ……………………… 237
自由権規範 ……………………… 24
自由権規約 ……………………… 23
重婚的婚外子 …………………… 55
就労調整 ………………………… 123
ジュネーブ条約（1949年） …… 31
準婚主義 ………………………… 51
準　正 …………………………… 54
昇格差別 ………………………… 70
証言の信用性 …………………… 135
使用者責任 ……………………… 144
助言指導 ………………………… 97
女性国際戦犯法廷 ……………… 36
女性差別撤廃委員会 ……… 19, 26
女性差別撤廃条約
　…………… 19, 23, 25, 49, 56, 57, 67, 73, 223
女性差別撤廃条約選択議定書 … 26
女性参政権 ……………………… 235
女性に対する暴力 ……………… 161
　──に関する特別報告者 … 25, 35, 162
女性に対する暴力撤廃宣言 … 25, 157
女性の権利は人権である ……… 185
女性の人権の「主流化」 ……… 25
女性の地位委員会 ………… 19, 23
女性のみ保護規定 ……………… 74
女性保護 ………………………… 74
所得控除 ………………………… 114
所得再分配機能 ………………… 110
所得税 …………………………… 112
審議会 …………………………… 239
人工授精 ………………………… 210

親告罪 …………………………… 132
人事院規則（10-10） ………… 143
人身売買 ………………………… 218
親　族 …………………………… 43
人道に対する罪 ………………… 34
審　判 …………………………… 46
深夜業 …………………………… 77
　──の制限期間 ……………… 85

す

ステレオタイプ ………………… 186
ストーカー規制法 ……… 149, 150, 237
　──の問題点 ………………… 152
ストーカー行為 …………… 149, 150
ストーカー事件 ………………… 189
ストーカー被害 …………… 148, 149
　──の特徴 …………………… 149

せ

生活障害状態 …………………… 93
生活不能状態 …………………… 93
生活保護法 ……………………… 94
性感染症 ………………………… 211
性再判定手術 …………………… 203
精子銀行 ………………………… 210
生殖医療 ………………………… 210
生存権保障 ……………………… 92
性同一性障害 …………………… 203
性同一性障害特例法 …………… 205
性別役割分業 …………………… 236
性別役割分業論 ………………… 231
性暴力 …………………………… 133
生命の選別 ……………………… 202
性役割 …………………………… 185
世界銀行 ………………………… 28
世界経済構造 …………………… 89
世界人権宣言 …………………… 23
世界貿易機関（WTO） ……… 28, 29

世界保健機関（WHO） ……………… 198
セカンド・レイプ ………………………… 138
セクシュアリティの自由 …………………… 60
セクシュアル・オリエンテーション
　（性的指向） ………………………… 199
セクシュアル・ハラスメント
　……………………………… 141, 229, 242
　――の文部省防止規程 …………… 146
セクシュアル・ハラスメント裁判 …… 143
セクシュアル・ハラスメント防止配慮
　義務（事業主の） …………………… 69, 142
セクシュアル・ライツ（性的権利）…… 199
世帯単位から個人単位へ ……………… 89
世帯主 …………………………………… 55
積極的改善措置 ……………………… 224
接近禁止命令 ………………………… 166
セックス・ワーク ……………………… 217
全国裁判官教育プログラム（NJEP）… 194
戦争犯罪 ………………………………… 34
選択議定書 ……………………………… 27
選択的別姓 ……………………………… 49
選択の自由派 ………………………… 207

そ

総合課税 ……………………………… 113
措置委託 ……………………………… 102
措置制度 ……………………………… 102

た

第一追加議定書 ………………… 31, 33, 37
体外受精 ………………………… 210, 211
大学の男女共同参画 ………………… 241
退去命令 ……………………………… 166
第3号被保険者 ……………………… 118
第三世代の人権 ………………………… 24
ダイバージョン（刑事司法制の回避）… 173
代理出産母（ホスト・マザー）……… 212
代理母（サロゲート・マザー）……… 212

多国籍企業 ……………………………… 29
堕胎罪 …………………………… 200, 207
脱制度化 ………………………………… 51
短時間勤務制度 ………………………… 83
男児選考 ……………………………… 214
男女産み分け ………………………… 214
男女共通保護 …………………… 74, 75
男女共同参画会議 ……………… 226, 227
男女共同参画基本計画 ………… 222, 238
男女共同参画計画 ……………… 222, 232
男女共同参画社会基本法 ……… 67, 185, 221
男女共同参画条例 …………………… 228
男女共同参画推進本部 ………… 227, 238
男女共同参画センター ……………… 233
男女共同参画2000年プラン ………… 238
男女共同参画ビジョン ………… 222, 224
男女雇用機会均等法 …………… 67, 142, 241
男女同一価値労働同一賃金原則 ……… 69

ち

嫡出推定 ……………………………… 214
中絶容認派 …………………………… 207
中　立 ………………………………… 110
懲戒権思想 …………………………… 159
超過累進税率 ………………………… 110
調　停 …………………………………… 46
直接差別 ………………………………… 64
賃金差別 ………………………………… 69

つ

追加議定書（1977年） ………………… 31
つきまとい行為 ……………………… 150

て

貞操観念 ……………………………… 135
DV防止法 ………………… 160, 185, 237
DV防止法改正 ……………………… 167
摘出否認の訴え ………………………… 54

適正化通達 …………………………… 94

と

同性愛パートナー …………………… 60
届出婚主義 …………………………… 41
ドナー ……………………………… 214
ドメスティック・バイオレンス … 156, 229
　　――の影響 ……………………… 158
　　――の歴史 ……………………… 159
トランス・ジェンダリズム ………… 204
トランス・セクシュアリズム ……… 203

な

内閣府男女共同参画局 ……………… 227
ナショナル・マシナリー …………… 227

に

虹の憲法 ……………………………… 203
二次被害 ………………………… 138, 147
日本軍性奴隷制 …………………… 35, 36
妊娠・出産保護 ……………………… 75
認知件数 ……………………………… 172

の

能力の活用 …………………………… 95

は

パートタイム労働法 ………………… 71
パートナー関係法 …………………… 60
配偶者控除 …………………………… 111
配偶者特別控除 ……………………… 111
配偶者からの暴力の防止及び被害者の
　保護に関する法律（DV 防止法）
　　…………………………… 160, 185
配偶者暴力相談支援センター ……… 164
売　春 ……………………………… 215
売春防止法 ……………………… 161, 215
白紙条項 ……………………………… 48

索　引　255

バックラッシュ ……………………… 207
発展の権利 …………………………… 24
母親餓死事件 ………………………… 96
パブリック・コメント ……………… 233
林訴訟 ………………………………… 97
パリテ ………………………………… 225
パワーとコントロールの図 ………… 156
反強姦運動 …………………………… 194
犯罪被害者保護法 …………………… 138
ハンセン病 …………………………… 201

ひ

被害者側の落ち度や抵抗 …………… 184
非国家行為 …………………………… 36
非国家行為体 ………………………… 21
非　婚 ………………………………… 52
微罪処分 ……………………………… 173
日立製作所武蔵工場事件 …………… 78
非典型雇用 …………………………… 71
103万円の壁 ………………………… 123
被用者年金 …………………………… 118
平　等 ………………………………… 73
貧困の女性化 ……………… 24, 29, 88, 89

ふ

夫婦同氏 ……………………………… 48
夫婦別産制 …………………………… 115
夫婦別姓 ……………………………… 49
福岡裁判 ……………………………… 143
不健全素因 …………………………… 200
不　妊 …………………………… 209, 211
不妊治療 ………………………… 210, 211
扶　養 ………………………………… 43
　　――の喪失 ……………………… 91
扶養義務の優先 ……………………… 97
扶養控除 ……………………………… 114
武力行使 ……………………………… 21
フルタイム労働者 …………………… 71

ブルーボーイ事件 …………………… 208
フレックスタイム制度 ……………… 83
プロ・チョイス ……………………… 207
プロ・ライフ ………………………… 207

へ

ペイド・ワーク ……………………… 88
ベヴァリッジ報告書 ………………… 91
北京行動綱領 …………………… 89, 226
ペドファイル ………………………… 219
変形労働時間制 ……………………… 76

ほ

報酬労働 ……………………………… 111
法律婚主義 …………………………… 54
法　例 ………………………………… 58
保　護 ………………………………… 73
保護命令 ………………………… 162, 164
ポジティブ・アクション … 69, 224, 238, 241
母性保護規定 ………………………… 73
補足性の原理 ………………………… 95
母体保護法 ……………………… 201, 202
ホームレス …………………………… 97
ポルノ禁止法 ………………………… 219
ホロコースト ………………………… 200

み

ミーガン法 …………………………… 220
民族浄化 ……………………………… 201
民衆法廷 ……………………………… 36
民法改正法律案要綱 ………… 49, 55, 60

む

無差別攻撃の禁止 …………………… 37

無能力者 ……………………………… 40
無報酬労働 …………………………… 111

め

免罰的効果 …………………………… 77

ゆ

優秀な男性 …………………………… 211
優生手術 ……………………………… 200
優生条項 ……………………………… 201
優生保護法 …………………………… 201

よ

養育者 ………………………………… 105
要介護者 ……………………………… 100
要保障事故・状態 …………………… 92

り

リーガル・リテラシー ……………… 193
リプロダクティブ・フリーダム（性と
　生殖の自由）……………………… 198
リプロダクティブ・ヘルス ………… 198
リプロダクティブ・ヘルス／ライツ
　（性と生殖に関する健康／権利）…… 197
良質の精子 …………………………… 210

れ

レイプ ………………………………… 33
連帯民事契約 ………………………… 61

わ

猥褻概念 ……………………………… 189

導入対話による ジェンダー法学〔第2版〕

2003年3月25日　第1版第1刷発行
2005年4月5日　第2版第1刷発行

監　修　浅倉むつ子
Ⓒ著　者　浅倉むつ子　　戒能民江
　　　　　阿部浩己　　　宮園久栄
　　　　　林　瑞枝　　　堀口悦子
　　　　　相澤美智子　　武田万里子
　　　　　山崎久民

発　行　不磨書房
〒113-0033　東京都文京区本郷 6-2-9-302
TEL 03-3813-7199／FAX 03-3813-7104

発　売　㈱信山社
〒113-0033　東京都文京区本郷 6-2-9-102
TEL 03-3818-1019／FAX 03-3818-0344

2005, Printed in Japan　　印刷・製本／松澤印刷

ISBN4-7972-9130-3 C3332

不磨書房

早川吉尚・山田　文・濱野　亮　編
Alternative Dispute Resolution

ADRの基本的視座

根底から問い直す　"裁判外紛争処理の本質"

1　紛争処理システムの権力性とADRにおける手続きの柔軟化　　**（早川吉尚・立教大学）**
2　ADRのルール化の意義と変容アメリカの消費者紛争ADRを例として　**（山田　文・京都大学）**
3　日本型紛争管理システムとADR論議　**（濱野　亮・立教大学）**
4　国によるADRの促進　**（垣内秀介・東京大学）**
5　借地借家調停と法律家　日本における調停制度導入の一側面　**（髙橋　裕・神戸大学）**
6　民間型ADRの可能性　**（長谷部由起子・学習院大学）**
7　現代における紛争処理ニーズの特質とADRの機能理念ーキュアモデルからケアモデルへー　**（和田仁孝・早稲田大学）**
8　和解・国際商事仲裁におけるディレンマ　**（谷口安平・東京経済大学／弁護士）**
9　制度契約としての仲裁契約　仲裁制度合理化・実効化のための試論　**（小島武司・中央大学）**
10　ADR法立法論議と自律的紛争処理志向　**（中村芳彦・弁護士）**

座談会　〔出席者：和田・山田・濱野・早川（司会）〕

A 5 判　336 頁　定価 3,780 円（本体 3,600 円）

不磨書房

横田洋三 著（中央大学教授・国連大学学長特別顧問）
日本の人権／世界の人権

◆ 21世紀の人権を考える ◆日本の人権と世界の人権 ［瀋陽日本領事館亡命事件／拉致］
◆ 人権分野の国連の活動と日本 ［アパルトヘイト／ミャンマー／従軍慰安婦／難民／差別］
◆ 生活の中の人権 ［家庭／学校／大学／役所／職場／企業／病院］ ◆人権教育は家庭から
◆ 国際人権大学院大学設立への期待　　　　　　　　　　9299-7　四六判　■本体 1,600円

gender law books
■男女共同参画社会をめざして
ジェンダーと法
辻村みよ子 著（東北大学教授）

9114-3　A5変判・上製　■本体 3,400円（税別）

導入対話による
ジェンダー法学
【第2版】　監修：浅倉むつ子

Ⅰ　ジェンダーと差別　◆浅倉むつ子（早稲田大学）
　　阿部浩己（神奈川大学）／林瑞枝（元駿河台大学）
　　相澤美智子（一橋大学）／山崎久民（税理士）
Ⅱ　ジェンダーからの解放　◆戒能民江（お茶の水女子大学）
　　武田万里子（金城学院大学）／宮園久栄（東洋学園大学）
　　堀口悦子（明治大学）　　　9130-3　■本体 2,400円（税別）

■女性の人権を考える
ドメスティック・バイオレンス
戒能民江 著（お茶の水女子大学教授）　　　　山川菊栄賞受賞

9297-0　A5変判・上製　■本体 3,200円（税別）

キャサリン・マッキノンと語る
ポルノグラフィと買売春
角田由紀子（弁護士）
ポルノ・買売春問題研究会
9064-1　四六判　■本体 1,500円（税別）

——— 導入対話シリーズ ———

1. **導入対話による民法講義(総則)【新版】** 9070-6 ■ 2,900円(税別)
   橋本恭宏(中京大学)／松井宏興(関西学院大学)／清水千尋(立正大学)
   鈴木清貴(帝塚山大学)／渡邊力(摂南大学)

2. **導入対話による民法講義(物権法)【第2版】** 9104-4 ■ 2,900円(税別)
   松井宏興(関西学院大学)／鳥谷部茂(広島大学)／橋本恭宏(中京大学)
   遠藤研一郎(獨協大学)／太矢一彦(獨協大学)

3. **導入対話による民法講義(債権総論)** 9213-X ■ 2,600円(税別)
   今西康人(関西大学)／清水千尋(立正大学)／橋本恭宏(中京大学)
   油納健一(山口大学)／木村義和(大阪学院大学)

4. **導入対話による刑法講義(総論)【第2版】** 9083-8 ■ 2,800円(税別)
   新倉 修(青山学院大学)／酒井安行(青山学院大学)／高橋則夫(早稲田大学)／中空壽雅(獨協大学)
   武藤眞朗(東洋大学)／林美月子(神奈川大学)／只木 誠(中央大学)

5. **導入対話による刑法講義(各論)** 9262-8 ★近刊 予価 2,800円(税別)
   新倉 修(青山学院大学)／酒井安行(青山学院大学)／大塚裕史(岡山大学)／中空壽雅(獨協大学)
   信太秀一(流通経済大学)／武藤眞朗(東洋大学)／宮崎英生(拓殖大学)
   勝亦藤彦(佐賀大学)／安藤安子(青山学院大学)／石井徹哉(獨協大学)

6. **導入対話による商法講義(総則・商行為法)【第2版】** ■ 2,800円(税別)
   中島史雄(金沢大学)／末永敏和(大阪大学)／西尾幸夫(関西学院大学) 9084-6
   伊勢田道仁(金沢大学)／黒田清彦(南山大学)／武知政芳(専修大学)

7. **導入対話による国際法講義【第2版】** 9091-9 ■ 3,200円(税別)
   廣部和也(成蹊大学)／荒木教夫(白鷗大学) 共著

8. **導入対話による医事法講義** 9269-5 ■ 2,700円(税別)
   佐藤 司(元亜細亜大学)／田中圭二(香川大学)／池田良彦(東海大学)／佐瀬一男(創価大学)
   転法輪慎治(順天堂医療短大)／佐々木みさ(前大蔵省印刷局東京病院)

9. **導入対話によるジェンダー法学【第2版】** 9130-3 ■ 2,400円(税別)
   浅倉むつ子(早稲田大学)／相澤美智子(一橋大学)／山崎久民(税理士)／林瑞枝(元駿河台大学)
   戒能民江(お茶の水女子大学)／阿部浩己(神奈川大学)／武田万里子(金城学院大学)
   宮園久栄(東洋学園大学)／堀口悦子(明治大学)

10. **導入対話によるスポーツ法学** 9108-7 近刊 予価 2,400円
    小笠原正(東亜大学)／井上洋一(奈良女子大学)／川井圭司(同志社大学)／齋藤健司(神戸大学)
    佐藤千春(朝日大学)／諏訪伸夫(筑波大学)／濱野吉生(早稲田大学)／森浩寿(日本大学)

11. **導入対話による民事訴訟法講義** 9266-0
    椎橋邦雄(山梨学院大学)／豊田博昭(広島修道大学)／福永清貴(名古屋経済大学)
    高木敬一(愛知学院大学)／猪股孝史(桐蔭横浜大学)／小林学(桐蔭横浜大学)

12. **導入対話による刑事政策講義** 9218-0
    土井政和(九州大学)／赤池一将(龍谷大学)／石塚伸一(龍谷大学)
    葛野尋之(立命館大学)／武内謙治(九州大学)